黄河下游防汛与工程管理

苗长运　杨明云　苏娅雯　编著

黄 河 水 利 出 版 社

图书在版编目(CIP)数据

黄河下游防汛与工程管理/苗长运,杨明云,苏娅雯编著.—郑州:黄河水利出版社,2003.12

ISBN 7-80621-728-2

Ⅰ.黄…　Ⅱ.①苗…②杨…③苏…　Ⅲ.①黄河-下游河段-防洪②黄河-下游河段-防洪工程-管理

Ⅳ.TV882.1

中国版本图书馆 CIP 数据核字(2003)第 090582 号

出 版 社:黄河水利出版社

地址:河南省郑州市金水路 11 号　　　邮政编码:450003

发行单位:黄河水利出版社

发行部电话及传真:0371-6022620

E-mail:yrcp@public.zz.ha.cn

承印单位:黄河水利委员会印刷厂

开本:850 毫米×1 168 毫米　1/32

印张:11.75

字数:292 千字　　　印数:1—1 000

版次:2003 年 12 月第 1 版　　印次:2003 年 12 月第 1 次印刷

书号:ISBN 7-80621-728-2/TV·332　　　定价:25.00 元

前　言

黄河是中华民族的摇篮，是孕育中华民族的母亲河。历史上黄河是一条多灾多难的害河，以“善淤、善决、善徙”闻名于世，每次决口都给黄淮海平原广大人民生命、财产造成巨大损失。为了驯服黄河，变害为利，中华民族进行了长期持久的斗争。特别是新中国成立后，党和政府高度重视黄河的治理与开发，投入了大量人力、物力、财力进行治理，初步形成了“上拦下排，两岸分滞”的防洪工程体系，彻底改变了“三年两决口，百年一改道”的险恶局面，取得了人民治黄57年安澜的巨大成就。黄河安澜的背后，防汛与水利工程管理作出了卓越的贡献。

但是，黄河的洪水、泥沙尚未得到有效控制，防洪减灾依然任重道远，河防工程需要进一步加强。特别是现在治黄科技人员青黄不接，迫切要求我们全面地学习、继承以往的防汛与工程管理经验，尽快提高治黄科技水平，以适应黄河防洪与工程管理的需要。

防洪工程是防汛和工程管理的物质基础，工程管理是保证防洪工程设计功能得以充分发挥的重要手段，也是防汛的重要基础工作。通过防汛检验工程在防洪中存在的问题，可以进一步加强工程管理工作，提高管理水平。防汛与工程管理相辅相成，不可分割。

随着时代的发展与科技的进步，黄河防汛与工程管理水平有了很大提高，防汛与工程管理的科技含量也大为提高。

进入21世纪，发展依然是我国改革与建设的主题。新世纪的防汛与工程管理工作要紧紧围绕“以确保防洪安全为中心，以管理体制改革和运行机制改革为动力，以科技进步为支撑，以追求工程综合效益的最大化为目标，全面提高管理水平”的工作指导思想，抓住机遇，勇于进取，始终以体制创新和科技创新为动力，引导和组织防汛与管理技术的研究开发，加速科技成果向现实生产力的转化，特别是要研究解决一些如防汛调度、根石探摸、隐患探测、深水堵漏、管理信息的快速传递等重大实用性课题，使黄河水利管理的水平有一个新的跨越。

迄今为止，还没有一本能全面反映黄河防洪与工程管理知识的系统专业书籍。为了弥补这方面的缺憾，作者集十几年的防洪与工程管理经验，编著了这本书。希望该书的出版发行能为各级防汛与工程管理部门和防汛与管理工作者提供有益的帮助。

作 者

2003 年 8 月 1 日

目　录

第一篇　黄河防汛

第二篇　工程管理

第一篇　黄河防汛

第一章　黄河流域自然地理和社会经济概况

黄河发源于青海省巴颜喀拉山北麓海拔 4 500m 的约古宗列盆地，流经青海、四川、甘肃、宁夏、内蒙古、山西、陕西、河南、山东等 9 省(区)，在山东省垦利县注入渤海，全长 5 464km，流域面积 79.5 万 km^2。不论是河道长度，还是流域面积，黄河在我国长江、黄河、珠江、淮河、海河、松花江和辽河等七大江河中都占第二位，是我国的第二大河。如图 1-1 所示。

黄河流域是中华民族的摇篮，是我国文化的发源地，南宋以前的都城多分布于此。在我国历史上，各朝代都把发展水利事业，增加农业产量，以及为运输、特别是为漕运创造条件当做社会发展与政治斗争的重要手段和有力武器，从而促进了黄河流域经济的繁荣，使之成为我国最早的经济区。

黄河流域地域辽阔，气候变化较大，降水量从东南向西北递减，水旱灾害频繁，历史上曾经多次发生遍及数省、连续几年的旱灾，造成赤地千里、饿殍遍地。但更为严重的是洪水灾害，“洪水横溢，尸漂四野”的记载不绝于书，平均“三年两决口，百年一改道”。洪水波及范围，西起孟津，北至天津，南抵江淮，泛区涉及黄、淮、海平原的冀、豫、鲁、皖、苏 5 省 25 万 km^2。黄河每次决口和改道，都给下游广大地区的人民的生命和财产造成巨大的损失，带来深重的灾难，对生态环境造成严重破坏和长远的恶劣影响。因此，黄河有“中国之忧患”、“中华民族心腹之患”之说。

黄河流域暴雨多，强度大，洪水多由暴雨形成，主要来自上游兰州以上和中游河口镇至龙门、龙门至三门峡、三门峡至花园口、汶河流域 5 个地区。黄河流域冬季较为寒冷，宁夏和内蒙古河段都要封河，下游为不稳定封冻河段，龙门至潼关河段在少数年份也

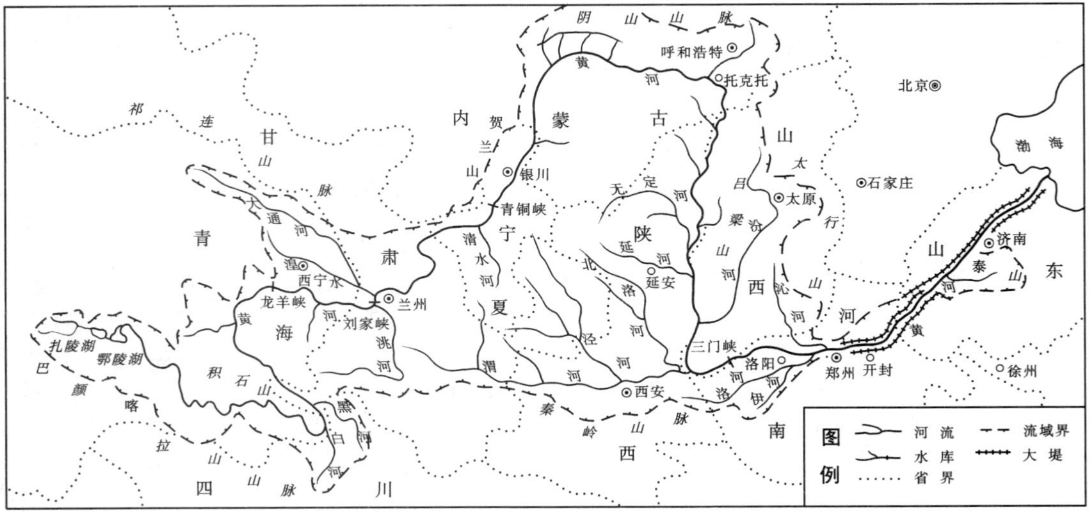
阴山山脉
呼和浩特
托克托
北京
渤海
黄河
祁连山脉
甘肃
内蒙古
贺兰山
银川
青铜峡
宁夏
清水河
无定河
陕西
延河
延安
北洛河
泾河
渭河
西安
三门峡
山西
吕梁山
汾河
太原
太行山
沁河
石家庄
山东
济南
泰山
郑州
开封
徐州
洛阳
洛河
伊河
河南
秦岭山脉
青海
大通河
湟水
西宁
龙羊峡
刘家峡
洮河
兰州
积石山
扎陵湖
鄂陵湖
巴颜喀拉山脉
四川
黑河
白河
图例
河流
水库
省界
流域界
大堤

图 1-1　黄河流域图

有封河现象。春季开河时形成冰凌洪水,常常造成凌汛威胁。

黄河中游流经世界上面积最大的黄土高原。因黄土高原的土质疏松,地形支离破碎,暴雨频繁且强度大,水土流失极为严重。不仅影响当地工农业的发展,而且大量泥沙流入黄河,使黄河成为世界上泥沙最多的河流。由于泥沙的淤积,黄河下游的河道已成为"地上悬河",是世界上最复杂难治的河流。

黄河流域位于北纬32°~42°、东经96°~119°之间,西起巴颜喀拉山,东临渤海,北界阴山,南至秦岭,中有六盘山、吕梁山等群山起伏,并有世界上最大的黄土高原,横跨青藏高原、内蒙古高原、黄土高原和华北平原等4个地貌单元,东西长约1 900km,南北宽约1 100km。

黄河与其他江河不同,流域面积集中在上中游地区,下游长达数百公里的河道高悬地上,集水面积很小,两岸平原大部分属淮河及海河流域,但长期遭受黄河水患危害,现在及将来又依靠黄河供水,广大平原的安危兴衰、社会经济的发展,都与黄河紧密相关,历来属于黄河流域经济区的组成部分。

第一节　自然地理概况

一、地形地貌

黄河流域西高东低,十分明显地呈三级阶梯逐级下降。

最高一级阶梯是流域西部的青海高原,位于著名的"世界屋脊"——青藏高原的北部,海拔3 000~5 000m,有一系列西北—东南向的山脉,黄河迂回于山原之间,河谷两岸海拔5 500~6 000m,相对高差达1 500~2 000m。雄踞黄河第一大河曲的阿尼玛卿山主峰玛卿岗日海拔6 282m,是黄河流域的最高点,山顶常年积雪,冰川地貌发育、气象万千。青海高原南缘的巴颜喀拉山脉，山峦绵延，是黄河与长江上游通天河的分水岭。祁连山脉横亘高原北缘，构成青海高原与内蒙古高原的分界。河源区及黑河、白河流域，地势平坦，多为草原、湖泊及沼泽。

第二阶梯大致以太行山为东界，海拔 1 000～2 000m。本阶梯内白于山以北属于内蒙古高原的一部分，包括黄河河套平原和鄂尔多斯高原。白于山以南为黄土高原和崤山、熊耳山、太行山等山地。

黄河河套平原西起宁夏中卫、中宁，东至内蒙古托克托，长约 900km，宽 50km 左右，海拔 900～1 200m，是黄河流域最大的灌区。河套平原北部的阴山山脉和西部的贺兰山、狼山，犹如一道屏障，阻挡着阿拉善高原上的腾格里、乌兰布和丹吉林等沙漠向黄河流域腹地的侵袭。鄂尔多斯高原的西、北、东三面海拔 1 400m，是一块近似方形的台状干燥剥蚀高原，风沙地貌发育。北有库布齐沙漠，南为毛乌素沙漠，河流较少，盐碱湖泊众多。

世界著名的黄土高原北起长城，南达秦岭，西抵青海高原，东至太行山脉，海拔 1 000～2 000m。黄土塬、梁、峁、沟是黄土高原的地貌主体。由于新构造运动，黄土高原不断抬升，加之土质松散，垂直节理发育，植被稀疏，在长期暴雨径流的水力侵蚀和滑坡、崩塌、泻溜等重力作用下，黄土高原沟壑纵横，坡陡沟深，是黄河泥沙的主要来源区。

横亘黄土高原南部的秦岭山脉，是我国亚热带和温带的南北分界线，是黄河与长江的分水岭，也是黄土高原飞沙不能南扬的挡风墙。伏牛山、嵩山分别是黄河流域同长江、淮河流域的分水岭。太行山耸立在黄土高原与华北平原之间，海拔 2 000～4 500m，是黄河流域与海河流域的分水岭，也是华北地区一条重要的自然地理分界线。这一地区的地形条件，有利于水气的抬升，暴雨强度大，产汇流条件好，是黄河中游洪水主要来源区之一。

第三阶梯自太行山系以东直至滨海，由黄河下游冲积平原和鲁中丘陵组成。黄河下游冲积平原是我国第二大平原——华北平原的重要组成部分,包括豫东、豫北、鲁西、鲁北、冀南、冀北、皖北、苏北等地区,面积 25 万 km^2,海拔 100m 左右。平原地势以黄河大堤为分水岭,大堤以北为黄海平原,属海河流域;大堤以南为黄淮平原,属淮河流域,鲁中丘陵由泰山、鲁山和沂山组成,海拔 400~1 000m,最高 1 524m,其西部、北部诸水皆入黄河。

二、气候特点

黄河流域东西跨 23 个经度,南北相隔 10 个纬度,地理位置差别很大。同时黄河流域大部分深藏在大陆内部,下游近海部分为一狭窄长条,面积又较小,所以海洋影响远较大陆影响为小。流域内东西和南北走向的巨大山脉,以及青藏高原、黄土高原、内蒙古高原等,对气候都有重要影响。特别是青藏高原,位于流域的西侧,对黄河流域及整个东亚地区的气候影响极大。

黄河流域气候属东亚季风区。春季气候干燥,风沙多,同时晴天多,温度上升快,所以易发生春旱;夏季西太平洋副热带高压向北移,控制黄河流域,水汽大量输入,与西北高压交绥,易产生降水,其交绥口的强弱、进退、位置及持续时间的长短,都产生不同的降雨天气系统,影响黄河流域以及更大范围的旱涝等气候的变化。秋季大陆低压和西太平洋高压减弱南撤,高空西风急流南移,西北高压扩张,水汽不多,故降雨明显减少,秋高气爽,但在渭河和兰州以上多有连绵秋雨;冬季受强大的蒙古高压影响,盛行偏北风,常出现寒潮、冷风,气流区活跃,但水汽不多,降水显著减少。

黄河流域地域辽阔,分属于湿润(面积小)、半湿润、半干旱、干旱 4 个地带。流域降水量分布不均,西北少、东南多,大部分年降水量在 150~700mm 之间,流域平均年降水量为 451mm,最少在内蒙古磴口附近,仅 14mm;多雨区在黄河上游玛曲一带以南及秦岭至洛河上游,年降水量 800~900mm,局部可达 1 000mm。

年内最大降水量的4个月是6～9月，占全年的55%～80%。降水量年际变化较大，最大最小年降水量的比值为1.6～7.0。

黄河流域气温东部高于西部，南部高于北部，平原高于高原、山区。多年平均气温，上游为1～8℃，中游为8～14℃，下游为12～14℃。月平均气温以7月份为最高，大部分在20～29℃之间。

第二节　社会经济概况

黄河流域及下游防洪保护区共有人口1.72亿(流域内9 780万)，占全国总人口的15.1%，耕地面积约0.187亿hm^2(流域内0.12亿hm^2)，占全国的19.4%。

黄河流域大部分地区气候温和，光热充足，土地资源丰富，是我国农业经济开发最早的地区。上游宁蒙河套平原、中游关中平原、下游防洪保护区内的黄淮海平原，地形平坦，水源充足，灌溉方便，人口稠密，生产条件好，是我国主要农业生产基地。流域经济区的小麦、棉花、油料、烟叶等农产品在全国占有重要地位。1990年全流域及下游防洪保护区粮食总产量占全国的14.65%，其中下游防洪保护区为7.6%；棉花总产量占全国的39%，其中下游防洪保护区为34%；油料总产量占全国的14.8%，其中下游防洪保护区为5.4%。

黄河流域经济区工业基础较为薄弱，新中国成立以来，黄河流域及下游平原地区的工业取得了迅猛发展，建立了一批工业基地和新兴工业城市，如西宁、兰州、银川、包头、呼和浩特、太原、西安、洛阳、郑州、濮阳、济南、东营等，生产力布局初步形成了黄河上游沿黄经济带、黄河中游汾渭盆地经济带、下游沿黄经济带，为进一步发展流域经济和保持流域可持续发展奠定了坚实的基础。能源工业包括煤炭、电力和石油，具有显著的资源优势，发展速度很快，已成为区内最大的工业部门，在全国也占有非常重要的地位。

黄河流域矿产资源十分丰富，早在1990年就探明有114种，其中在全国已探明的45种主要矿产中，黄河流域就有37种，稀土、铌、石膏、煤、铝土矿、钼、耐火土及玻璃硅质原料等8种具有全国优势。流域可开发的水电装机容量为3 185万kW，年发电量在全国江河中名列第二。上游地区的水电，中游地区的煤炭和天然气，下游地区的石油，在全国都占有极为重要的位置。沿黄地带是我国近期开发生产力布局中三条主轴线(沿海地带、沿长江地带、沿黄河地带)之一，近期将重点开发以兰州为中心的水电及有色金属冶炼基地，以山西为中心的能源化工基地，以山东半岛及黄河口地区为主的石油和海洋开发基地，随着欧亚大陆桥的开通和地区交通建设步伐的加快，将为区内经济发展创造更为有利的条件。国家经济建设重点逐步向西部转移这一重大战略的确定，必将为流域经济提供更多的发展机遇和更大的发展空间。

第二章　干流河段特性和水沙概况

第一节　干流河段特性

黄河干流河道全长 5 464km，落差 4 480m，比降 8.2‱，汇入支流 76 条（指流域面积在 1 000km^{2}以上的一级支流，下同），综合其特点是：弯曲多变，支流分布不均，河床纵比降较大。根据水沙特性和地形、地质条件，分为上、中、下游，其中河源至内蒙古托克托河口镇为上游，河口镇至郑州桃花峪为中游，桃花峪至入海口为下游。

一、上游

河源至河口镇河道长 3 472km，比降 10.1‱，占全河长度的 63.5%；流域面积 42.8 万 km^2（含内流区 4.2 万 km^2），占全河的 53.8%；落差 3 496m，占全河的 78%；汇入支流 43 条。河段内的扎陵湖和鄂陵湖是我国最大的高原淡水湖，水面面积分别为 526km^{2}和 610km^2，平均水深分别为 9m 和 17.6m，蓄水量分别为 47 亿 m^{3}和 108 亿 m^3。玛多至玛曲河段，大部分河谷宽展，间有几段峡谷。玛曲至龙羊峡区间，黄河流经高山峡谷，水流湍急。龙羊峡至宁夏下河沿，长 794km，河流川峡相间。下河沿至河口镇，流经宁蒙平原，比降平缓。

二、中游

河口镇至郑州桃花峪河道长 1 206km，比降 7.4‱，占全河长度的 22.1%；区间流域面积 34.4 万 km^2，占全流域的 43.3%；落差 890m,占全河的 19.7%;汇入支流 30 条。河口镇至禹门口为峡谷段,两岸支流较多,产汇流条件好,是黄河洪水泥沙的主要来源区之一。禹门口至潼关河段是宽浅散乱的游荡性河道,为晋、陕两省界河,有汾河、渭河两大支流汇入。潼关至三门峡为峡谷型河道,是三门峡水库目前运用经常回水变动区。三门峡至小浪底为黄河最后一段峡谷,是小浪底水库的库区,两岸小支流较多,产汇流条件较好,同时也是主要暴雨区。小浪底至桃花峪为黄河由山区进入平原的过渡河段,有洛河及沁河汇入。黄河中游来沙量占全河总沙量的 90%。

三、下游

郑州桃花峪以下至入海口为黄河下游,流域面积 2.3 万 km^2,仅占全河流域面积的 3%,河道长 786km,落差 94m,平均比降 1.2‰,有 3 条支流汇入,即天然文岩渠、金堤河及大汶河。黄河下游河道横贯于华北大平原之上,北岸自孟州以下(孟州至桃花峪位于中游,但防洪与下游紧密有关,所以视同下游管理),南岸自郑州铁路桥以下,除东平湖陈山口到济南玉符河段依山麓外,两岸都建有大堤。由于泥沙长时间的大量淤积,下游河道逐年抬高,郑州花园口河段多年平均每年抬升 0.1m,目前滩面一般高出背河地面 3~5m,部分河段如河南封丘的曹岗附近滩面高出背河地面 10m,是世界上著名的“悬河”,成为淮河与海河的分水岭。两岸引黄灌区面积约 200 万 hm^2,是我国目前最大的自流灌区。

黄河下游河道在历史上决口改道频繁,从远古时代的“禹王故道”到现行河道,经历过六七次大的迁徙。现行开封兰考以下河段,是清咸丰五年(1855 年)黄河在兰阳铜瓦厢(今兰考境内)决口改道,夺山东大清河入渤海后形成的。抗日战争初期,国民政府于 1938 年在郑州花园口扒开黄河南岸大堤,以水代兵,阻止日军西犯,又造成一次人为的改道,历时 9 年,至 1947 年堵复,黄河才回归故道。黄河下游河道历代决口变迁，使华北平原逐渐抬高，凡是过去黄河行经的故道，如延津以北的汉代故河道，兰考以南的明清故道，都已成为一条条高出地面的沙岭。

黄河下游河道上宽下窄，排洪能力上大下小。桃花峪至高村河道，水流宽、浅、散、乱，河势摆动频繁，摆幅可达5～7km，属典型的游荡型河道，两岸堤距5～10km，最宽达20km，河槽宽度1～3.5km；1974年滩区修建生产堤以后，减少了洪水上滩机会，加重了主河槽淤积，部分河段滩区横比降高达2‰～3‰，形成了“槽高、滩低、堤根洼”的不利局面。高村至艾山河段，堤距1.5～8km，河槽宽0.5～1.6km，属过渡型河道。艾山至利津河段，堤距0.4～5km，河槽宽0.4～1.5km，受制于险工、护岸工程，属弯曲型河道。利津以下是黄河河口段，现流路为1976年人工改道后的河道，目前河口位于渤海湾与莱州湾交汇处，属弱潮多沙、摆动频繁的陆相河口，平均每年输送到河口的泥沙约10亿t，滨海地区平均每年造陆面积25～30km^2。

黄河下游河道是经过长期输沙淤积塑造而成的，除右岸郑州以上和东平湖至济南为山岭外，其余均束范于大堤之间。下游河道按照河型的不同可分为四个河段：铁谢至高村为典型的游荡型河道，高村至陶城铺为从游荡型向弯曲型过渡的河道，陶城铺至宁海是受人工控制的弯曲型河道，宁海以下为河口段。这四个河段总的来说是上宽下窄，上陡下缓。铁谢至高村河段，两岸堤距4.1～20.0km，河槽宽1.5～10.0km，纵比降1.72‰～2.65‰，滩槽高差0.1～3.1m，该河段河道冲淤变化剧烈，水流宽、浅、散、乱，主流摆动频繁。高村至陶城铺河段，两岸堤距1.4～8.5km，河槽宽0.7～3.7km，纵比降1.48‰，滩槽高差2.0～3.0m，经多年治理，主流已趋于稳定。陶城铺至宁海河段，堤距0.5～5.0km，河槽宽0.3～1.5km，纵比降1.01‰。

黄河下游河床，由于泥沙淤积，河床平均每年抬高0.05～

0.1m,现河床普遍高于两岸地面 3～5m,部分河段达 10m,成为举世闻名的“悬河”。1958 年以后,下游滩区群众普遍修筑了生产堤,缩窄了河道行洪宽度,减少了洪水漫滩几率,泥沙主要淤积在两岸生产堤之间的河槽内,致使有些河段出现了生产堤临河滩面高于背河滩面,造成临背悬差,形成“二级悬河”,这种现象在东坝头以下比较突出(见图 2-1)。下游河道泥沙淤积呈现出上段比下段粗、深层比表层粗、主槽比滩地粗的特点。

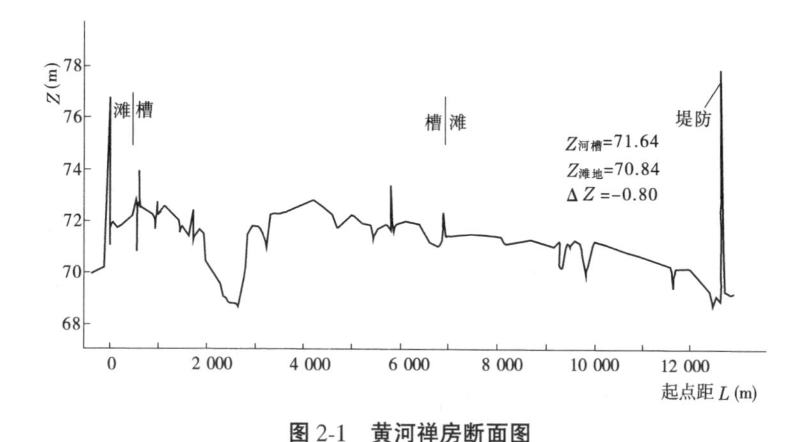

图 2-1　黄河禅房断面图

下游河道在平面上具有宽窄相间的外形,收缩段与开阔段交替出现,开阔段有宽广的滩地,在较大洪水时具有淤滩刷槽和滞洪滞沙的作用。当大洪水漫滩后,滩槽水沙交换十分强烈,大量泥沙通过水流交换由主槽进入滩地,造成滩地大量淤积,主槽强烈冲刷,同时滩面宽广,滞蓄大量洪水,削减洪峰。

下游游荡型河道,由于河道宽、浅、散、乱,泥沙淤积严重,主流变化无常,往往会因主流受到滩岸的阻力或在洪水陡降的过程中,形成“横河”、“斜河”,危及大堤安全。当发生“横河”、“斜河”时,主流流向与堤防工程交角甚大,呈顶冲之势,这种河势突发性强、险情大，一次集中于二三个坝头，稍有不慎将会导致垮坝。滚河是当出现大洪水及超标准洪水时，河势突然发生大摆动。当滚河发生后，老河道可能淤死，河道整治工程脱河，失去控导作用，大溜顶冲大堤，堤河水深、流速均很大，大堤安全将会受到严重威胁。

黄河下游在中常洪水下，河势变化大，坝垛冲刷深，出大险是常有的事；但在小流量下，水流动量小，一个边滩可能改变水流流向，易形成“横河”、“斜河”，坐弯入袖，形成死弯，仍有可能出现较大险情或威胁堤防安全。如 1993 年 9 月 15 日，大河流量约 1 000m^3/s，主溜顶冲黑岗口与高朱庄工程之间，造成 600m 长滩地坍塌后退，距大堤最近处仅 60m，被迫修工防护。

四、黄河河口

黄河口位于渤海湾与莱州湾之间，其范围为东经 118°10′～119°15′，北纬 37°15′～38°10′，是一个弱潮陆相强烈堆积性河口。根据利津水文站多年资料统计，年平均径流量为 375 亿 m^3，年平均悬移质输沙量为 9.6 亿 t。黄河自 1855 年夺大清河入渤海的百余年间，在近代三角洲范围内决口、分汊、改道频繁，据历史文献记载和调查所得的不完全统计，决口改道达 50 余次，其中较大的改道就有 10 次，形成了现在的三角洲。三角洲系指以宁海为顶点，北起徒骇河口，南至支脉沟口，面积约 5 400km^2 的扇形地面（见图 2-2）。新中国成立后，由于人工控制，顶点下移至渔洼附近，缩小了三角洲的范围，西起桃河，南至宋春荣沟，扇形面积为 2 200km^2。三角洲地势西南高、东北低，黄河故道河床形成高脊，故道之间低洼。黄河三角洲海岸线长近 200km，由于泥沙淤积，海岸线不断向前推进，同时在不走河的区域，海岸线又明显蚀退，淤进和蚀退交替进行后，其平均推进速度为 0.3km/a，多年平均造陆面积 25km^2。

黄河口现行清水沟入海流路是 1976 年人工截流改道形成的，

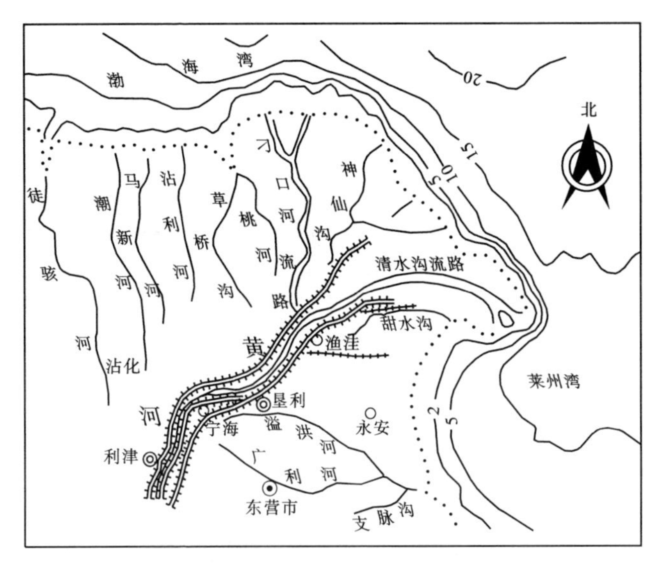

图 2-2　黄河河口三角洲示意图

这次有计划、有设计的成功改道是有史以来第一次(见图 2-3),设计运用 12 年左右。到 1987 年,河床淤高,分汊漫流,造成凌汛、洪汛一年两灾,改道迹象日趋明显。从 1988 年开始,由东营市政府出政策,胜利油田出资金,黄河河口管理局出方案,采取“塞支强干、工程导流、整治河道、修筑堤防、疏浚拖淤”等综合措施治理;到 1993 年,先后堵截支流汊沟 80 余条,修导流堤 480km,接长北岸大堤 14.4km,修做控导工程 2 处,清除河道沙滩 20 多千米,在近海口门射流拖淤,使已行水 18 年的流路仍保持着单一、顺直、畅通的局面。《黄河入海流路规划报告》已经国家批准,一期治理工程项目实施后,在控制西河口水位不超过 12m 的情况下,流路还可能继续延长行河年限。

五、黄河下游河道历史变迁

黄河下游河道历史变迁,一般以禹治河道为原始河道(禹河)。

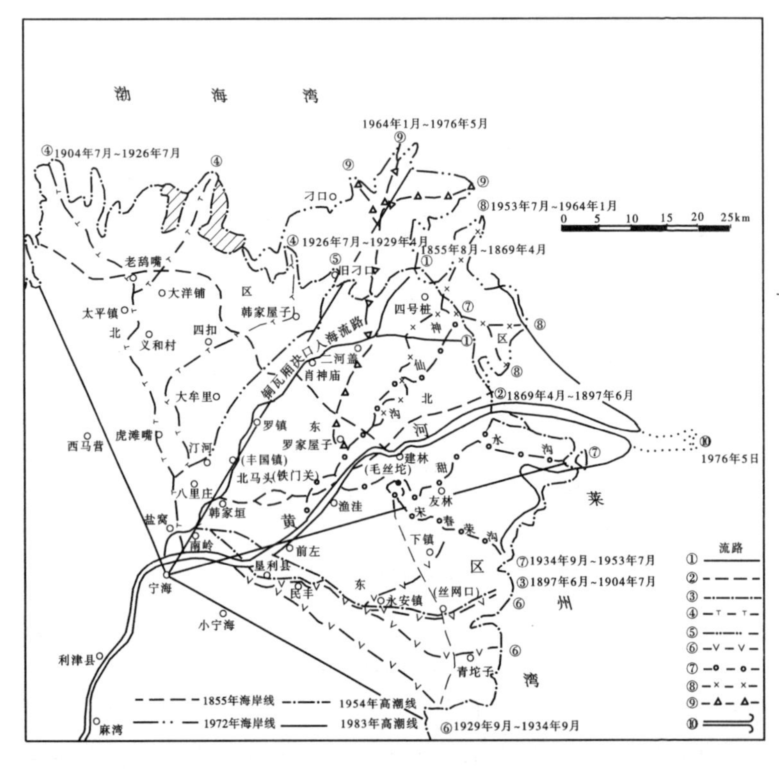

图 2-3　黄河口流路变迁图

史载禹河大致流路经新乡、浚县、广平、广宗、巨鹿、沧县、静海等地,从天津以北流入渤海。自周定王五年(公元前 602 年)到 1948 年的 2 500 年间,黄河下游决口 1 500 多次,大改道 26 次,平均“三年两决口,百年一改道”。历代河道大变迁与 1855 年铜瓦厢决口后所形成的现行河道相比,公元前 602～公元 1127 年,黄河变迁范围大都在现行河道以北,公元 1128～1938 年,黄河变化范围皆在现行河道以南。黄河下游河道变迁如图 2-4 所示。以下为黄河下游几次大改道情况。

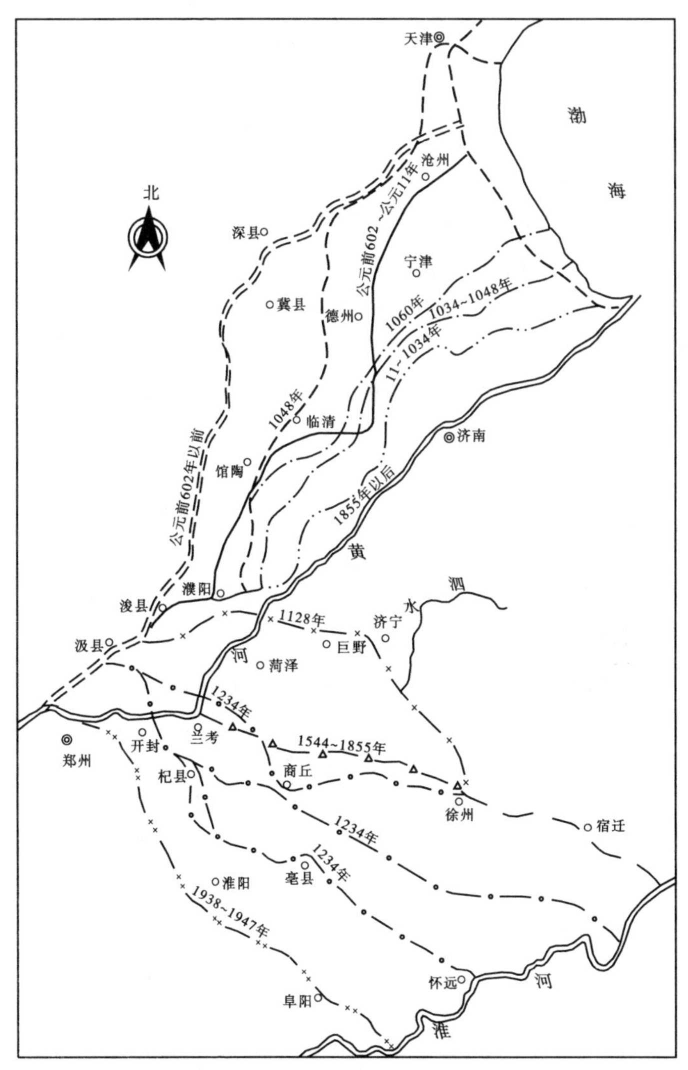

图 2-4　黄河下游河道变迁图

(一)周定王五年(公元前602年)河决宿胥口

周定王五年,河于宿胥口(河南省淇河与卫河交汇处)改道南徙,史称此为黄河第一次大改道。大河东至濮阳向东北,经今内黄、清丰、南乐及河北大名、馆陶至黄骅入渤海,逐渐形成了新的河道,即西汉河道。

(二)王莽始建国三年(公元11年)河决魏郡

该年黄河在魏郡(今濮阳境)决口,改道东流。改道后基本流路走山东聊城以东,大清河以北,而濮阳以上仍是西汉原河道。自濮阳以下,大河自由泛滥近60年,至汉明帝永平十二年(公元69年)王景治河时,才筑堤导使大河经今河南濮阳、范县及山东高唐、平原至无棣一带入海。该河道保持了800余年,至北宋景祐初始塞。

(三)宋仁宗庆历八年(1048年)河决濮阳商胡

宋仁宗庆历八年六月,黄河在濮阳商胡埽决口,向北改道。大河基本流路自今聊城以西,经馆陶、清河、冀县,东到乾宁军(今青县)入海,史称北流。宋仁宗嘉祐五年(1060年),黄河在大名第六埽决口,分出一道支河名二股河,经高唐、平原至无棣入海,亦称"东流"。此后,北流、东流相互交替,一直到北宋灭亡。

(四)南宋建炎二年(1128年)杜充决河

公元1128年,开封留守杜充企图阻止金兵南进,在河南滑县以南决河,从此大河南徙,流经延津、长垣、东明一带,东注巨野进入梁山泊,然后由泗入淮,形成了黄河夺淮700多年的局面。

(五)清咸丰五年(1855年)铜瓦厢改道

清咸丰五年六月十九日(1855年),兰阳铜瓦厢三堡下无工堤段溃决,二十日全河夺溜。瓦厢决口后,溃水折向东北,至长垣分而为三,至张秋汇穿运河,至稣山夺大清河,由利津注入渤海,最后形成了东坝头以下现行河道。

(六)民国 27 年郑州花园口决河南徙

民国 27 年郑州花园口决河南徙,黄河决口淹没情况见图 2-5。

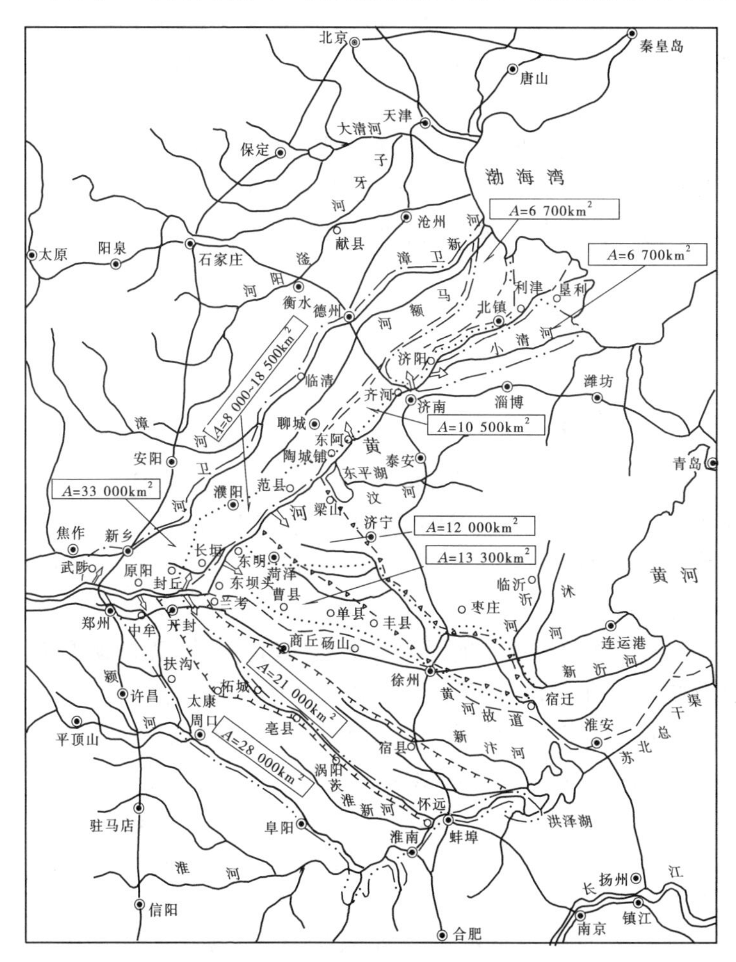

图 2-5 黄河下游不同河段溃口可能波及范围示意图

民国 27 年(1938 年)6 月,南京国民政府为了阻止日本侵略军的进攻,掩护国民政府军的败退,不顾人民的死活,派军队扒决黄河。6月2日先将中牟县赵口沙堤掘开,因过水甚小又在赵口以下1km处挖掘,也没有挖成。6月5日在郑州花园口扒决,于6月9日扒开了花园口黄河大堤,口门冲宽达1 460m(11+520~12+980),滚滚洪流直泄东南。大部分河水沿贾鲁河入颍河,由颍河入淮,少部分由涡河入淮,使豫东、皖北、苏北44个县(市),面积5.4万km^2的地区成为一片汪洋。黄泛区东西长400km,南北宽30~80km,受灾人口1 250万,死亡89万人。民国36年(1947年)3月15日,堵复花园口,大河回归故道。

第二节　水沙概况与特点

一、水资源

黄河多年平均天然径流量为580亿m^3,仅占全国河川径流量的2.1%,居全国七大江河的第四位。流域人均水量593m^3,约为全国人均水量的23%。耕地平均水量每公顷4 860m^3,相当于全国平均水量的18%。

黄河天然径流量的地区分布很不均匀。兰州以上地区,流域面积占全河的29.6%,年径流量达323亿m^3,占全河的55.6%,是黄河来水最丰富的地区。兰州至河口镇流域面积16.3万km^2,由于这一河段气候干燥,河道渗漏及蒸发量大,径流量反而减少了10亿m^3。河口镇至龙门区间流域面积占全河的14.8%,来水72.5亿m^3,占全河的12.5%。龙门至三门峡区间流域面积占全河的25.4%,来水113.3亿m^3,占全河的19.5%。三门峡至花园口区间流域面积占全河的5.5%,来水60.8亿m^3,占全河的10.5%,是又一产流较多的地区。花园口至河口区间面积占全河的3%,来水量21亿m^3,占全河的3.6%。

黄河干流各站汛期(7~10月)天然径流量约占全年的60%,

非汛期约占40%。从20世纪70年代(凡年代,以下均指20世纪)以来,黄河下游经常断流。进入90年代之后,断流频次、天数及河段长度都呈增长趋势,断流影响日益严重。1972～1998年的27年中,黄河下游共有21年发生断流,占总年数的77.8%。1997年全年断流时间高达226天,占全年时间的61.9%,断流河段上延至河南开封黑岗口,为黄河下游有水文资料以来之最。

二、泥沙

黄河以泥沙多而闻名于世。我国古籍中常以“黄水一石、含泥六斗”、“黄河斗水、泥居其七”来描述黄河的多沙状况。历史上黄河下游河道决口频繁,与泥沙淤积河道有直接关系。

黄河下游多年平均输沙量为16亿t,平均含沙量为33.6 kg/m^3。与世界上其他多泥沙河流相比,孟加拉国的恒河年输沙量为14.5亿t,总量与黄河相近,但其水量较多,平均含沙量只有3.9kg/m^3,远小于黄河。美国科罗拉多河的含沙量为11.6 kg/m^3,年输沙量仅1.8亿t,远低于黄河。黄河沙量之多、含沙量之高,在世界江河中是绝无仅有的。如果把16亿t泥沙堆成高、宽各1m的土堤,其长度为地球到月球距离的3倍。

三、水沙特性

(一)水少沙多

黄河是我国的第二条大河,但因其大部分处于干旱或半干旱地带,所以径流量小。与长江相比,黄河水量只有长江的1/20,但沙量却是长江的3倍。与上述美国科罗拉多河和孟加拉国的恒河等其他国家的河流相比,黄河的年输沙量之多、含沙量之高,都是世界上其他河流所无法比拟的。

(二)水沙异源

黄河90%的泥沙来自中游的黄土高原。河口镇以上流域面积为 36 万 km^2，占全流域的 49%，来水量占 54%，但来沙量仅占 9%，多年平均含沙量只有 5.6kg/m^3；三门峡以下伊河、洛河、沁河等支流来水量约占 10%，来沙量占 2%，多年平均含沙量 6.2 kg/m^3。这两个地区相对其他地区来讲，是水多沙少，是黄河的清水来源区。河口镇至龙门区间，两岸来水量约占 14%，来沙量占 55%，多年平均含沙量为 126.4kg/m^3；龙门至潼关流域面积 19 万 km^2，来水量占 22%，来沙量占 34%，多年平均含沙量为 52.4 kg/m^3。这两个地区水少沙多，是黄河泥沙的主要来源区。

（三）年际变化大，年内分布不均

黄河水沙不仅地区分布集中，而且年内年际分配也很不均匀。一年之中，85%的泥沙和 60%的水量来自汛期，并且常集中于几场暴雨洪水。例如，三门峡站洪水期最大 5 天沙量占年沙量的 31%，水量仅占 4.4%。中游无定河川口站最大 5 天沙量占全年沙量的 42.2%，窟野河温家川站占 75.2%。

水沙量在长时间内呈现丰、枯相间的周期性变化。自 1919 年有实测资料以来，1922～1932 年连续 11 年和 1969～1974 年连续 6 年为枯水期，1933～1968 年的 36 年间为丰、平、枯交替的丰水期。由于黄河存在“水沙异源”的特性，来沙多不一定来水多，来水多也不一定来沙多。1958 年来水量 697 亿 m^3，来沙 31.1 亿 t，属丰水多沙年；1983 年来水 583 亿 m^3，来沙 10 亿 t，属丰水少沙年；1959 年来水 392 亿 m^3，来沙 27.1 亿 t，属枯水多沙年；1987 年来水 220 亿 m^3，来沙 2.75 亿 t，属枯水少沙年。

水沙年际间变幅很大，沙量变幅大于水量变幅。1964 年来水量 754 亿 m^3 为最大，1987 年来水量 220 亿 m^3 为最小，最大值是最小值的 3.4 倍。1933 年来沙量最高达 37.67 亿 t，1961 年受三门峡水库运用影响来沙仅 1.86 亿 t，两者相差 19 倍；未受三门峡水库影响的 1928 年来沙量 4.88 亿 t，也相差 7 倍。

(四)含沙量变幅大

黄河水沙年内分配不均,水沙量主要集中在汛期几场暴雨洪水,每年入汛后的第一场洪水的含沙量一般较高,以后的含沙量就较小,这种差别可使同一流量下的含沙量相差 10 倍左右。高度集中的泥沙形成浓度极大的高含沙洪水,干流龙门站 1966 年 7 月 18 日含沙量高达 933kg/m^3,三门峡、小浪底站 1977 年 8 月 6 日、7 日最大含沙量曾高达 911kg/m^3,为历史最高记录,同年 8 月 8 日花园口站也出现 546kg/m^3 的历史最高记录,窟野河等多沙支流,常有 1 000~1 500kg/m^3 含沙量的泥流出现。

第三章　黄河下游防洪

第一节　黄河下游洪水

黄河花园口水文站为黄河下游的重要控制站，该站多年平均实测水量为452亿m^3，输沙量11.6亿t，年径流量在历年中的变化较大，最大年径流量是1964年的861.1亿m^3，最小年径流量是1960年的201.2亿m^3，最大、最小年径流量的比值为4.3。年输沙量的年际变化更大，最大年输沙量是1958年的27.8亿t，最小年输沙量是1987年2.48亿t，最大、最小年输沙量的比值为11.2。

黄河下游洪水主要来自中游三个地区，即河口镇到龙门区间、龙门到三门峡区间和三门峡到花园口区间。来自上游的洪水，构成黄河下游洪水的基流。

黄河中游三个不同来源区的洪水，组成花园口站三种类型的洪水：一是以三门峡以上的河龙区间和龙三区间来水为主形成的大洪水，简称上大洪水。1933年和1843年大洪水均属此类。这类洪水具有洪峰高、洪量大、含沙量大的特点，对黄河下游威胁严重。三门峡水库建成后，这类洪水得到了有效控制。二是三门峡以下的三花区间干支流来水为主形成的大洪水，简称下大洪水。1958年、1982年大洪水均属此类。这类洪水的特点是涨势猛、洪峰高、含沙量小、预见期短，这类洪水对下游威胁最为严重，小浪底水库建成后，此类洪水可部分得到控制。三是三门峡以上的龙三区间和以下的三花区间共同来水组成。1957年、1964年的洪水属于此类。这类洪水的特点是洪峰较低、历时长、含沙量较小，对下游防洪亦有相当威胁。

黄河下游的河防工程,目前是以1958年型花园口站洪峰流量22 000m^3/s作为设防标准(约60年一遇),沿程流量逐步削减,考虑东平湖水库的作用,艾山以下河段按11 000m^3/s设防。

第二节 黄河下游凌汛

黄河下游凌汛是严重的自然灾害之一,历史上有“凌汛决口,河官无罪”和“伏汛好抢,凌汛难防”之说。黄河下游河道自兰考东坝头转向东北进入山东至河口,沿程纬度不断增高,河南境内河道与黄河入海口纬度相差三度多。由于纬度的不同,上下河段的气温差异较大,冬季河段上暖下寒的气候特点,决定了上段河道封河晚、开河早,下段河道封河早、开河晚;又由于河道平面形态呈上段宽浅,下段窄弯之势,加之河道流量的变化,从而决定了黄河下游防凌工作的复杂性和艰巨性。

黄河下游凌汛是由于在封河或开河时,冰凌堵塞,在局部河段产生冰塞、冰坝,严重抬高水位造成危害而形成。据不完全统计,自1883～1936年的54年中,有21年在凌汛期发生决口,平均5年两决口。1951年和1955年亦因凌情严重,堤防薄弱等原因造成利津王庄、五庄大堤决口,给人民的生命财产造成了重大损失。随着治黄事业的不断发展和对冰凌认识的不断提高,特别是三门峡、小浪底水库建成后,使黄河下游凌汛威胁有所缓和。

冰凌洪水的特点包括:

(1)凌峰流量虽小,但水位高。这是因为河道中存在着冰凌,使水流阻力增大,流速减小,特别是卡冰结坝壅水,使河道水位在相同流量下,比无冰期高得多。就是与伏汛期的历年最大洪水的水位相比,有时也会超过它。例如,下游利津站伏汛最大洪水为

1958 年，其洪峰流量为 10 400m^3/s，相应水位为 13.76m，而在 1955 年和 1973 年凌汛期，凌峰流量分别为 1 960m^3/s 和 1 010m^3/s，水位却分别高达 15.31m 和 14.35m，即比 1958 年最高洪水位分别高出 1.55m 和 0.59m。

(2)“武开河”凌峰流量沿程递增。这是因为在河道封冻以后，拦蓄了一部分上游来水，使河槽蓄水量不断增加，一般在“武开河”时，这部分被拦蓄的水量又被急剧地释放出来，向下游推移，沿程冰水越集越多，以至形成越来越大的凌峰流量。例如，1955 年的凌峰流量，秦厂为 1 080m^3/s，孙口为 2 300m^3/s，艾山为 3 000m^3/s，泺口为 2 900m^3/s。由于王庄冰坝影响，导致在利津断面以上五庄决口，部分冰水由口门流走，利津凌峰流量仅为 1 960m^3/s，但水位高达 15.31m。

第三节　黄河下游防洪任务及设防标准

一、黄河下游防洪任务

黄河的泥沙之多、含沙量之高，举世闻名。由于泥沙淤积，河床不断升高，黄河下游成为世界著名的“地上悬河”，现临河滩面一般高于背河地面 3～5m，最大者达 10m。洪水全靠两岸堤防约束，一旦决口，将会给两岸广大地区的人民生命财产带来巨大的损失。同时，由于泥沙俱下，淤塞河渠，沙化良田，致使生态系统长期难以恢复，将打乱国民经济的总体部署，影响深远。因此，确保黄河大堤安全，是黄河防汛的首要任务。按照国务院 1985 年批准的黄河、长江防御特大洪水方案的规定，黄河下游的防洪任务为：“确保黄河花园口站发生 22 000m^3/s 以内洪水大堤不决口，遇特大洪水，要尽最大努力，采取一切办法缩小灾害。”

二、黄河下游堤防及各类工程的防洪标准

(一)堤防

1. 临黄堤

按照“上拦下排,两岸分滞”的防洪方针,黄河下游堤防按防御花园口站22 000m³/s洪水标准设防。

花园口站22 000m³/s洪水的设防流量,根据洪水推演,下游夹河滩、高村、孙口站的设防流量分别为21 500m³/s、20 000m³/s、17 500m³/s。由于艾山以下河道变窄,河道排洪能力减小,艾山、泺口、利津各站的设防流量均为11 000m³/s(下泄黄河流量10 000m³/s,另考虑区间支流来水1 000m³/s),其间多余的洪水,将由东平湖水库分滞。

与堤防设防流量相应的水位称为堤防的设计防洪水位,简称设防水位。由于黄河下游河道冲淤变化迅速,水位与流量的关系很不稳定。在一个汛期内,同一流量的水位可差0.7~0.8m,甚至更大;同一水位的流量可差4 000~5 000m³/s。从防洪安全出发,堤顶的设计高程由设防水位加一定超高,黄河大堤高村以上超高3.0m,高村至艾山超高2.5m,艾山至利津超高2.1m。

花园口站22 000m³/s洪水的重现期,在无水库情况下为30年一遇;三门峡、陆浑、故县3个水库投入运用后,其重现期为60年一遇;小浪底水库运用后,相当于1 000年一遇。但由于黄河下游河道中冲淤变化情况复杂,河势游荡多变,在中常洪水时亦可发生因水流直冲大堤造成决口的可能。因此,即使小浪底水库运用后,黄河下游大堤按防御花园口站22 000m³/s洪水水位标准设防,也不能保证黄河下游大堤可以完全防御22 000m³/s以下的各种洪水。

2. 沁河堤

沁河堤按武陟小董站4 000m³/s(20年一遇)设防,超过此流量

则可启用沁南滞洪区分滞洪水。另外,因沁河口至老龙湾河段受黄河倒灌影响,老龙湾至沁河口段左岸堤防按黄河大堤标准设防。

3. 大清河堤防

大清河堤按防御尚流泽站 7 000m³/s 洪水设防,左右堤超高分别为 2.0m 和 1.5m,超过此流量可利用稻屯洼滞洪区分洪,确保南堤安全。

4. 太行堤

按临黄堤标准设防,长垣大车集至王堤口段堤顶超高 2.5m,王堤口至封丘后老岸堤顶超高 2.0m。

(二)控导护滩工程

黄河下游的河道整治流量一般为 5 000m³/s,控导护滩工程的顶部高程,根据河段情况有不同的标准,陶城铺以上河段按当地当年 5 000m³/s 水位加 1.0m 的超高;陶城铺以下河段工程顶部高程与当地滩面平。

第四节 黄河下游防洪形势

目前,小浪底水库已建成并投入运用,下游河防工程标准提高,抗御大洪水能力增强。小浪底与三门峡、陆浑、故县水库联合运用后,可将花园口断面 1 000 年一遇洪水由 42 100m³/s 削减至 22 600m³/s,按照花园口站 22 000m³/s 设防,可不使用北金堤滞洪区分洪,同时,东平湖滞洪区的运用几率也大为减小。利用小浪底水库死库容拦沙,可使进入下游河道泥沙减少约 100 亿 t,下游河道淤积量减少 76 亿 t,约相当于黄河下游 20 年的淤积量,在一定时期内,河道的淤积趋势有所减缓。但是,下游防洪形势仍很严峻。

一、小浪底建成后,下游仍有发生大洪水的可能

小浪底水库建成前,黄河花园口及三花间特大洪水的洪峰流量

分别可达到 55 000m^3/s 和 45 000m^3/s,即使考虑三门峡、陆浑和故县 3 个水库联合调蓄作用,花园口的洪峰流量仍可达到41 700m^3/s,远远超过目前下游河道的设防标准,10 000m^3/s 流量以上的洪量仍达到 50 亿~60 亿 m^3,大大超过下游滞洪区的承受能力。

作为黄河下游防洪的关键性工程,小浪底水库建成后,虽然其与三门峡、陆浑、故县 4 个水库联合运用,可使下游防洪标准有很大的提高,但是小浪底水库却不能控制小浪底以下伊、洛、沁河的暴雨洪水。而小浪底至花园口的无控制区(即小浪底、陆浑、故县至花园口区间)100 年一遇设计洪水的洪峰流量为 12 900m^3/s,考虑该区间以上来水经三门峡、小浪底、陆浑、故县 4 座水库联合调节运用后,花园口 100 年一遇洪峰流量仍达 15 700m^3/s,且预见期短,对堤防仍有较大威胁。

2000 年 7 月,就出现了黄河与大水失之交臂的情形。7 月河南延津县一天 24 小时最大降雨量 494mm。按气象部门规定,24 小时最大降雨量超过 50mm,就是暴雨;超过 100mm,就是大暴雨;超过 200mm,就是特大暴雨。发生在延津县的这场暴雨,3 日最大降雨量达 552mm,再往西偏移 100km,就是小浪底水库控制不住的小花区间。无独有偶,同年发生在淮河流域河南颍河上游的一场降雨,比延津的降雨量还要大,离小花间也只有 100 多千米。如果这种暴雨下到小花区间,就会造成花园口断面发生超过 10 000m^3/s流量的洪水,黄河下游滩区将是一片汪洋,黄河下游大堤将全面偎水,防洪形势也将十分严峻。因此,应时刻对黄河防汛的严重形势保持清醒的认识,绝不能认为小浪底水库建成后,黄河防汛已万事大吉,从而麻痹大意,掉以轻心。

二、泥沙问题在相当长时期内难以根本解决,历史上形成的“地上悬河”局面将长期存在

黄河下游防洪形势的严重性,在于泥沙大量淤积河道,河床不

断抬高。根据黄河实测资料分析,目前现行河道滩面高出背河地面4~6m,局部河段高出10m以上。1950~1998年,下游河道淤积泥沙约95亿t,与20世纪50年代相比,河床普遍抬高2~4m。虽然进行综合治理,大力开展水土保持,是减轻土壤侵蚀和减少入黄泥沙的根本措施,但需要经过几代人长期不懈地艰苦奋斗才能达到显著的效果;利用中游水库拦沙,减淤效果显著,但拦沙量毕竟有限。因此,悬河的严峻形势将长期存在。

总体上看,黄河水资源贫乏。随着国民经济的发展,黄河水资源的供需矛盾将日益加剧,用水需求已大大超出了黄河水资源的承载能力。20世纪80年代中期以来,进入黄河下游的水量偏枯,加上引黄用水量的快速增加,下游断流频繁,加重了下游河道主槽的淤积。1986年龙羊峡、刘家峡水库联合运用后,下游来水过程发生了变化,汛期水量占全年的比例由过去的60%减少到45%;非汛期水量占全年的比例由过去的40%上升为55%。这虽对缓解下游断流具有有利的一面,但对下游河道输沙却产生了不利影响。由于汛期来水减少和非汛期河道的频繁断流,下游河道主河槽淤积严重,“二级悬河”险象加剧。1986~1997年,黄河下游河槽内年平均淤积2.5亿t,主河槽淤积量占71%。由于主河槽淤积加重,滩槽高差减小,河槽过洪能力降低,平滩流量由过去的6 000m^3/s减少到3 000m^3/s,造成了“小洪水,高水位,大漫滩”的不利局面。花园口站1996年8月流量7 600m^3/s的洪水,水位超过1958年该站流量22 300m^3/s的洪水位0.91m,下游夹河滩以上河段水位全面超过历史最高水位,夹河滩以下52%的河段水位超过历史最高水位,还有41%的河段达历史第二高水位,造成黄河下游滩区大部分被淹,受灾人口107万。

1999年对黄河干流实行水量统一调度以来,断流现象初步消除,但河道流量依然很小,河道萎缩状况未彻底改变。小浪底水库清水下泄有可能使下游平滩流量逐步恢复到4 000~5 000m^3/s,

甚至更大。但河道排洪能力恢复需要一个过程，且其间的清水冲刷将使河势变化剧烈，更增加了防洪的难度。

三、堤防工程存在许多薄弱环节，河道整治工程标准低、不完善

黄河下游两岸大堤是在历代民埝的基础上不断加高培修而成的，基础条件复杂，堤身多为沙质土，历史决口门多，存在许多险点隐患。1996 年洪水过程中，堤防发生渗水、管涌等各类险情 170 处。近年来，虽然国家加大了防洪投入力度，一大批影响防洪安全的险点隐患得到处理和消除，但截至 2000 年底，黄河下游大堤仍有 340km 堤段高度不够，398km 堤段没有达到抗渗设计要求，还有部分重大险点没有处理，一遇较大的险情，如抢护不及就可能造成溃决，酿成重大灾害。

下游河道具有“宽、浅、散、乱”的特点，河势游荡变化剧烈。实践证明，修建河道整治工程是控制河势、保护堤防的有效手段。目前，高村以下河段河势基本稳定，但高村以上 299km 河段，由于修建的河道整治工程少，中常洪水时极易发生“横河”、“斜河”，大洪水时可能出现“滚河”，造成重大险情，严重威胁堤防的安全。尤其是 20 世纪 80 年代后期以来，黄河下游来水减少，河道萎缩，主槽严重淤积，使这种形势进一步加剧。如 1993 年 9 月，在黄河流量为1 000m^3/s左右的情况下，开封河段发生“横河”，主流顶冲高朱庄，滩地坍塌严重，主流距大堤仅有 80m，其间经 2 000 多军民历时 7 个昼夜抢修了 8 个坝后才使河势得以控制。

黄河下游河道整治工程，包括控导工程和险工两大类。控导工程按修建当年当地河道排洪能力情况设计，由于河床多年淤积，许多控导工程高程严重不足；险工设计高程一般比大堤高程低 1.0m，随着大堤加高，险工也应相应加高加固。另外，由于黄河水流淘刷，处于控导和险工工程基础部分的根石易被冲走，因此若不

及时补充，基础一旦被淘空，即使在小洪水和枯水期也极易发生滑动和坍塌等险情。如1981年12月，山东王家梨行险工就曾发生坝身滑塌险情。因此，对已建整治工程要随着河道冲淤变化不断加高或加固根石。但截至2000年底，大部分险工仍然存在标准低、根石不足的情况，有4 549道坝垛急需加高改建和加固根石。

四、小浪底运用初期下泄相对清水期间，河道险情将有所增加

三门峡水库1960～1964年初期运用时，下泄含沙量较小的“清水”，使下游约4万hm^2滩地塌入河中，造成河势大变，险情不断。小浪底水库投入运用后，进入下游的水沙将发生较大的变化，下游河道冲淤及河势会相应调整。特别是在水库运用初期，根据三门峡水库运用经验，出库水流含沙量小，下游河床将冲刷下切，河势变化加剧，滩岸坍塌严重。现有河道整治工程对下泄清水有一个逐步适应和调整加固的过程，工程出现险情的可能性将增加，抢险所用料物也会明显增多，出险部位也较难预料，给防汛抢险增加了困难。

五、黄河滩区和东平湖滞洪区安全建设须进一步加强

小浪底水库运用初期，预计山东陶城铺以上河段平滩流量将由3 000m^3/s逐步恢复到6 000m^3/s，漫滩几率减小到3～5年一遇；陶城铺以下河段平滩流量也将由现状的不足3 000m^3/s提高到4 000m^3/s左右。虽然平滩流量增加，漫滩几率减小，但洪水威胁依然存在。小浪底水库建成后，东平湖滞洪区依然是确保山东艾山以下河段防洪安全的关键工程。但东平湖围坝基础质量差，渗水十分严重，退水不畅，湖区内11.6万人的临时迁安和避水工程很不完善。

六、防洪非工程措施不适应防汛抢险要求

这方面表现出来的主要问题是：水文测报设施、设备陈旧老化，数量不足，洪水预报精度低、预见期短；防汛抢险交通运输条件差，防汛机动抢险队伍数量少、装备不足。

近几年来，国家加大了水文测验设施的更新改造力度，但多年积累的水文测报设施、设备陈旧老化，数量不足的问题依然存在，仍有部分测站的测验基础设施达不到国家标准，且部分测验仪器不能满足黄河防汛的特殊要求。水文预报方面，由于黄河水沙及河道冲淤情况变化复杂，增加了洪水预报难度，因此流量和水位预报，尤其是水位预报还不能适应需要。防汛决策指挥系统自动化水平依然较低。目前，黄河防汛信息网络还不能适应传送汛情、工情、灾情的影像和图文材料的要求，数据交换处理能力不强，防汛基础数据不全，软件系统功能不完善。

防汛抢险指挥及队伍组织等问题较多，沿黄干部和群众普遍缺乏抗大洪、抗大汛的实战经验，尤其是担负防汛组织指挥的行政领导，没有经历过大洪水的考验，缺乏临场组织指挥的实战经验和应变能力，抢险队伍的抢险技术和装备有待提高。另外，适应市场经济新形势的群众防汛队伍的组织形式，还须进一步探索和完善。

第四章　黄河下游防洪工程体系

人民治黄以来，党和国家对黄河治理非常重视，在干支流上修建了三门峡、小浪底水利枢纽、伊河陆浑水库和洛河故县水库；先后3次加高培厚黄河大堤；自下而上进行河道整治；开辟了北金堤滞洪区，修建了东平湖分洪工程和齐河、垦利展宽工程，初步形成了“上拦下排、两岸分滞”的防洪工程体系。同时加强了通信和水文测验、水情预报，建立了防汛机构，组织了防汛队伍。依靠这些工程和非工程措施，扭转了历史上频繁决口改道的险恶局面，取得了连续56年伏秋大汛不决口的巨大成绩，保障了黄淮海大平原的安全，取得了巨大的经济效益和社会效益。

第一节　上拦工程

一、三门峡水库

三门峡水利枢纽工程位于河南省陕县与山西省平陆县交界的黄河干流上，控制流域面积68.84万km^2，占黄河流域总面积的91.5%，控制黄河来水量的89%、来沙量的98%。工程于1957年4月开工，1960年9月主体工程建成。该枢纽包括大坝、泄洪排沙设施和电站三部分，拦河大坝为混凝土重力坝，长713.2m，最大坝高106m，右岸副坝为双铰心墙斜丁坝，长144m。电站厂房位于坝下游河床右侧。

由于当时缺乏实践经验，在规划设计中对水库泥沙淤积认识不足，1960年9月至1962年3月蓄水运用后，最高蓄水位达332.58m，致使库区发生严重淤积，335m水位以下库容由96.4亿

m^3到1964年10月锐减至57.58亿m^3。淤积的延伸，不仅威胁关中平原的安全，而且库容的减少使工程无力承担黄河下游防洪重任，面对这一不利局面，周恩来总理于1964年12月在北京亲自主持召开治黄会议，决定对三门峡水库进行改建，以增大泄流排沙能力，并改变“蓄水拦沙”的运用方式。改建后的泄流设施有12个深孔(3m×8m)，底槛高程300m；10个底孔(3m×8m)，底槛高程280m；2条钢管(ϕ7.5m)，底槛高程300m；2条隧洞(9m×12m)，底槛高程290m。改建后330m高程以下库容30亿m^3左右，防洪允许最高水位335m，相应库容约60亿m^3，基本上能控制“上大洪水”，对“下大洪水”也能起到错峰补偿作用。还安装了6台机组，装机总容量40万kW，年发电量约12亿kW·h。

三门峡水库的运用，按1969年在河南郑州召开的“四省会议”确定的运用原则：“当上游发生特大洪水时，敞开闸门泄洪。当下游花园口站可能发生22 000m^3/s洪水时，根据上下游来水情况，关闭部分或全部闸门；增建的泄水孔原则上应提前关闭，以防增加下游负担。冬季应继续承担下游防凌任务。发电的运用原则为在不增加潼关淤积的前提下，汛期的控制水位为305m，必要时可降低到300m，非汛期为310m”。

为配合黄河下游防凌，水库在凌汛期间，最高水位控制在326m，凌汛过后，为春灌蓄水可控制在324m。

三门峡水库自1973年12月开始采用“蓄清排浑”的运用方式，潼关以下库区基本上已处于冲淤平衡状态，发挥着防洪、防凌、灌溉、发电等巨大的综合效益。

三门峡库区移民迁安工程始于20世纪50年代末，根据三门峡水库的运用原则，移民迁移高程为335m(大沽)。移民搬迁范围涉及到陕、晋、豫3省10县，土地8.67万hm^2，人口41万，其中：陕西省为大荔、朝邑(已撤销)、华阴、潼关4县，淹没土地6.67万hm^2，移民29万人；山西省为平陆、芮城、永济3县，淹没土地1.13

万 hm^2,移民 5 万人;河南省为灵宝、陕县、三门峡市湖滨区 3 县(区),淹没土地 0.87 万 hm^2,移民 7 万人。由于人口的自然增长,移民总数现已增加到 66 万人,其中陕西省 45 万人,山西省 9 万人,河南省 12 万人。

移民搬迁后,由于受历史条件限制,移民的生产、生活条件较差,生活水平低于原居住地区及当地群众,许多移民要求返回库区定居。为了改善移民生活及保持社会安定,1985 年中央下发了《关于陕西省三门峡库区移民安置问题的会议纪要》,决定安置生产生活特别困难的陕西省 15 万移民返库定居,目前实际返迁 9.3 万人。水利部于 1990 年批复了《河南、山西省三门峡库区移民遗留问题处理规划》,经过多年的努力,移民工作取得了一定的成效,但还存在许多问题,需进一步研究解决。主要技术指标见表 4-1。

二、故县水库

故县水库大坝位于黄河支流洛河中游、河南洛宁县境内的故县乡寻峪村附近,距洛阳市 165km,控制流域面积 5 370km^2,占洛河流域面积 12 037km^2的 44.6%。水库主要建筑物有混凝土重力坝、溢洪道、泄洪中孔、泄洪底孔、电站等。

水库按 1 000 年一遇洪水洪峰流量 11 400m^3/s 设计,10 000 年一遇洪水洪峰流量 15 300m^3/s 校核。设计水位 548.55m,校核水位 551.02m,最大坝高 125m,总库容 12.0 亿 m^3,死水位初期为 495m,后期为 500m,防洪库容初期为 7 亿 m^3,后期为 5 亿 m^3,装机容量 6 万 kW,设计灌溉面积 6.8 万 hm^2,是防洪、灌溉、发电、供水等综合利用的水库。

故县水库的主要作用是减轻黄河下游洪水威胁,提高洛阳市的防洪标准。其运用原则是:

(1)汛限水位初期为 500~510m,后期为 527.4m。

(2)当水库上游来水小于 1 000m^3/s 时,不控制。当来水大于

表 4-1　　三门峡水利枢纽主要指标

序号及名称	单位	数量	说明
一、水文特征			
1.控制流域面积	$\times 10^4 km^2$	68.84	
2.全流域面积	$\times 10^4 km^2$	75.24	
3.多年平均径流量	$\times 10^8 m^3$	424	
4.多年平均输沙量	$\times 10^8 t$	16	
5.设计洪水流量	m^3/s	40 000	1 000 年一遇
6.校核洪水流量	m^3/s	52 300	10 000 年一遇
二、水库特征			
1.设计洪水位	m	335	
2.校核洪水位	m	340	
3.汛限水位	m	305	
4.极限死水位	m	300	
5.总库容	$\times 10^8 m^3$	96	
6.防洪库容	$\times 10^8 m^3$	60	
7.兴利库容	$\times 10^8 m^3$	14	
8.死库容	$\times 10^8 m^3$	0.1	
9.调节性能为不完全年调节			
三、主要建筑物特性			
1.主坝坝型为混凝土重力坝			
2.坝顶高程	m	353	
3.最大坝高	m	106	
4.坝顶长	m	713.3	
5.溢洪道最大泄量	m^3/s	6 420	7 个
6.泄洪底孔最大泄量	m^3/s	1 491	
7.泄洪中孔最大泄量	m^3/s	2 515	1 个
8.泄洪洞最大泄量	m^3/s	2 820	2 个
9.泄洪排沙钢管最大泄量	m^3/s	290	1 个
10.电站装机容量	$\times 10^4 kW$	40	
11.多年平均发电量	$\times 10^8 kW \cdot h$	10～12	

1 000m^3/s 时，控泄 1 000m^3/s。发生 20 年一遇洪水时，最高水位达 543.2m。

(3)当库水位高于 543.2m,除底孔外,再打开正常溢洪道泄洪。当水库上游来水小于 4 000m^3/s 时,不控泄。当来水大于 4 000m^3/s时,控泄 4 000m^3/s。当发生 50 年一遇洪水时,最高水位达 548m。

(4)当库水位高于 548m 时,若来水量小于泄水建筑物的实有泄水能力时,则按来水量控制。来水大于正常泄水建筑物的实有泄水能力时,则按实有泄水能力敞泄。当发生 1 000 年一遇洪水时,最高水位达 548.55m。

(5)当库水位超过 548.55m,并有上涨趋势,发生 100 年一遇洪水时,水库最高水位达 551.02m。

(6)根据 5 个水文站(黄河八里胡同、洛河白马寺、伊河龙门镇、沁河五龙口、丹河山路平)预报花园口流量达 12 000m^3/s,且有上涨趋势时,要求故县水库提前 8 小时关闸停止泄洪,但当库水位达到 20 年一遇洪水位 543.2m 时,按上述各项调洪原则启闸泄洪保坝。故县水库可使洛阳市洛河断面 20 年一遇洪水削减 2 000~5 500m^3/s。发电装机 6 万 kW,初期年发电量 1.45 亿~1.62 亿 kW·h,另可改善滩地灌溉面积 3.47 万 hm^2,发展高地灌溉面积 3.33 万 hm^2,为洛阳市供水 5m^3/s。当黄河花园口站发生 100 年一遇洪水时,故县水库、三门峡水库、小浪底水库和陆浑水库联合运用,可使北金堤滞洪区的分洪几率,从 70 年一遇提高到 90 年一遇。主要技术指标见表 4-2。

三、陆浑水库

陆浑水库位于黄河支流伊河中游的河南省嵩县田湖附近,控制流域面积 3 492km^2,占伊河流域面积 6 029km^2 的 57.9%。水库主要建筑物有:黏土斜墙砂卵石大坝、溢洪道、输水洞、泄洪洞、灌溉洞、渠首、电站等,最大坝高 55m,总库容 13.2 亿 m^3,装机 1.045 万 kW,灌溉面积 2.66 万 hm^2,是以防洪为主,结合灌溉、发电、供水和养殖等综合利用的水库。

表 4-2 **故县水利枢纽主要指标**

序号及名称	单位	数量	说明
一、水文特征			
1. 控制流域面积	km^2	5 370	
2. 全流域面积	km^2	12 037	
3. 多年平均径流量	$\times 10^8 m^3$	12.8	
4. 多年平均输沙量	$\times 10^4 t$	655.0	
5. 设计洪水流量	m^3/s	11 400	1 000 年一遇
6. 校核洪水流量	m^3/s	15 300	10 000 年一遇
二、水库特征			
1. 设计洪水位	m	548.55	
2. 校核洪水位	m	551.02	
3. 汛限水位	m	520	
4. 极限死水位	m	495	
5. 总库容	$\times 10^8 m^3$	12.00	
6. 调洪库容	$\times 10^8 m^3$	6.77	
7. 兴利库容	$\times 10^8 m^3$	5.1	水位 534.8m
8. 死库容	$\times 10^8 m^3$	1.3	
9. 调节性能为不完全年调节			
三、主要建筑物特性			
1. 大坝坝型为混凝土重力坝			
2. 坝顶高程	m	553	
3. 最大坝高	m	125	
4. 坝顶长	m	315	
5. 溢洪道最大泄量	m^3/s	11 436	5 孔
6. 泄洪底孔最大泄量	m^3/s	982	2 个
7. 泄洪中孔最大泄量	m^3/s	1 476	1 个
8. 电站装机容量	kW	60 000	
9. 多年平均发电量	$\times 10^8 kW \cdot h$	1.46～1.72	

陆浑水库的主要作用是配合三门峡水库，削减三门峡至花园口区间的洪峰流量，以减轻黄河下游的防洪负担。水库的运用原则是：

(1)当三花间出现大洪水时，水库按起始水位317m(汛期最高兴利水位)自由下泄，当泄量达到1 000m^3/s时，用闸门控泄，只泄1 000m^3/s；当库水位达到20年一遇防洪水位322.4m，黄河下游防洪没有关闸要求时，各泄洪建筑物闸门全部打开，自由下泄。

(2)当5个水文站(黄河八里胡同、伊河龙门镇、洛河白马寺、沁河五龙口、丹河山路平)根据实测流量预报花园口出现流量12 000m^3/s(有效预见期取8小时)，并有续涨趋势时，水库关闸不泄水。

(3)当水库水位高于323m时，打开全部闸门，自由下泄，不再承担下游防洪任务。

(4)当水库水位降至323m时，为减轻东平湖的负担，即用闸门控泄，来多少，泄多少，使库水位保持323m不变。

(5)当花园口实测流量降至10 000m^3/s，并有续降趋势时，水库用闸门控制，平泄1 000m^3/s保持三天，然后自由下泄，逐渐放至灌溉蓄水位317m。

陆浑水利枢纽主要指标见表4-3。

四、小浪底水库

小浪底水利枢纽位于河南省洛阳市以北40km的黄河干流上，上距三门峡水利枢纽130km，下距黄河花园口约130km，是黄河干流在三门峡以下惟一能取得较大库容的控制性工程。

水库总库容126.5亿m^3，其中，淤沙库容75.5亿m^3，长期有效库容51亿m^3。坝址以上流域面积为69.42万km^2，占花园口以上黄河流域面积的95.1%。大坝为斜心墙堆石坝，最大坝高154m，坝体总方量4 813万m^3，坝顶长1 317m。1994年9月12日小浪

表 4-3　　　　　　　　**陆浑水利枢纽主要指标**

序号及名称	单位	数量	说明
一、水文特征			
1. 控制流域面积	km^2	3 492	
2. 全流域面积	km^2	6 029	
3. 多年平均输沙量	$\times 10^4 t$	232	
4. 设计洪水流量	m^3/s	12 400	1 000 年一遇
5. 校核洪水流量	m^3/s	17 100	10 000 年一遇
二、水库特征			
1. 设计洪水位	m	327.5	
2. 校核洪水位	m	331.8	
3. 汛限水位	m	315.5	
4. 兴利水位	m	319.5	
5. 死水位	m	298.0	
6. 总库容	$\times 10^8 m^3$	13.2	
7. 调洪库容	$\times 10^8 m^3$	6.77	
8. 兴利库容	$\times 10^8 m^3$	5.83	
9. 死库容	$\times 10^8 m^3$	1.55	
10. 调节性能为多年调节			
三、主要建筑物特性			
1. 大坝坝型为黏土斜墙沙壳坝			
2. 坝顶高程	m	333	
3. 最大坝高	m	55	
4. 坝顶长	m	710	
5. 溢洪道最大泄量	m^3/s	3 810	
6. 泄洪洞最大泄量	m^3/s	1 193	
7. 灌溉洞最大泄量	m^3/s	419	
8. 电站装机容量	kW	10 450	

底水利枢纽正式开工，1997 年 10 月 28 日实施截流，2001 年建成

投入防洪运用。

小浪底水利枢纽工程的开发目标是“以防洪、防凌、减淤为主，兼顾供水、灌溉和发电，蓄清排浑，综合利用，除害兴利”。它的建成，将有效地控制黄河洪水，减缓下游河道淤积。与三门峡水库、陆浑水库、故县水库联合调度，可以使黄河下游防洪标准大大提高，基本解除黄河下游凌汛的威胁。枢纽主要指标见表 4-4。

表 4-4　　小浪底水利枢纽主要指标

序号及名称	单位	数量	说明
一、水文特征			
1.控制流域面积	$\times10^4 km^2$	69.42	
2.全流域面积	$\times10^4 km^2$	75.24	
3.多年平均径流量	$\times10^8 m^3$	423	
4.多年平均输沙量	$\times10^8 t$	15.94	
5.设计洪水流量	m^3/s	40 000	1 000 年一遇
6.校核洪水流量	m^3/s	52 300	10 000 年一遇
二、水库特征			
1.设计洪水位	m	274	
2.校核洪水位	m	275	
3.汛限死水位	m	230	
4.总库容	$\times10^8 m^3$	126.5	
5.调洪库容	$\times10^8 m^3$	40.5	
6.兴利库容	$\times10^8 m^3$	51	
7.死库容	$\times10^8 m^3$	75.5	
8.调节性能为不完全年调节			
三、主要建筑物特性			
1.主坝坝型为壤土斜心墙堆石坝			
2.坝顶高程	m	281	
3.最大坝高	m	154	

续表 4-4

序号及名称	单位	数量	说明
4.坝顶长	m	1 317	
5.正常溢洪道最大泄量	m^3/s	3 764	
6.非常溢洪道最大泄量	m^3/s	3 000	
7.输引水道最大输引水量	m^3/s	1 818	
8.泄洪洞最大泄量	m^3/s	1 632	
9.泄洪排沙钢管最大泄量	m^3/s	290	
10.电站装机容量	$\times 10^4 kW$	180	
11.多年平均发电量	$\times 10^8 kW\cdot h$	51	
12.灌溉效益	$\times 10^4 hm^2$	267	

第二节　下排工程

一、堤防工程

黄河下游现有各类堤防长 2 290.815km,其中现行黄河河道两岸堤防长 1 371.227km,是在不同时期修筑形成的。如图 4-1 所示。

(一)左岸临黄堤

左岸临黄堤防,全长 715.659km,分上、中、下三段。上段自河南孟州中曹坡,经温县、武陟、原阳至封丘鹅湾村止,长 171.051 km,此段是明清黄河旧堤;中段起自长垣大车集,经濮阳、范县、台前至山东阳谷县陶城铺止,长 194.485km;下段由陶城铺至利津县四段村止,长 350.123km,中、下段是清咸丰五年(1855 年)兰阳铜瓦厢改道后形成的新堤。

(二)右岸临黄堤

右岸临黄堤防,全长 616.240km,分上、中、下三段。上段孟津

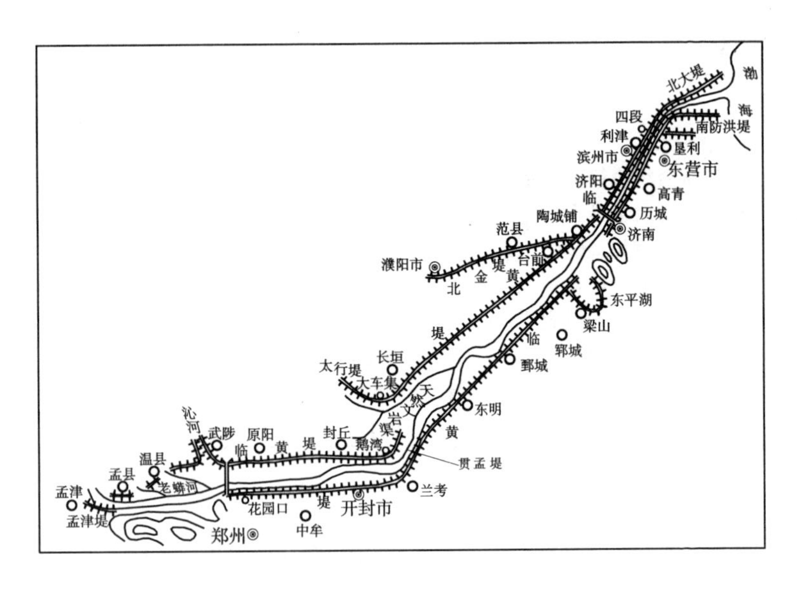

图 4-1　现行黄河下游临黄大堤示意图

堤，自河南孟津县牛庄至和家庙，长 7.6km，原是清同治十二年(1873 年)及其后陆续建成的民埝，最初只为保护汉光武帝陵，1938 年以后始改为官堤。中段起自郑州邙山根，至东平县十里铺闸，长 340.183km。下段自济南宋庄起，至垦利县二十一户村止，长 249.157km。以上堤线的保和寨至东坝头一段，是明清黄河旧堤。此外，右岸梁山国那里至济南宋庄之间，还有山口隔堤和河湖两用堤 19.3km。

(三)贯孟堤

贯孟堤起自河南封丘贯台东之西坝头，至长垣县姜堂止，长 9.32km，此堤是民国 10 年(1921 年)河南灾区救济会，为避免封丘贯台至长垣大车集之间近河居民遭受黄河水灾，以工代赈修筑的，后因南岸兰封绅民反对而中止，因原计划修至长垣孟岗，故名贯孟堤。

(四)太行堤

此堤原系明代黄河故堤,1956 年为防止黄河大水自天然文岩渠倒灌北溢,特修河南延津县魏丘至长垣县大车集堤防,与左岸临黄堤中段相接,长 44km。

人民治黄以来,黄河下游堤防经过 3 次较大规模的加高加固。第一次为 1950～1959 年,第二次为 1962～1965 年,第三次为 1974～1985 年,形成了目前黄河下游临黄大堤,高度一般为 7～10m,最高达 14m(原阳堤段);临背河地面高差 3～5m,最大 10m 以上(开封大王潭),堤防断面顶宽 7～15m;临背边坡,艾山以上均为 1∶3,艾山以下临河边坡为 1∶2.5,背河坡为 1∶3。

二、放淤固堤工程

放淤固堤是利用黄河水沙资源,结合灌溉、城市供水、改良土壤来加固大堤的一项重要措施。

放淤固堤的方法分两大类:一类为自流放淤,即利用沿堤引黄灌溉兴建的涵闸、虹吸、顶管等工程,在临河水位高于背河地面的有利形势下进行放淤,这种自流放淤多数结合引黄灌溉沉沙或改造低洼盐碱地进行;另一类为机淤,当自流放淤高程不能再升高时,即利用提灌站、吸泥船、挖泥船、小泥浆泵等机械提水加高放淤高程,达到设计高度。

放淤固堤为确保堤防防洪安全发挥了重要作用。

三、河道整治工程

河道整治是黄河下游治理措施的一个重要组成部分,它遵循的原则是:以防洪为主,全面规划,重点治理;统筹兼顾,团结治水;充分利用现有工程,因势利导。

下游河道整治主要采用修筑控导工程和险工配合的方法,控导主流,稳定河势。在工程布局上采用短丁坝,小裆距,以坝护湾,以湾导流的工程措施。主要整治参数包括整治流量、整治河宽以及河湾平面形态等要素。整治主要是控制中水流路,采用5 000m^3/s作为整治流量。整治河宽是整治流量下的直河段河宽,东坝头以上采用1 200m,东坝头至高村采用1 000m,高村至孙口采用800m,孙口至陶城铺采用600m。河湾平面形态参数在理论上控制为:直河段长度是整治河宽的1~3倍,河湾弯曲幅度是整治河宽的2~4倍,弯曲半径是整治河宽的2~5倍。

下游河道整治工程一般由丁坝、垛和护岸三种建筑物组成,在平面上形成一个连续的复合圆弧线,以达到以湾导流的效果。丁坝坝头平面形式主要有圆头形、拐头形、斜线形和流线形四种。垛的平面形式主要有人字形、磨盘形、雁翅形、月牙形和抛物线形等。

下游的河道整治是由下而上分河段逐步发展的。1949年首先在山东窄河段试修整治工程,1952年开始在重点河段按照规划治导线整治河道,至1958年陶城铺以下河道整治工程初具规模,使河势得到了控制。1958年为了适应三门峡水库蓄水拦沙期下游河道的剧烈变化,制定了下游各河段的河道整治规划。1965年2月提出了《关于黄河下游河道整治工作的安排意见》。从1966年开始,有计划地开展河道整治工作,治理的重点是高村至陶城铺河段,对高村以上游荡性河段在重要部位也修建了控导节点工程。1968年规划了东坝头至高村流路,并对陶城铺以下进行补充完善。1972年制定了《黄河下游河道整治近期规划》,1984年、1986年和1994年又先后编制了下游河道整治近期建设设计任务书和可行性研究报告,并加强了对新结构、新材料、新技术的研究和应用。根据以上几次规划,高村至陶城铺河段在1966~1974年进行了系统整治,1975年以后进行补充完善,现已基本控制主流。1978年基本完成了东坝头至高村河段的布点任务,现已初步控制主流。郑州铁桥至东坝头河段亦修建了一些关键性的河道整治工程,摆动范围有所减小。

黄河下游河道经过整治，缩小了游荡范围，稳定了河势，减轻了冲决堤防的危险；减少了塌滩塌村，稳定了滩区群众生产生活；提高了闸门引水保证率；规顺了主槽，增加了水深，为航运事业的发展创造了条件。

四、北金堤滞洪区

北金堤滞洪区位于河南濮阳市与山东聊城市的临黄堤和北金堤之间，系1951年由政务院决定开辟兴建，1976年经国务院批准改建，改建后的滞洪区涉及豫、鲁两省的7个县。滞洪区上宽下窄，呈西南东北走向，总面积2 316km^2，人口157.23万(包括中原油田6.5万职工)，耕地15.6万hm^2。北金堤滞洪区是防御黄河超标准洪水的分洪工程，小浪底水库建成生效前，当花园口发生超过22 000m^3/s的特大洪水，运用三门峡、东平湖水库等难以解决时，即采用北金堤滞洪区分洪，有效滞洪水量20亿m^3。它由分洪闸、北金堤及退水闸等组成，见图4-2。

(一)分洪闸

渠村分洪闸位于濮阳青庄险工上首，大堤桩号48+150，1978年建成，系桩基开敞式水闸，总宽749m，共56孔，设计分洪流量10 000m^3/s，为防止一般洪水淤积，闸前建有1 200m长的围堤，分洪时采取临时爆破。

(二)滞洪区围堤——北金堤

北金堤始修于东汉，原为黄河河道的右堤，1855年黄河在铜瓦厢改道后，该堤位于现行河道以北而称北金堤。河南濮阳南关火厢头(零公里桩)以上至濮阳、滑县交界处16.5km长的金堤(未管)，地势较高，可阻止洪水不向北漫流。濮阳以下至山东陶城铺堤段长123.33km，新中国成立后已加培3次，现堤段已达到设计标准。北金堤有险工18处，坝垛护岸151道，工程长度31.744km。

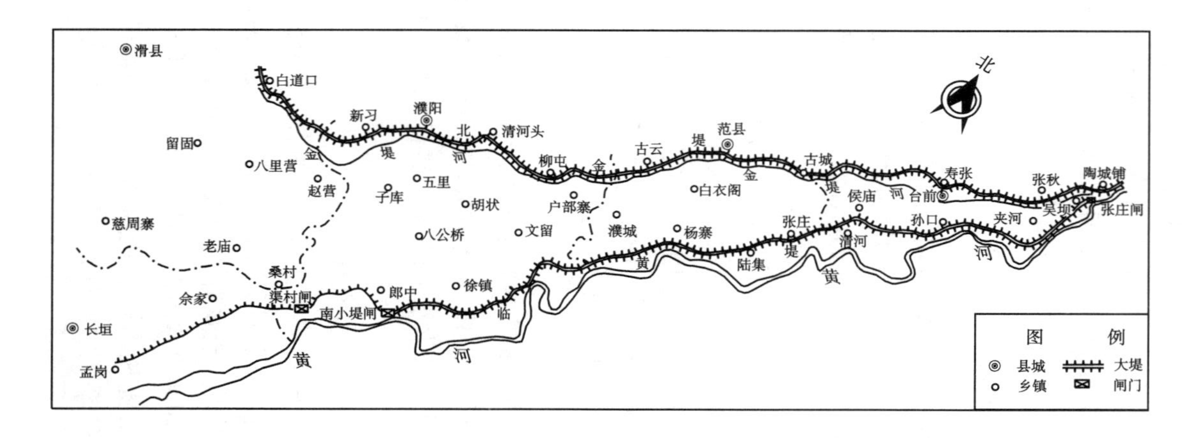

图 4-2 北金堤滞洪区平面示意图

(三)张庄退水闸

张庄退水闸计6孔,设计退水流量1 000m^3/s,并承担向区内倒灌分洪1 000m^3/s的任务,平时排金堤河涝水,设计排涝流量270m^3/s。闸北预留临时破堤口门,口门宽300m,两端修有砌石裹头,退水能力约为2 000m^3/s。渠村闸分洪后主流沿濮阳回木沟、三里店和一号河网经濮阳南关入金堤河,分洪后3～4天时间洪水到达张庄,与大河错峰后,运用张庄退水闸或在闸北破口泄流入黄。

北金堤滞洪区面积大,人口多,迁移时间短,一旦滞洪,迁安问题很多,难度很大。根据实际情况制定"防守和迁移并举"方针,确定在水深1m以下浅水区利用现有避水工程就地防守;1～3m深水区修建避水台进行固守;在主流区和蓄水区,修建撤退路、桥组织迁移,同时落实救护和通讯报警指挥设施。目前,滞洪区避水工程已初具规模,滞洪所需的物资也有储备,为滞洪奠定了一定的基础。

五、东平湖水库

东平湖水库是防御黄河下游大洪水的重要工程措施,其任务是分滞黄河、汶河洪水,控制艾山站下泄流量不超过10 000m^3/s。遇超标准洪水按上级决定有计划地分洪,以确保艾山以下河道防洪安全。设计蓄洪水位46.0m(大沽基面,下同),总库容39.79亿m^3;近期蓄洪水位为保证44.0m(库容27.3亿m^3),争取44.5m(库容30.42亿m^3)。

东平湖水库位于山东省东平、梁山、汶上、平阴四县交界处,大清河自东流入,总面积627km^2,其中新湖区418km^2,老湖区209km^2。库区内共有乡镇16个,行政村477个,人口28.34万,耕地3.126万hm^2。有避水村台153个,台顶面积309万m^2,高程大都在44.5～47.0m之间,多数为45.5m,有硬化撤退公路

300km。

水库工程主要有：围坝100km，顶高程48.5m，顶宽10m；二级湖堤26.73km，顶高程46.0m，顶宽6m；进湖闸3座，总设计分洪能力8 500m^3/s(石洼闸5 000m^3/s、林辛闸1 500m^3/s、十里堡闸2 000m^3/s)；排洪泄水闸5座，总设计泄水能力3 600m^3/s(陈山口闸1 200m^3/s，清河门闸1 300m^3/s，司垓闸1 000m^3/s，码头、流长河两闸各50m^3/s)。见图4-3。

六、齐河展宽工程

山东黄河齐河展宽工程，是为解决济南北店子至泺口间窄河段的凌洪威胁，于1971年9月兴建的。该段河道两岸堤距平均宽为1km，齐河王庄和济南北店子险工间最窄处仅465m，形成卡口，凌汛期间经常出现卡冰壅水，并多次形成冰坝，壅塞河道，冰水漫滩，威胁堤防安全。1958年大水，这段河道表现高水位、大堤出水仅0.5m左右、险工坝顶漫水、大堤背河出现漏洞及渗水等险情。历史上这段河道曾发生决口43次。新中国成立后，因其一直威胁着济南市及津浦铁路的安全，是防洪、防凌的重点堤段。

齐河展宽工程是通过展宽齐河曹营至济南泺口间窄河段的堤距，形成滞洪区分滞凌洪。展宽堤长37.78km，展宽堤与临黄堤相距4km左右，面积106km^2。最大设计库容4.75亿m^3，考虑分滞洪水淤积1m作为死库容，有效库容3.9亿m^3（见图4-4）。

当花园口站发生30 000～46 000m^3/s的特大洪水，经上游分滞洪后，艾山仍需下泄12 000m^3/s，再利用齐河展宽区分洪2 000m^3/s，确保下游防洪安全。

七、垦利展宽工程

山东黄河垦利展宽工程位于东营市垦利县和东营区境内，是以解决凌汛为主，结合防洪、放淤和灌溉而兴建的。黄河下游河道

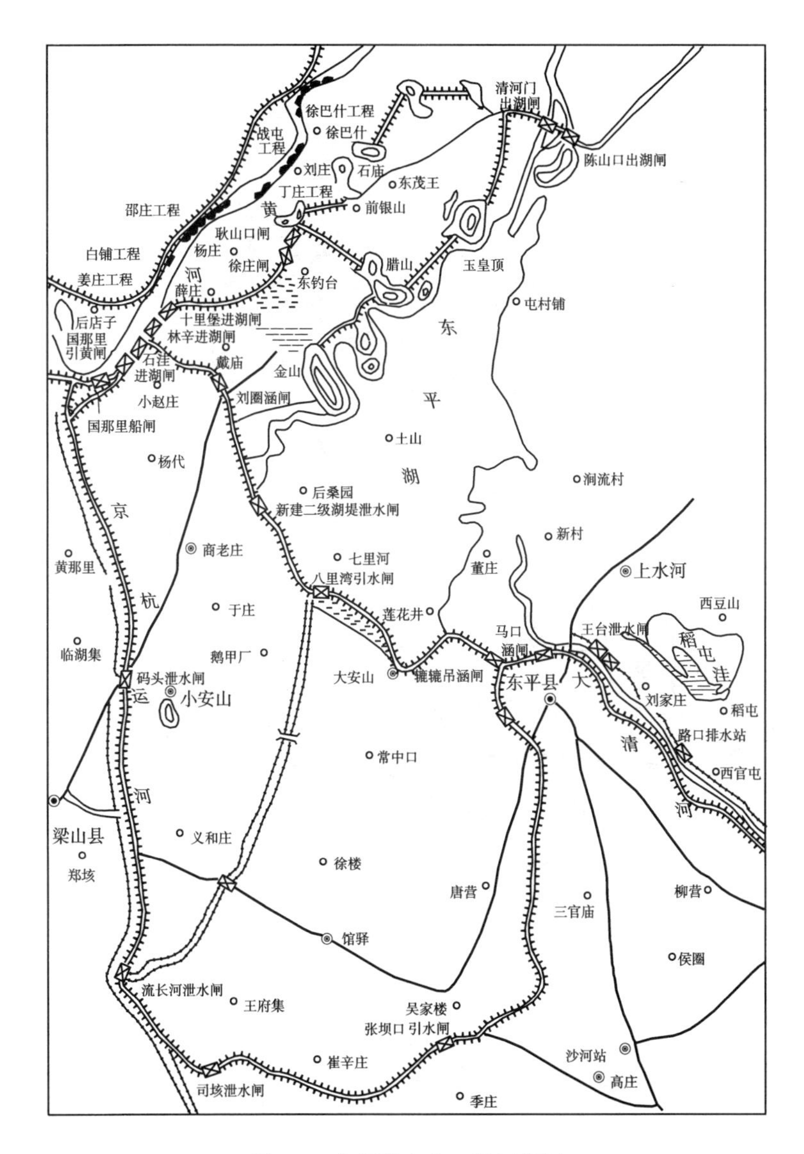

图 4-3　东平湖水库工程示意图

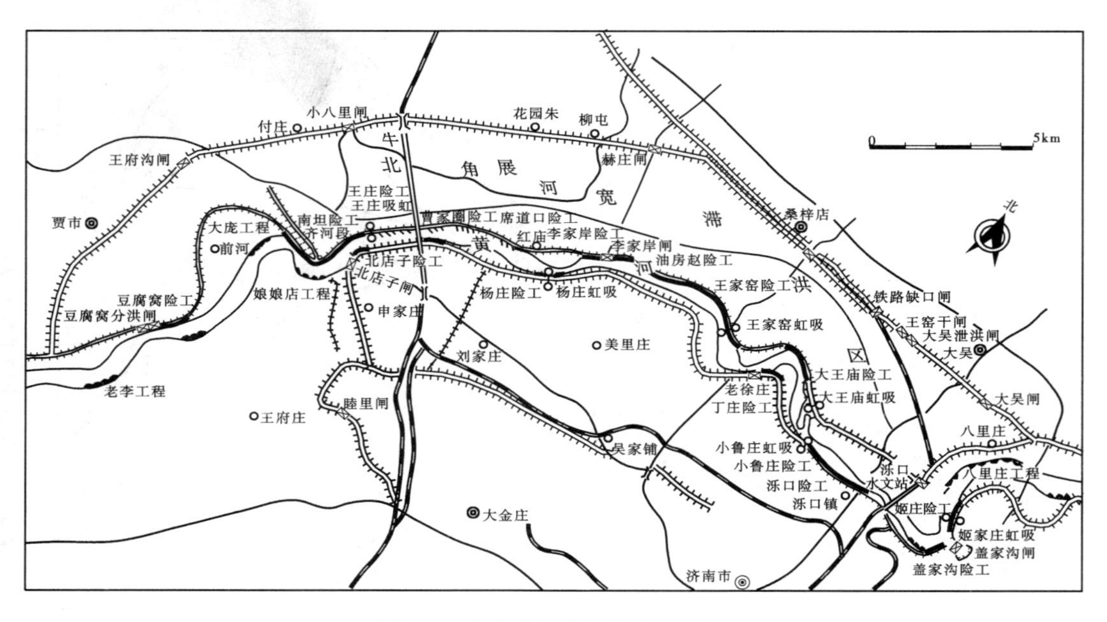

图 4-4　山东黄河齐河展宽工程图

从东营区麻湾至利津王庄30km内，具有窄、弯、险、决口多的特点。两岸堤距一般1km左右，最窄处小李险工仅441m。麻湾、王庄坐弯几乎成90°，一旦冰凌卡塞，水无泄路，水位陡涨极易成险，甚至决口成灾。近百年来，该河段决口31次，其中凌汛决口15次，1951年、1955年凌汛两次决口就发生在此河段。由于河口不断延伸，受溯源淤积影响，河道相应淤高，使洪水水位不断升高。为减轻凌洪威胁，于1971年10月动工兴建了该工程。

垦利展宽工程是从博兴老于家皇坝至垦利西冯间窄河段新修一条展宽堤，距临黄堤3.5km左右，堤长38.65km，面积123.3 km^2，近期滞洪库容3.27亿 m^3。在临黄堤上建有分洪、泄水闸3座，有控制地分泄凌洪。在展宽堤上修建排灌闸5座，以解决展宽区内的排水、灌溉和油田用水。见图4-5。

八、封丘大功分洪区

（一）大功分洪区

大功分洪工程位于黄河北岸大功村南黄河大堤前100m滩面上，在开封柳园口对岸，距京广铁桥约80km，为防御黄河特大洪水的分洪区之一，原拟秦厂站出现36 500m^3/s洪水时，在大功分洪6 000m^3/s；秦厂站出现40 000m^3/s洪水时，在大功分洪10 500 m^3/s。据此，设计分洪水位为81.00m（大沽），分洪流量10 500 m^3/s，堰顶高程78.00m，水头3m，堰宽为1 500m，分洪最大流速4.4m/s，设计溢洪工程护底长度为40m（顺水流方向），护底是铅丝笼块石结构，厚0.5m，堰两端设有石裹头。该工程经中央批准后，于1956年4月29日开工，7月4日完工。该工程自1960年到1984年，未明确分洪任务。1985年国务院国发[1985]79号文《国务院批转水利电力部关于黄河、长江、淮河、永定河防御特大洪水方案报告的通知》中，确定大功分洪区为防御黄河下游特大洪水的分洪设施，预计将来分洪5 000m^3/s（见图4-6）。

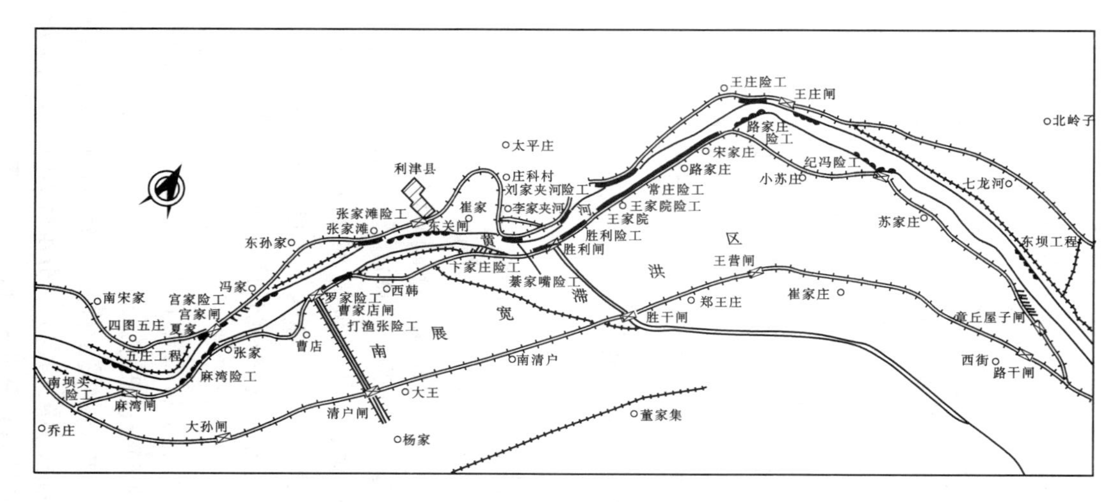

图 4-5　山东黄河垦利展宽工程图

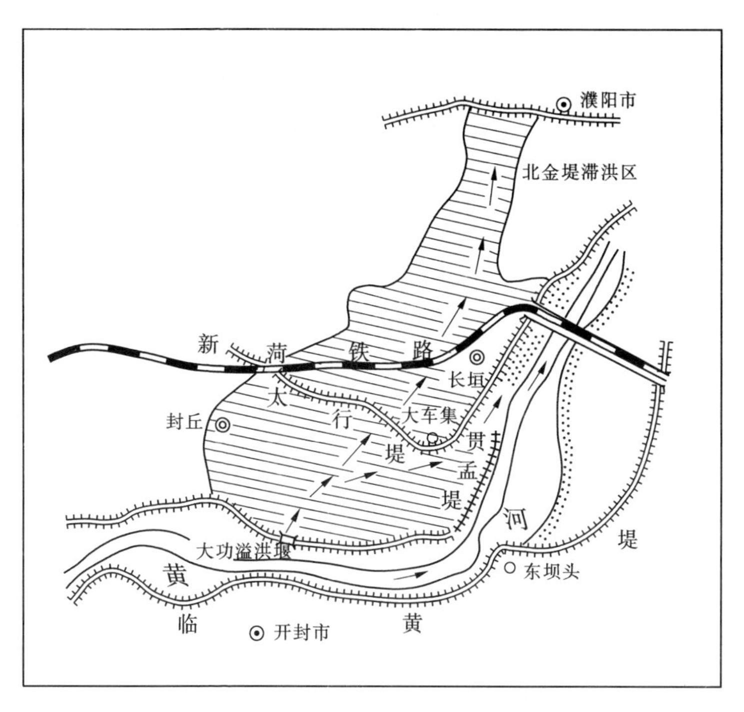

图 4-6　黄河大功分洪区平面示意图

大功分洪区涉及河南省封丘、长垣县大部及延津、滑县部分地区，滞洪面积 2 040km^2，耕地 15.3 万 hm^2，村庄 1 357 个，人口 123 万(不含北金堤滞洪区淹没范围)。由大功临时溢洪堰分洪后，洪水穿过柳园附近的太行堤进入长垣县境，然后走北金堤滞洪区，于台前张庄附近退入黄河。

(二)封丘倒灌区

封丘鹅湾至长垣姜堂的贯孟堤末端与长垣临黄堤之间，留有 8km 的自然缺口，天然文岩渠经此注入黄河。黄河可从缺口倒灌滞洪，该区北为太行堤，南为临黄堤，西为红旗渠堤，面积约 400km^2，人口约 30 万。1933 年黄河大水由此决贯孟堤倒灌，淹没面积超过 400km^2，滞蓄水量 4.4 亿 m^3。1958 年洪水，从缺口沿天然文岩渠倒灌，淹没面积 48km^2，蓄水量 0.3 亿 m^3。1976 年黄河花园口流量 9 210m^3/s，倒灌面积超过 60km^2，蓄水量 0.5 亿 m^3，蓄洪水位比 1958 年高 0.8m，连同天然文岩渠涝水蓄量在内，共淹没 80km^2。据 1983 年水平年推算，当黄河发生 30 000～43 000m^3/s 洪水时，估计蓄洪量约 7 亿 m^3，对削减洪水有一定作用。若从大功分洪，倒灌区则成为大功分洪区的组成部分，也是其退入黄河的洪水通道。

第五章　防洪非工程措施

防洪非工程措施是指通过法令、政策、行政管理、经济和防洪工程以外的技术手段，以减少洪泛区洪水灾害损失的措施。防洪非工程措施包括水文、通信、防洪工程管理、河道清障、滩区和蓄滞洪区迁安救护等。

远古年代，人们为避免洪水灾害，择丘陵而居。有的地方“以舟为家”，甚至形成水上村镇，这就是适应自然的防洪非工程措施的雏形。防洪非工程措施作为一种概念，是20世纪60年代形成的。美国是采用防洪非工程措施比较早、发展较快的国家，1966年美国总统发布特别命令，进一步确定防洪非工程措施的作用。我国对防洪非工程措施也很重视，1997年专门颁发了《中华人民共和国防洪法》，将防洪非工程措施以法律形式固定下来。随着科学和经济的发展，防洪非工程措施作为减少洪灾的措施，日益为人们所接受，并将紧密结合防洪工程措施逐步得到充实和发展。

防洪非工程措施种类较多，本章仅介绍水文测报、防汛通信、机动抢险队和抢险料物。

第一节　黄河防洪组织与管理

黄河水利委员会(以下简称为黄委)为水利部的派出机构，设在河南省郑州市。黄河下游沿黄各省、地(市)、县(市、区)均设有同级河务局，负责本辖区黄河治理的业务工作。

为统一指挥、协调黄河防汛工作，根据国务院规定，设立黄河防汛总指挥部(以下简称为黄河防总)。黄河防总在国家防总领导下，全面负责晋、陕、豫、鲁4省的黄河防汛工作。河南省省长担任黄河防汛总指挥，山西、陕西、山东三省副省长和黄河水利委员会主任担任副总指挥。黄河防总办公室设在黄委，负责防汛日常工作。

有黄河防汛任务的省、地（市）、县（市、区）防汛指挥部负责本辖区黄河防汛工作，各级政府行政首长担任指挥，并对本辖区黄河防汛负总责。黄河防汛办公室设在治黄单位，负责黄河防汛日常工作。各有关部门的职责分述如下。

（一）河务部门的职责

（1）根据黄河防洪规划，结合辖区内的工程状况，制订防御洪水方案。

（2）分析防洪形势，预测各类洪水可能出现的问题，提出防御措施，当好行政首长的参谋。

（3）负责辖区内的防洪工程管理，组织汛前工程检查，发现问题及时处理。

（4）掌握防汛动态，及时向上级和有关部门通报气象、雨情、水情、工情、灾情和抗洪抢险等情况。

（5）根据水情、工情，制订防守与抢护方案。

（6）根据有关规定，做好汛期各有关项目的测报工作。

（7）做好黄河专用防汛物资的管理、统配和调用。

（二）水文部门的职责

负责水文设施检查、维修、养护、管理及水毁修复。负责各水文站网的测报工作，按要求及时向防汛部门提供雨情、水情和有关预报。

（三）气象部门的职责

负责暴雨、台风和异常天气的监测和预报，按时向防汛部门提供长期、中期、短期气象预报和有关公报。

（四）供电部门的职责

优先保证防洪工程和防汛抢险用电。

(五)邮电、通信部门的职责

为防汛部门提供优先通话和邮发水情电报的条件,保证邮电无误,通信畅通。

(六)城建部门的职责

负责做好本城区的防汛工作。

(七)物资、商业、供销部门的职责

负责防汛抢险物资的供应和必要的储备。

(八)铁路、交通、民航部门的职责

汛期优先运送防汛抢险人员和物料,及时提供所需的车辆、船舶、飞机等运输工具。

(九)民政部门的职责

负责滩区、库区、蓄滞洪区等区域内群众的救护、迁移安置及灾后救济工作,协助工农业生产部门组织灾区群众恢复生产,重建家园。

(十)卫生部门的职责

负责组织灾区卫生防疫和医疗救护工作。

(十一)公安、司法部门的职责

负责抗洪抢险的治安管理和安全保卫工作。对破坏防洪工程、水文、遥测和通信设施以及盗窃防汛物资的案件,及时侦破,依法严惩。

黄河防汛队伍的组织实行专业队伍和群众队伍相结合,军和民密切联防。群众队伍由临黄大堤乡、村组成基干班、抢险队、护闸队,为一线防汛队伍;根据各地情况,其他县、乡组织预备队为二线防汛队伍;滩区、滞洪区、库区组织迁安队、留守队、救护队。基干班按临黄堤分不同河段每公里组织 12～20 个班,每班 12 人。每县组织一至几个抢险队,每队 30～50 人。涵闸、虹吸工程一般组织护闸队 30～50 人,险闸、分洪闸适当增加。黄河下游每年组织的防汛队伍总数为 250 万人。黄河业务部门已建立 10 个机动抢险队,每队 50 人,由省级河务局统一指挥调度。这些抢险队装备较为先进,灵活机动,主要负责实施黄河重大险情的抢护。

中国人民解放军是防汛抢险的突击力量,黄河防汛每年都邀请解放军和武警部队参加,承担大堤防守和抢险救护工作。汛前由各省防汛指挥部与省军区商定,明确防守堤段和任务要求,部队预先到达或洪水时到达防守位置,参加抗洪斗争。

第二节　水文测报

水文测报是防洪的耳目。黄河水文测报历史悠久,早在战国时期就开始了水位观测;北宋时期把一年当中 4 个明显的涨水期定为“桃、伏、秋、凌”4 汛;明万历元年(1573 年)开始建立了快马报汛制度;清康熙四十八年(1709 年)在青铜峡口设水志桩测水;民国 8 年(1919 年)在河南陕县和山东泺口首次设立水文站测报水情,此后又在干支流相继设立了一些水文站、水位站和雨量站。到 1949 年,黄河流域有水文站 25 处、水位站 10 处、雨量站24处。其中,属于黄河流域机构管理的水文站有 16 处、水位站 4 处。

1949 年以后,黄河水文建设及测报手段得到迅速发展。1989 年,黄河流域水文站网已有水文站 458 个、水位站 58 个、雨量站 2 376个。2001 年,仅黄委所属水文站网已有水文站 116 处、水位站 36 处、雨量站 774 处。站网分布上游稀,中下游密。其中,三花区间密度最大,在 4.16 万 km^2 面积内有 39 个水文站和 297 个雨量站,单站控制面积为 $124km^2$。在水文站网建设的同时,一些高技术含量的仪器设备及时得到应用,改善了水文测报手段。20 世纪 90 年代初建成的三花间实时遥测洪水预报系统,实现了水、雨情信息的自动采集和传输。20 世纪 90 年代中期,三门峡以上地区建成水情数据传输系统,提高了报汛精度,降低了报汛差错率。2001 年,国家防汛指挥系统榆次水情分中心采用非接触式超声波水位计、超短波雨量和卫星小站短数据通信等建成的自动测报系统,能够在20分钟内完成辖区内水情信息的收集、汇总、校核和预处理。

20世纪50年代以来,黄河流域已建成了一套具有黄河特色的水文测报体系,在历年防洪防凌斗争中发挥了重大作用。

一、报汛站网

(一)站网布设

现行报汛站网是在黄河水文站网基础上建立的。多年来通过对水文站网反复对比分析,逐步选定了包括由水文站、水位站、水库站及雨量站等测站组成的报汛站网,基本上反映了流域的雨水情,较好地满足了防汛的需要。报汛站网分布情况,如表5-1所示。

表5-1 **黄河流域报汛站网分布**

地区	面积(km^2)	水文站		总报汛站	
		站数	控制面积(km^2/站)	站数	控制面积(km^2/站)
上游	367 898	43	8 556	51	7 214
中游三门峡以上	320 523	113	2 836	196	1 635
中游三花区间	41 615	49	849	160	260
下游	22 407	57	393	75	299
总计	752 443	262	2 872	482	1 561

(二)水文测报

1.测报项目及手段

水文测报站主要有水文站、水位站、水库站和雨量站。各类测站测报项目为:

(1)水文站。测报水位、流量、含沙量、降雨量、水温、气温、冰情等。提供流域水情及河段内冰情的发展变化,是水情预报及防洪决策的重要依据之一。

(2)水位站。测报水位、降水量、水温、气温、冰情等。在防洪重要的河段及分洪闸前、闸后设置。

(3)水库站。测报库水位、出库流量、含沙量、水温、气温、冰情及闸门启闭等。

(4)雨量站。测报降水量。通过雨量站的时段降雨量资料,即可迅速计算出是否可能有洪水发生。

黄河流域地形复杂,各类站测报条件比较恶劣。目前,测报方式除雨量等智能测量外,大部分仍以人工为主。水文站测验设施比较健全,有过河缆道、浮标投掷器、吊船、机船等,测流采用流速仪法及浮标法。上中游干支流洪水期水深流急,水面飘浮物多,中游含沙量较大。因此,中等以上洪水除上游少数干流站外,一般都只能采用浮标法;下游干流各站全部采用流速仪测流。部分河段河道宽浅、水流分散,施测十分困难,特别是洪水漫滩以后,水面宽可达数公里,水浅、障碍物多,船行困难,有时只能涉水施测,测流历时长,也影响测流质量。目前,流速仪测流精度可达95%以上;浮标法由于受浮标系数、借用过流断面等因素的影响,一般精度在90%左右。

2. 测报等级及起报标准

测站测报等级分为6级,各级每天测报的次数为:1级为1次,2级为2次,3级为4次,4级为8次,5级为12次,6级为24次。各项标准是:

(1)降雨测报。上游定为1级,起报标准为5mm,每日8时定时测报日雨量。中游三门峡以上地区定为3级,起报标准为5mm,每日2时、8时、14时、20时定时观测,8时定时拍报;累计时段雨量达10mm以上,定时拍报;2小时降雨量达20mm以上时,按暴雨加报。三门峡以下及下游地区定为5级,起报标准为1mm,每天定时观测12次,时段为2小时,每日8时拍报日雨量;累积时段雨量10mm以上定时拍报。

(2)水位、流量及含沙量测报。上游站平水期按1级测报,洪水期测报洪水过程。中下游地区,主要控制站平水期每日8时、20时定时测报,多数支流站不达起报标准不报;洪水期视洪水大小,分别按2～6级测报,同时规定加报标准,以减少不必要的测报;有的支流站只规定报洪峰及洪水过程。黄河下游干流站,洪水漫滩后按6级测报,达加报标准时每小时报1次,水情紧急时每半小时加报1次或随时查询。

(3)凌汛期凌情测报。凡规定测报凌情的站,每日8时按规定项目拍报,凌情有显著变化时及时加报。

二、水文信息传输和处理

报汛站采集到的情报,要通过信息传输系统来发送和处理。黄河水情信息传输方式基本有3类:①邮电系统有线电报,目前大多数报汛站通过邮电系统拍报水情,传递时间一般需1～3小时;②黄委无线通信系统电报,报汛站主要分布在三门峡水库区及三花区间,多数站属有线无线双保险,以无线发报为主;③三花区间实时遥测系统电报,系统自动采集传输数据。

水情信息处理,是指水文部门接收由各报汛站发送的水情电报后,及时进行翻译、登记、制图、填图、存档等处理,并迅速通知防汛部门。水情译电处理已基本实现计算机自动化作业。其主要功能有:①自动进行水情电报翻译和资料存储;②迅速打印防汛工作所需要的各种报表及绘制雨量等值线图;③迅速、简便、准确地检索流域内雨、水、沙、冰情实况;④通过终端机检索,水情信息可远传北京的国家防总;⑤迅速地实现实时洪水预报。

三、洪水预报

洪水预报目前仍以常规预报方法为主，如洪峰流量相关、降雨径流相关、马斯京根法河道洪水演算及蓄率中线法水库调洪演算等。同时，结合本地区实际情况研制了一些方法，如干旱、半干旱地区产汇流预报方法，黄河下游变动河床水位预报方法、变动河床漫滩洪水预报方法、汾河地区超渗产流流域模型、大汶河复合流域模型等。此外，还引进了一些符合本流域特征的产汇流预报模型，如新安江模型等。这些方法是以黄河上的实测资料为基础，经过多年洪水预报的检验和反复修订而确定下来，运用灵活，计算简便，干支流结合、全面配套，形成了一套较为完整的黄河流域实用暴雨洪水和冰情预报方法。

防洪要求水情预报“准确、及时”。所谓准确，就是预报精度要高，允许误差能满足防洪的需要。所谓及时，即有一定的预见期，以满足防洪措施的实施。从预报准确来讲，以现有科学水平和技术条件，可以做到。但是洪水预报的预见期，在黄河下游要增长到足以满足防洪的需要则难度较大。因为，黄河下游的洪水预报受三(门峡)花(园口)间来水的制约。在小浪底水库运用后，三(门峡)小(浪底)间洪水可以控制，但小(浪底)花(园口)间还有约 2.7 万 km^2 洪水无控制区，降雨径流预报基本上没有预见期。因此，采用任何水文预报方法，都难以延长本区洪水的预见期。目前，黄河下游洪水预报主要采用以下 3 个步骤。

第一步，根据暴雨预报，用降雨径流相关法或流域洪水预报模型预报花园口洪水，预见期 1 天以上，供防汛部门参考。

第二步，根据流域实测降雨量，并参考降雨预报由降雨径流相关法或流域洪水预报模型预报花园口洪水，预报精度可达 80%，预见期 12 小时以上。供防汛部门部署防汛参考。

第三步，洪水已汇入河槽，根据水文站出现的洪峰，用洪峰流量相关及河道洪水演算，预报下游站洪水，预报精度达90%，预见期8～10小时。作为防汛部门进行洪水调度和指挥抗洪战斗的依据。

洪水预报的发布，一般洪水随水情日报发布。大洪水时，由黄河防总办公室对外发布。

第三节 防汛通信

黄河防汛通信的历史可以追溯到19世纪末，当时河防部门就用电话、电报传递汛情。到20世纪30年代，黄河下游两岸已架通了1 000多千米的电话线；新中国成立初期，黄河下游建成郑州至济南有线通信干线3 400杆/km，形成了连接河南、山东省各地、县黄河修防单位的有线通信网；20世纪60年代，在架空明线的基础上开通3路和12路载波电路，改善了通信质量；70年代，建成了三门峡至花园口区间的短波报汛通信网；80年代，黄河通信开始了现代化建设，相继建成了三门峡—郑州、郑州—济南、济南—河口数字微波通信线路和黄河数字程控交换网；90年代，黄河下游先后建成预警反馈、一点多址、无线接入通信系统；20世纪末，黄河下游又建成了防汛抢险专用集群移动通信系统。目前，黄河通信基本建成了以郑州为中心，以数字微波为主干、无线通信为主体，可上联水利部、国家防总，下接黄河两岸各地(市)、县河务局和沿河各重要水文(位)站、雨量站的黄河防汛专用通信网。

黄河防汛专用通信网主要由数字微波系统，短波、超短波无线通信系统，交换系统和移动通信系统组成。

一、数字微波通信系统

数字微波具有通信容量大、抗干扰能力和抗拒自然灾害能力强、工作稳定、噪音小、通信质量高等优点，是黄河专用通信网的主干通道。

(一)郑州—三门峡微波干线

郑州—三门峡数字微波干线是由水利、电力系统联合兴建的一条水电专用通信线路,于1986年12月正式投入运行。主要建设目的是建立水利部到西北地区的水利、电力调度自动化通道,提供黄河防汛和水文、水情预报等联络信道。线路质量标准高于我国邮电部规定的一级线路设计标准。路由站址是:黄委通信总站—河南省电业局—峡窝—五指岭—首阳山—洛阳通信站—大沟口—金银山—马家庄—三门峡供电局—三门峡通信站—三门峡水库,峡窝—焦作,洛阳通信站—洛阳供电局。共13段14站,线路全长265km。

(二)郑州—济南微波干线

郑州—济南微波干线主要目的是建立黄河下游黄委、省局、地(市)局三级信息传输系统。电路设计容量为340MB/s-480路,终端按240路设置。路由站址是:郑州—万滩—开封—封丘—长垣—渠村—刘庄—鄄城—杨集—梁山—银山—铜城—韩刘庄—晏城—泺口—济南。支线电路为渠村—濮阳和万滩—原阳—新乡。干线16个站长400km,支线3个站长97km。

(三)微波支线

为满足黄河重要支流、重点水库以及远离干线的重要防汛部门的通信需要,在干线电路建设的基础上,兴建了重要支线电路。

(1)洛阳—故县微波支线。洛—故微波在洛阳与郑州—三门峡微波干线联结,是黄委联系故县水库的通信线路,全线共4站。

(2)郑州—沁阳微波支线。郑—沁微波(经花园口—武陟县黄河河务局)全线共4站,是黄委、河南黄河河务局连结沁河主要防汛部门的通信线路。该电路于1995年延伸至焦作市黄河河务局。

(3)万滩—新乡微波支线。该支线自万滩经原阳至新乡,作为郑州—济南微波干线的分支线路,是黄委、河南黄河河务局连结新乡市黄河河务局主要防汛部门的通信线路，与郑州—济南微波电路同步建设。

(4)渠村—濮阳微波支线。渠—濮微波是郑州—济南微波干线的分支线路，是黄委、河南黄河河务局联系濮阳市黄河河务局的防汛通信线路，容量为30路，与郑州—济南微波电路同步建设。

(5)洛阳—陆浑微波支线。洛—陆微波是黄委联系陆浑水库的通信电路，容量为2MB/s－30路，在洛阳进入郑州—三门峡微波干线。

(6)洛阳—小浪底微波支线。洛—小微波是黄委联系小浪底水库的支线电路，设计容量为8MB/s－120路。在洛阳进入郑州—三门峡微波。

(7)济南—河口微波支线。济南—河口微波是郑州—济南微波干线的延伸，在泺口与郑州—济南微波接口。它联系黄河济南以下4个地(市)局、13个县局、3个水文站。电路设计容量为8MB/s－120路的数字电路，全线8个站，线路长200km。

二、短波、超短波无线通信系统

(一)短波通信网

短波通信具有通信距离远、组网灵活的特点，但因不能入交换网，只能用于偏远水文站的报汛和水情电报的传递。应用10W、15W、150W短波设备建立的以郑州为中心，覆盖兰州、榆次、三门峡库区及花园口以下各主要水文(位)站的水文预报短波通信网，担负着向郑州报汛、传递水情电报的任务。

(二)超短波通信网

超短波通信系统与短波相比有通信容量较大、通信质量较好、可入交换网等优点。应用超短波通信设备组建了如下分支线路和局部传输网络：①洛阳—小浪底6路400MHz通信支线，在洛阳接入郑州—三门峡微波；②洛阳—陆浑6路400MHz通信支线，在洛阳接入郑州—三门峡微波;③河南、山东黄河河务局与地(市)、县黄河河务局间组建的 400MHz 通信网,作为载波网的备用电路和支线电路,以提高信息传输的可靠性;④山西、陕西小北干流黄河河务局分别建设了 150MHz 单信道移动通信网,用于本局防汛通信(目前还未能进入黄河通信网);⑤黄河下游组建的洪水预警报系统,是由设在县级防汛部门的 11 个中心发射机和分布在乡(镇)的 4 860 部相应的接收机构成。在大洪水时,可通过该系统提前发出警报,有组织地转移,以减小灾害损失。

三、交换系统

电话交换系统是黄河通信网的重要组成部分,由黄委、省、地(市)黄河河务局 3 级交换汇接组成,采用全网统一信号、统一信令、统一标准的现代化程控交换设备。黄委至水利部间使用卫星电路和电力微波的 6 条长途线路。黄委至各省局、枢纽局及千门以上电话局的中端电路,根据话务量采用 2MB/s－30 路数字中继接口或 8～16 个中继接口联网,地(市)黄河河务局以下中继线也采取了相应的联接方式。全河共有交换机 80 余部,约 32 350 线。各交换网除在黄河专用通信网使用外,还进入本地的公用电话网,以实现全国电话直拨。

四、移动通信系统

集群移动通信(简称“黄河通”)系统覆盖黄河中下游南北两岸全部堤防、险工、控导工程,主要用于黄河防汛查险、报险的通信联络,是黄河防汛专用通信网的重要补充。本系统选用台湾东信公司生产的移动通信设备,取代了原 Motorola 的 8 基站系统,仍工作在 800MHz 步段,16 组 80 对频率复用,是大区覆盖、多基站、多信道、全河自动漫游、全网统一编号、全双工通话方式的无线移动通信系统,具有选呼、群呼、组呼、优先等级遇忙排队、强拆、强插、紧急呼叫等调度功能。手机具有体积小、重量轻、便于携带、机动灵活等特点。全河共设有郑州、济南、开封、东营等28个基站，全网共270个信道。其中，郑州20信道，济南15信道，其余各站为5～10信道。全河共发放双工手机3 200部，双工车台300部，覆盖了沁阳以下至入海口的黄河两岸大堤及沁河部分堤防。

除以上系统外，还建设有海事卫星通信系统、一点多址微波通信和县黄河河务局以下400M频率无线接入系统。其中，海事卫星通信系统是为保证在可能出险地段的抢险指挥而建立的，共15个卫星机动通信站，租用亚洲2号卫星信道通信。一点多址微波通信是在已建的微波干支线基础上，进一步解决地(市)、县黄河河务局之间通信而建的，1997年建成，共有6个中心站、11个中继站、36个外围站。无线接入系统，主要是解决县黄河河务局以下至河务段、重要工程之间的通信问题，1998年建成，共有15个基站、723个单用户固定台、15个多用户固定台、70部硬携台，采用400M频率、ETS无线接入的办法与黄河通信网连接。

多年来，黄河通信网在传递水情、工情，部署防汛工作，指挥抗洪斗争和工程建设，进行洪水调度，组织迁安救护等方面发挥了重要作用。

第四节　机动抢险队与抢险料物

一、机动抢险队

黄河专业机动抢险队始建于1988年，属常年建制，相对独立，以原有工程队为基础，隶属地(市)河务局，由省河务局统一调度指挥。主要任务是对黄河下游出现的各类险情进行及时抢护，实行“事业单位，企业管理，平战结合”的管理模式。到1993年底，黄河下游共组建专业机动抢险队10支，队员506人，分布在河南的武陟一局、封丘县局、范县县局、中牟县局、开封郊区局以及山东的天桥区局、滨州地区局、鄄城县局、东平县局、山东黄河基础工程处。1999年,随着黄河防汛形势和防洪工程现状的变化,黄委会又批准两省河务局各成立5支机动抢险队。至此,黄河下游共组建了20支专业机动抢险队,平均每队50人,共1 000人。队员平均年龄40岁以下,每队设队长1人,副队长2人。人员组成:①专业技术人员,包括机械、电气、治河、水工专业人员;②技师,在治河、修防、抢险方面有特长的人员;③技术工人;④汽车司机,汽车司机兼电工、发电机手和维修工。

各抢险队初建时配备了一定数量的挖、装、运、通信和照明设备,但由于设备少、吨位小、不配套,起不到机动抢险队"快速、机动、灵活、高效"的作用。为改变这种状况,1997年汛前,在国家防总的大力支持下,安排专项资金,进行下游机动抢险队建设。其中,重点装备了河南郑州中牟队、新乡封丘队、山东省河务局一队(鄄城队)、山东省河务局二队(济南天桥队)4支抢险队。每队配备有1部挖掘机、2部装载机、5部自卸汽车、1台推土机(湿地)、1部指挥车、1台发电机组、1部大客车以及炊具等后勤供应保障设备。设备配备后,每队抢护能力达到:每小时在1~2km内运石120~150m^3,每小时抛石100~120m^3,抛柳石枕8 000~10 000kg。大大提高了抢险队的抢险技术和快速应变能力。

机动抢险队自组建以来,先后参加了数百次重大险情的抢护,在黄河防汛抢险和支援地方抗洪斗争中发挥了重要作用,节约了大量抢险费用,为确保黄河防洪安全作出了巨大贡献。

二、抢险料物

(一)抢险料物的种类及定额

黄河防汛抢险料物主要由国家储备料物、社会团体储备料物和群众备料三部分组成。国家储备料物,是指黄河河务部门按照定额和防汛抢险需要而储备的防汛抢险物资，主要包括石料、铅丝、麻料、木桩、砂石反滤料、篷布、袋类、土工织物、发电机组、柴油、汽油、冲锋舟、橡皮船、抢险设备、查险用照明灯具及常用工器具。社会团体储备料物，是指各级行政机关、企事业单位、社会团体为黄河防汛筹集和掌握的可用于防汛抢险的物资，主要包括各种抢险设备、交通运输工具、通信工具、救生器材、发电照明设备、铅丝、麻料、袋类、篷布、木材、钢材、水泥、砂石料及燃料等。群众备料，是指群众自有的可用于防汛抢险的物资，主要包括抢险工器具、各种运输车辆、树木及柳秸料等。

各种抢险料物均实行定额储备。国家储备的主要料物定额由黄河防汛总指挥部办公室负责制定，常用工器具定额由各省黄河防汛办公室负责制定，报黄河防汛总指挥部办公室批准。社会团体储备料物和群众备料的数量，由各级人民政府根据当地的防汛任务和防洪预案的要求确定。

(二)抢险料物的采集和储备

国家储备防汛料物的采集实行计划管理。20 世纪 90 年代以来，随着市场经济的进一步发展和黄河防汛抢险形势的变化，黄河防总确定主要防汛料物采购面向市场实行招标投标制和监理制。防汛料物的储备实行实物储备与资金储备相结合的方式。市场供应不足、采购较困难的物资，采取实物足额储备；市场供应充足并通过委托、代储等措施能保证供应的，可采取部分储备实物，部分储备资金。仓储实行分散与集中相结合的方式，对于便于调运、仓储条件要求高的大宗防汛物资，采取定点专业库相对集中储备；对于防汛抢险常用、不便调运的防汛物资，采取分散储备。社会团体储备料物、群众备料采取汛前号料、备而不集、用后付款的办法，储备期一般是每年 6～10 月份。由当地防汛部门在汛前进行登记落实，汛期急需时加以调用。

第六章　防汛责任制度

防汛是一项责任重大的工作，必须建立健全各种防汛责任制度，实现正规化、规范化，做到各项工作有章可循、各司其职。防汛责任制度包括以下几个方面。

一、行政首长负责制

为战胜洪水灾害，平时要组织、动员广大干部群众，使其在思想上、组织上做好充分准备，克服各种麻痹思想。一旦发生洪水，抗洪抢险自然会成为压倒一切的大事，需要动员和调动各部门各方的力量，发挥各自的职能优势，同心协力共同完成。特别是在发生特大洪水时，党、政、军、民都要全力以赴投入抗洪抢险救灾，在紧急情况下，要当机立断做出牺牲局部、保护全局的重大决策。因此，需要各级政府的主要负责人亲自主持，全面领导和指挥防汛抢险工作。

1987 年 4 月 11 日国务院听取防汛工作汇报后，在会议纪要中明确指出“要进一步明确各级防汛责任制”，并规定“地方的省(区、市)长、地区专员、县长要在防汛工作中负主要责任，并责成一名副职主抓防汛工作”，以后统称之为“防汛行政首长负责制”。根据这一精神，确定全国范围内的防汛由国务院负责，国家防汛总指挥部负责具体工作，对一个省、一个地区来说，防汛的总责就落在省长、市长(专员)、县长的身上。当地行政一把手是辖区防汛的第一责任人。

根据《中华人民共和国防洪法》和黄河防总的有关规定，沿黄各级人民政府行政首长的防汛职责是：

(1)统一指挥本辖区的防汛抗洪工作，对本辖区的防汛抗洪工作负总责。

(2)督促建立健全防汛机构,组织制定本辖区有关防洪的法规、政策并贯彻实施;教育广大干部群众树立大局意识,以人民利益为重,服从统一指挥调度;组织做好防汛宣传,克服麻痹思想,增强干部群众的水患意识,做好防汛抗洪的组织和发动工作。

(3)贯彻防汛法规和政策,执行上级防汛指挥部的指令,根据统一指挥、分级分部门负责的原则,协调各有关部门的防汛责任,及时解决防汛抗洪经费和物资等问题,确保防汛工作的顺利开展。

(4)组织有关部门制订本辖区黄河各级洪水的防御方案和工程抢险措施,制订滩区、库区、蓄滞洪区群众迁安方案。

(5)主持防汛会议,部署黄河防汛工作,进行防汛检查,负责督促本辖区河道的清障工作;加快本地区防洪工程建设,不断提高抗御洪水的能力。

(6)根据本辖区汛情和抗洪抢险实际,认真听取河务部门参谋意见,批准管理权限内的工程防守、群众迁安、抢险救护方案以及紧急情况下的决策方案,调动所辖地区的人力、物力有效地投入抗洪抢险斗争。

(7)洪灾发生后,迅速组织滩区、库区、蓄滞洪区群众的迁安救护,开展救灾工作,妥善安排灾区群众的生活,尽快恢复生产、重建家园,修复水毁工程,保持社会稳定。

(8)对所分管的防汛工作必须切实负起责任,确保安全度汛,防止发生重大灾害损失;按照分级管理的原则,对下级防汛指挥部的工作负有检查、监督、考核的责任。

(9)搞好其他有关防汛抗洪工作。

二、分级责任制

(1)根据黄河水库、堤防险工、控导工程、蓄滞洪区等防洪工程所处的行政区域、工程等级和重要程度以及防洪任务等,确定省、地(市)、县各级管理运用、指挥调度的权限责任,在统一领导下实行分级管理、分级调度、分级负责。

(2)晋、陕、豫、鲁4省的黄河防汛工作,在黄河防总的领导下,由各省行政首长负责,沿黄各地(市)、县的黄河防汛工作由所在地市长、县长负责。

(3)北金堤滞洪区的运用由黄河防总提出运用意见,报国务院批准后,河南省防汛指挥部负责组织实施。

(4)三门峡水库防洪由黄河防总负责调度,三门峡水利枢纽管理局负责组织实施。

(5)小浪底水库防洪由黄河防总负责调度,小浪底水利枢纽建设管理局负责组织实施。

(6)万家寨水库防洪由黄河防总负责调度,万家寨水利枢纽有限公司负责组织实施。

(7)故县水库由黄河防总负责调度,故县水利枢纽管理局负责组织实施。

(8)陆浑水库由黄河防总负责调度,陆浑水库灌区管理局负责组织实施。

(9)东平湖水库分洪运用,由黄河防总商同山东省人民政府确定,山东省防汛指挥部负责组织实施;司垓退水闸的运用,由黄河防总提出运用意见,报经国家防汛抗旱总指挥部批准后,通知山东省防汛指挥部负责组织实施。

三、岗位责任制

为确保黄河防洪安全,沿黄地(市)、县(市、区)、乡(镇)行政负责人和防汛指挥部领导,实行分级承包、逐项分解的办法,落实防汛责任制。对于防洪工程的管理,黄河业务部门实行岗位责任制。对每段堤防、每处险工、控导工程的每个坝头,都指定黄河职工、护堤员专人管理、维护和观测防守,定岗定位,责任到人,制定了严格的检查评比制度等。如险工、控导(护滩)工程实行班坝责任制,险工按护砌长度每公里配备2～3人,控导(护滩)工程按每公里1.5～2人管理等。

四、分部门负责制

防汛是一项社会性防灾抗灾工作,需要动员和调动各部门和行业的力量,在政府和防汛指挥部的统一领导下,同心协力共同完成抗御洪水灾害的任务。根据各司其职、分工负责的原则,省、地、县、乡机关各部门,结合各自特点分项承包防汛任务,实行分部门负责制。

黄河防汛总指挥部为加强黄河防汛工作正规化、规范化建设,明确分工,落实责任,1997年陆续制定了《黄河汛期水文、气象情报预报工作责任制》、《黄河防汛总指挥部洪水调度责任制》、《黄河防洪工程抢险责任制》等。

(一)黄河汛期水文、气象情报预报工作责任制

黄委水文局是黄河防汛办公室成员单位,负责黄河流域气象、水文情报预报工作,收集并处理实时水情信息,制作降雨预报、吴堡以下重要控制站洪水预报和花园口站长期径流预报,发布水情日报,定期发布《水情简报》。其岗位职责为:

(1)每年6月15日起至10月15日止,水情、气象部门按汛期工作制度运行,实行日夜值班;黄河防办可根据需要,通知提前或延期值班。

(2)收集全河的汛雨、水情信息,做好差错报的处理。

(3)各种常规气象资料、天气分析图、传真图、卫星云图等气象信息和资料的收集和处理。

(4)负责向黄委信息中心传送实时雨、水情信息和气象卫星云图信息,并通过黄委信息中心向国家防总传送实时雨、水情信息。

(5)每日发送8时水情日报,并视需要随时增发6时水情日

报，遇中游出现降雨面积在 30 000km^2 以上、三花区间出现降雨面积在 20 000km^2 以上的大雨过程，增发降雨实况等值线图；每月 5 日前后印发上月全河水情综合分析简报，遇有大洪水，增发洪水分析简报；11 月上旬印发汛期水情公报。

(6)每月 2 日发布当月的降水预报；每周三发布 4～10 天的中期降水过程预报；每日 13 时发布 24～72 小时的区域性降水预报，中游地区可能出现降雨面积在 20 000km^2 以上的暴雨过程时，发布 24 小时的雨量等值线预报图。

天气形势分为 3 类，即非常天气形势、重大天气形势和一般天气形势。重大和非常情况下的天气形势，加发未来 24 小时降水预报等值线图和预报说明，并与水利部信息中心、中央气象台及其他地方气象台会商进行。

(7)黄河吴堡以下重要站点的实时洪水预报制作。制作花园口、夹河滩、高村、孙口、艾山、泺口、利津等 7 站的正式洪水预报，要同时预报洪峰流量、峰现时间和洪峰相应水位（试预报）；当花园口站可能出现 10 000m^3/s 及以上的流量时，加发流量过程预报。

黄河三花区间可能出现暴雨洪水时，要及时向防办领导汇报，请求参与会商，并按警报预报、参考预报、正式洪水预报 3 个程序制作和发布花园口站洪水预报。警报预报、参考预报和正式洪水预报，一律以“代电”形式向防办提供，由防办对外发布。

(二)黄河防汛总指挥部洪水调度责任制

(1)花园口站 4 000m^3/s 以下洪水。花园口站发生该流量级洪水时，下游河道除少量低滩区可能上水外，洪水通过河槽排泄，防汛处于正常工作状态。

调度责任人：黄委防办主任、主管副主任。主持召开会商会议，处理防汛日常工作，签发调度命令，向黄河防总办公室主任和黄委带班副主任报告全河防汛情况。

(2)预报花园口站发生 4 000～10 000m^3/s 洪水。花园口站发生该流量级洪水时，洪水通过河道排泄，下游滩区将大量进水，堤防偎水，黄河下游防洪将处于严重状态。

调度责任人：常务副总指挥、黄河防总办主任。主持召开防洪会商会议，处理有关抗洪抢险事宜，签发各种调度命令，向总指挥、国家防总和水利部报告黄河抗洪抢险工作。

方案编制责任人：黄委防办主任。接到水情预报后，2 小时内提出故县、陆浑水库建议调度方案，提交会商会议讨论。

(3)预报花园口站发生 10 000～15 000m^3/s 洪水。当花园口站发生该流量级洪水时，下游大部分滩区上水，大部分堤防偎水，黄河下游防洪将处于紧急状态，为控制艾山站流量不超过 10 000m^3/s，除充分利用河道排泄外，将根据洪水情况，确定东平湖水库是否运用；视洪水来源，确定是否运用故县、陆浑水库拦洪。

调度责任人：总指挥、常务副总指挥。主持召开防洪会商会议，部署防洪抢险工作，研究故县、陆浑及东平湖水库调度，签发各种调度命令，向国家防总和水利部报告黄河防洪抢险工作。

方案编制责任人：黄河防总办主任、黄委防办主任。接到水情预报后，2 小时内提出故县、陆浑、东平湖建议调度方案，提交会商会议讨论。

(4)预报花园口站发生 15 000～22 000m^3/s 洪水。当花园口站发生该流量级洪水时，黄河下游防洪将处于十分紧急状态。为控制艾山站流量不超过 10 000m^3/s，将根据水情的具体情况，确定是否运用东平湖水库；根据小浪底水库防洪要求，确定是否运用三门峡水库拦洪；视洪水来源，确定是否运用故县、陆浑水库拦洪。

调度责任人：总指挥、常务副总指挥。主持召开防洪会商会议，部署防洪抢险工作，研究小浪底、三门峡、故县、陆浑及东平湖水库调度，签发各种调度命令，向国家防总和水利部报告黄河防洪抢险工作。

方案编制责任人：黄河防总办主任、黄委防办主任。接到水情预报后,2 小时内提出故县、陆浑、东平湖建议调度方案,提交会商会议讨论。

(5)预报花园口站发生 22 000m^3/s 以上洪水。当花园口站发生大于该流量级洪水时,黄河下游防洪将处于非常状态,需全民动员,决一死战。除运用小浪底、三门峡、故县、陆浑水库拦洪,运用东平湖水库分洪外,将根据水情的具体情况,确定是否运用北金堤滞洪区、大功分洪区和齐河北展宽区分滞洪水。

调度责任人:总指挥。主持召开防洪会商会议,部署防洪抢险工作,研究洪水处理方案,签发小浪底、三门峡、故县、陆浑及东平湖水库、北金堤滞洪区、大功分洪区和齐河北展宽区等各种调度命令,向国务院、国家防总和水利部报告黄河防洪工作。

方案编制责任人:常务副总指挥、黄河防总办公室主任。接到水情预报后,2 小时内提出水库、蓄滞洪区联合调度建议调度方案,提交会商会议讨论。

(6)非常情况下的调度措施。当黄河下游发生严重威胁堤防安全的重大险情,或由于水位表现异常超过堤防防御标准,须紧急动用水库拦洪或使用蓄滞洪区分洪时,小浪底、三门峡水库的运用,由总指挥边向国家防总报告,边签发调度命令,由小浪底水利枢纽管理局、三门峡水利枢纽管理局负责组织实施;大功分洪区和北金堤滞洪区的运用,按规定向国务院并向国家防总提出申请;东平湖水库和齐河北展宽区的运用,按规定商同山东省人民政府确定,由山东省防汛指挥部负责组织实施。

(三)黄河防洪工程抢险责任制

(1)黄河抗洪抢险实行各级人民政府行政首长负责制。在各级人民政府和防汛指挥部的统一指挥下,实行分级分部门负责。

(2)堤防工程查险由所在堤段县、乡人民政府防汛责任人负责组织,群众防汛基干班承担,当地黄河河务部门岗位责任人负责技术指导。

险工、控导(护滩)和涵闸、虹吸工程的查险,在大河水位低于警戒水位时,由当地黄河河务部门负责人组织,河务部门岗位责任人承担;达到或超过警戒水位后,由县、乡人民政府防汛责任人负责组织,由群众防汛基干班承担,黄河河务部门岗位责任人负责技术指导。

(3)根据洪水预报,黄河河务部门岗位责任人应在洪水偎堤前8小时驻防黄河大堤。县、乡人民政府防汛责任人应根据分工情况,在洪水偎堤前6小时驻防黄河大堤,群众防汛队伍应在洪水偎堤前4小时到达所承担的查险堤段(工程)。

(4)群众防汛队伍上堤后,县、乡防汛指挥部应组建防汛督察组,对所辖区域内工程查险情况进行巡回督察。黄河河务部门组成技术指导组巡回指导群众查险。

(5)巡堤查险人员必须严格执行各项查险制度,按要求填写查险记录,查险记录由带班和堤段责任人签字。堤段责任人应将查险情况以书面或电话形式当日报县黄河防汛办公室。

(6)险情报告除执行正常的统计上报规定外,一般险情报至地(市)黄河防汛办公室,较大险情报至省黄河防汛办公室,重大险情报至黄河防汛总指挥部办公室。

(7)各级黄河防汛办公室在接到较大险情、重大险情报告并核准后,应在10分钟之内向同级防汛指挥部指挥长报告。重大险情黄河防总办公室应在10分钟内报告常务副总指挥。

(8)县级防汛指挥部应在每年6月15日前按有关规定建立完善群众抢险队、护闸队、运输队、预备队等一、二、三线抢险队伍。在每年6月30日前对一线队伍进行必要的抢险技术培训并建档立卡。

(9)黄河河务部门应在每年6月15日前将专业抢险队伍(包括专业机动抢险队)集结完毕,并在6月30日前完成抢险技术练兵、抢险机械设备维修等准备工作。

(10)各级防汛指挥部应按黄河防汛工作职责的规定明确防汛职责,于每年5月31日前完成与部队、武警及有抢险任务的各部门的联系,明确各部门在抢险中的具体工作任务和责任。

(11)工程抢险一般由县级防汛指挥部负责,较大险情或重大险情必要时可临时成立地(市)或省级抢险指挥部。抢险指挥部由本级政府行政首长任指挥长,黄河河务部门负责技术指导,抢险方案由指挥长签署并负责实施。

(12)黄河河务部门专业机动抢险队承担重大险情的紧急抢险任务。机动抢险队在省内抢险的调遣,由省黄河防汛办公室下达调动命令;跨省抢险的调遣,由黄河防汛总指挥部办公室下达调度命令。

五、技术人员责任制

技术人员是行政首长的参谋。为在防汛抗洪斗争中实现优化调度,科学抢险,提高防汛指挥的准确性和可行性,避免因失误造成不必要的损失,凡有关预报数值、工程抗洪能力评价、调度方案制定、抢险技术措施等应由各级黄河防办技术负责人负责,建立技术人员责任制。关系重大的技术决策,要组织相应技术级别的人员进行研究咨询,博采众议,以防失误。

六、防汛工作制度

为保证防汛工作顺利进行,应建立黄河防汛工作制度,主要有:防汛值班制度、防汛会议制度、防汛检查制度等。

(一)防汛值班制度

汛期容易突发暴雨洪水、台风等灾害,而且防洪工程设施又多在自然环境下运行,也容易出现异常现象,为预防不测,及时应变,各级防汛机构汛期均应建立防汛值班制度,使防汛机构及时掌握和传递汛情,加强上下联系,多方协调,充分发挥枢纽作用。汛期值班主要责任事项如下。

(1)了解掌握汛情。汛情一般指水情、工情、灾情。具体内容是:①水情,包括及时了解实时雨情、水情实况和水文、气象预报信息;②工情,包括当雨情、水情达到某一数值时,要主动向所辖单位了解河道堤防、水库、闸坝等防洪工程的运用和防守情况;③灾情,包括主动了解受灾地区的范围和人员伤亡情况以及抢救措施。

(2)按时请示传达报告。按照报告制度,对于重大汛情及灾情都要及时向上级汇报。对需要采取的防洪措施要及时请示批准执行,对授权传达的指挥调度命令及意见,要及时准确传达。

(3)熟悉所辖地区的防汛基本资料和主要防洪工程的防御洪水方案和调度计划,对所发生的各种类型洪水要根据有关资料进行分析研究。

(4)了解掌握各地防洪工程设施发生的险情及其处理情况。

(5)对发生的重大汛情要整理好值班记录,以备查阅归档保存。

(6)严格执行交接班制度,认真履行交接班手续。

(7)做好保密工作,严守国家机密。

(二)防汛会议制度

1.黄河防总防汛会议

(1)会议主要内容。总结上年度黄河防汛工作,分析当年的黄河防洪形势,研究部署晋、陕、豫、鲁4省黄河防汛工作。防汛会议形成的决定除专门说明者外,均由黄河防办负责落实催办。

(2)会议时间和地点。一般在每年的4月中下旬召开,具体时间和地点由黄河防总领导研究决定,由黄河防总办公室负责通知。

(3)参加会议人员。黄河防总正副总指挥,晋、陕、豫、鲁4省防汛指挥部,黄河部门,济南军区及山东省军区、河南省军区,胜利油田,中原油田,郑州、济南铁路局及其他有关单位代表参加,邀请国家防总、财政部、水利部、中国气象局等部委领导到会指导。会议由黄河防总总指挥或常务副总指挥主持。

2. 黄河防总办公室防汛例会

(1)会议主要内容。听取防办各成员单位各项防汛工作情况的汇报,分析研究有关问题,部署下一步工作。防汛例会形成的决定除专门说明者外,均由黄委防办负责落实催办。

各单位(部门)有紧急事项须请有关部门会商时,经黄河防总办公室主任批准后,可临时召开紧急事项专题会商会。

(2)会议时间和地点。例会汛期每星期四上午在防洪厅召开,特殊情况下另行通知。

(3)参加会议人员。黄委领导、防办成员单位领导及有关人员参加。由黄河防总办公室主任或副主任主持,各防办成员单位领导因故不能参加时,须向防办主任请假并委托代表参加。

(三)黄河防总办公室防汛检查制度

防汛检查是及时发现问题的有效手段,是做好防汛工作的重要前提。

(1)检查时间。一般在每年的 3~6 月份进行,具体时间由黄河防总办公室根据防汛工作开展情况研究决定。

(2)检查组织。防汛检查分 3 种形式,即综合检查、行业检查、专题检查。

(3)检查形式。采取座谈、查看、听汇报、提问等形式。

(4)检查主要内容。包括:①各项防汛责任制的落实情况;②各项防洪预案的修订完善情况;③度汛准备及施工完成情况;④防汛队伍组织及防汛料物落实情况;⑤蓄滞洪区、滩区迁安救护措施落实情况等;⑥水文测报、防汛通信及预警反馈系统准备等有关工作。

(5)检查结果。检查结束 5 日内,要完成检查报告报黄河防总办公室领导和有关部门。检查报告内容包括各项工作完成情况、检查发现问题及处理建议等。

(四)黄河防汛督察办法

(1)为监督、检查各项防汛责任制及调度指令的贯彻执行,保障防洪安全,依据《中华人民共和国防洪法》,制定防汛督察办法。适用范围为晋、陕、豫、鲁4省沿黄地区。

(2)督察组织分4级。依次为黄河防汛总指挥部防汛督察组、省级防汛指挥部黄河防汛督察组、地(市)级防汛指挥部黄河防汛督察组、县级防汛指挥部黄河防汛督察组。督察组织为非常设机构,各级防汛指挥部可根据防汛任务或险情需要随时成立专项督察组。

(3)督察组由防办、监察、纪检、人事等部门政治素质高、工作负责的同志组成,组长由相当一级的行政领导担任,每个督察组一般3~5人。

(4)督察对象。同级防指成员单位、负责防汛工作的下级行政首长、承担防汛任务的下级单位和个人。

(5)督察工作内容。在防汛准备阶段、汛期及汛后与防洪、防凌有关的主要工作。

国家防汛法规及国家防总、黄河防总、各级防指的防汛指令执行情况,各项防汛责任制特别是行政首长负责制落实情况,各类防洪预案的制订、完善情况。

防洪基建工程和度汛工程建设施工情况,滩区、蓄滞洪区安全建设及河道清障情况,各类防汛队伍组织落实、技术培训情况,水文、通信、信息、防汛准备情况,国家常备料物、群众及社会团体备料储备情况。

洪水期领导上岗到位、防汛队伍上堤防守和巡堤查险情况,汛期洪水调度情况;汛后赈灾、救灾等善后工作。

其他各项防洪、防凌工作开展情况。

(6)督察组对本级防汛指挥部负责。按照下级服从上级、一级抓一级、层层抓落实的原则,督察组有权对辖区范围内所有参加防汛工作的单位和个人进行监督和检查,有权对防汛工作不力的单位和个人进行批评并提出处理建议,有权对防汛工作不合格单位提出整改措施并限期整改。

(7)在大洪水期间,对违反防汛有关规定和上级防汛指挥部指令、情节严重者,督察组有直接处置权,事后向本级防汛指挥部写出书面报告。

第七章　堤防决溢形式及堵口对策

黄河是世界上罕见的多泥沙河流，下游穿行于辽阔的华北平原。平原型多泥沙河流具有善淤、善决、善徙等特点。黄河下游防洪体系的建设，特别是小浪底水库投入运用后，抗御洪水的能力有所提高，但黄河下游历史上形成的“地上悬河”的严峻局面仍将长期存在。由于河势游荡多变，易出现“横河”、“斜河”、“滚河”等不利河势，严重危及堤防安全，不仅在大洪水期有决溢的危险，即使是中常洪水也有冲决、溃决的可能。

堤防的决口形式关系到抢堵措施的采用。黄河下游大堤历史上的决溢形式主要有漫决、冲决、溃决三种。据统计，1840～1938年的99年中，有65年发生洪水灾害，决口129年次，其中漫决41年次、冲决49年次、溃决29年次、扒口10年次。由此可见，历史上下游决口多为冲决和漫决。随着黄河下游防洪工程体系中上拦水库工程的建设，提高了控制上游来水的能力，下游堤防现有的防御洪水标准可提高到近1 000年一遇，漫决的几率更小了。因此，黄河堤防可能的决口形式主要是溃决、冲决两种。本章以溃决为例，简述溃决对策及堵口实施方案。

第一节　溃决对策

一、预案编制的思路

（一）溃口裹头抢修预案

主要根据溃口口门位置、溃口处河势情况、溃口时河道流量大小及后续洪水变化情况等，分析口门发展情况，选择合适的裹护位置，制订合理的裹护预案。

（二）水库拦洪预案

水库拦洪是减小河道流量、防止口门扩大、为堵口创造条件的最有效措施之一。因此堤防一旦决口，应分析水库以上未来入库水情，结合水库蓄水运用情况，尽早关闭防洪库容较大的三门峡、小浪底水库，为减少洪泛区淹没损失和尽快堵口创造条件。在堵口前再选择适当时机关闭故县、陆浑水库，为堵口进一步创造条件。若决口时水库已经关闸，则保持其关闸状态。

（三）分滞洪区及涵闸分洪预案

正常情况下，各分滞洪区按既定的原则统一调度运用。当下游大堤发生决口险情时，为顾全大局，口门以上尚不该运用的滞洪区可突破常规调度原则提前分洪，或让已运用的滞洪区进一步多分洪。一般来说，当高村—孙口河段发生决口时，可用北金堤滞洪区分洪；当泺口以下河段决口时，可用东平湖、北展宽区或南展宽区分洪。北金堤滞洪区的运用可视上游水情和决口位置分别采用渠村闸分洪或张庄闸倒灌形式。用东平湖分洪时，如果正常防洪运用已占去了全部或大部分防洪库容，则可相机开放新湖区司垓泄水闸，通过梁济运河向南四湖紧急泄水。其分洪时机依据后续洪水大小、分滞洪区群众迁移及堵口要求等情况而定。一般来说，若后续来水不大，应尽快开闸分洪；若后续来水较大，可适当推后几天，以合理利用分滞洪区蓄洪库容并有利于堵口。用引黄涵闸分洪时要考虑到灌区渠系的承受能力，以不淹没群众和重要城镇为原则。

（四）导流预案

根据口门河势情况，可在口门上游修筑挑水坝，挑流外移，以缓和口门的流势。在全河夺流的口门为有效配合引河，挑水坝的方向以最末一道坝恰能对着引河口的上唇为准，将主流送往引河。引河口的位置，应根据河势来定，一般选在口门对岸大河初转之处,距口门不可太远。

二、溃决总体对策

黄河堤防溃决总体对策是:抢修裹头,控制口门;水库拦蓄,削减洪水;导流入槽,杀减水势;相机分水,服务堵口;堵口复堤,重归大河;排围结合,尽力减灾。可概括为"裹、拦、导、分、堵、排、围"七个方面的内容。

(一)裹

直接在口门堤头或预留合适口门宽度后修做裹护体,为堵口创造条件。黄河下游是地上悬河,河床与背河地面高差大,且大堤堤基为复杂的多层结构,土质较差。堤防溃决后,口门将迅速向两侧展宽和向底部刷深。为防止水流冲刷口门和夺流。在做好口门两端裹护的同时,也应对口门的底部进行适当的裹护,为下一步实施堵口创造条件。

(二)拦

利用黄河中游干支流水库拦蓄洪水,尽可能减小下游河道流量,为堵口复堤创造小流量过程。按小浪底水库正常运用期考虑,三门峡、小浪底、陆浑、故县水库共计有防洪库容约 135 亿 m^3。因此,一旦黄河下游发生决口等重大险情,只要水库尚未达到设计防洪水位,便可关闸拦洪,削减洪水流量,以达到尽快堵复口门、减少泛区洪水淹没的目的。由于水库所处的地理位置、防洪能力大小、库区有无返迁移民等不同,因此在采取水库拦洪措施时,应根据下游决口口门的位置、口门处水流、口门发展和堵口准备情况等,酌情选择不同的拦蓄时机,以便取得最佳的防洪减灾效益。

(三)导

通过筑挑水坝和挖引河使其水流尽量走大河。为缓和口门的流势,根据口门河势情况,可在口门上游修筑挑水坝,挑流外移,以缓和口门过流形势,利于堵口。引河用以将口门溃水导引入正河,为顺利堵口合龙创造条件。对决口分流的口门,不一定挖引河;对全河夺流的口门,必须利用引河导流入正河,以缓和口门流势。

(四)分

利用决口口门上游的分滞洪区或引黄涵闸分滞黄河洪水,以减少洪泛区淹没面积和进一步减少河道流量,为堵口创造条件。黄河下游现有东平湖、北金堤、齐河北展、垦利南展等四个分滞洪区,总分洪容量约43亿m^3。正常情况下,各分滞洪区按既定的原则统一调度运用。当下游大堤发生决口险情时,为顾全大局,口门以上不该运用的滞洪区可突破常规调度原则提前分洪,正在分洪运用的蓄滞洪区也可进一步加大分洪流量。分洪时机以满足堵口合龙要求为前提,同时根据分滞洪区群众迁移、后续洪水大小等情况确定。

黄河下游现有引黄涵闸94座,当下游发生决口时,适时打开口门上游的引黄涵闸进行分洪,可适当减少河道流量,为堵口创造有利条件。但开闸放水时要考虑到灌区渠系的承受能力,以不淹没乡镇为原则。

(五)堵

堤防一旦发生决口,应根据口门冲刷程度、口门分流比大小以及堵口准备情况,选择适当的时机全力抢堵,争取尽快堵复。若堤防发生多处溃口,应积极调集各方人力、物力进行堵口,一般顺序为先堵下游口门,再堵上游口门;先堵小口,后堵大口。

传统的堵口方法主要有平堵、立堵、平立混堵三种,这是治黄先辈们在长期的抗洪实践中积累起来的宝贵经验,应继续使用。现代堵口新技术、新材料、新工艺主要有巨型土工包、铅丝石笼、牵拉长管袋、钢木土石组合坝等。

(六)排

利用泛区内现有河道、引水渠等泄水设施和公路、铁路等挡水设施,疏通溃水流路,加修临时堤防,使溃堤洪水尽量外排,以减少泛区淹没水深和淹没历时。应根据已观测好的地形资料,筹划泛区水流出路、流出水道。

(七)围

黄河堤防决口后,溃水居高临下很快向下游蔓延。为尽量减少洪灾损失,除采取其他堵口措施外,应利用地形或将已有挡水建筑物加高成临时围堤,采取牺牲局部保护重点的对策,保护重点城市和重要工矿企业。非主流区县以上重要城市和地势较高的主要乡镇等均可修筑围堤,采取自保措施。也可利用洪泛区内的高地、公路、铁路、渠堤等建筑物抢修临时挡水工程,同时与“排”结合,减少泛区淹没面积并利用排水。

第二节　堵口方案和组织实施

一、黄河传统堵口方法及方案

黄河传统堵口技术使用的材料主要是柳枝、秸秆、土等材料,施工依靠的是人力和简单的工具,堵口准备时间长,工程量浩大,堵口速度慢,而且一般都是在非汛期进行。传统堵口方法一般可分为平堵法、立堵法和平立混堵法三种。

平堵法是沿口门普遍抛投抗冲材料,直至出水,然后在上游截渗,下游修后戗,再加培堤防。其特点是:不产生水流集中的工况,施工速度快,但易倒桩、断桩;单宽流量过大时,占体不易抛出水面,抛投料体透水量大,不易闭气。

立堵法是由口门两边堤头向水中抛投抗冲材料进占及加修戗堤,最后集中力量堵复缺口,闭气后修堤。立堵多用埽工,其特点是:便于就地取材,使用工具简单,易于闭气,在软基上堵口有独特的适应性。但埽工技术操作复杂,口门缩窄后,由于单宽流量加大,如果河底冲刷严重,埽占易于折裂塌陷,从而造成堵口工程失败。

平立混堵法是堵复口门一部分用平堵法,一部分用立堵法。

三种堵口方法各有其优缺点,需要根据口门情况、堵口条件等综合考虑选定。黄河下游为地上悬河,口门附近流速大,河床抗冲性差,一般采用立堵法堵口,而其核心技术是利用埽工进占、合龙、闭气。比较完整的黄河传统堵口工程方案(立堵法)一般包括裹头、正坝、边坝、二坝、合龙、后戗、土柜、闭气、修堤以及配合堵口修建的挑流坝、引河、月堤等工程。

在黄河传统堵口工程方案(立堵法)中,除布置裹头、正坝进占、后戗、合龙、闭气、修堤等主体工程外,一般还布置边坝、土柜、二坝(甚至三坝)、挑流坝、引河等辅助工程。这些辅助工程,主要是降低正坝进占、合龙、闭气的难度。但这些辅助工程的修建,也大大增加了堵口的总工程量,延长了堵口时间。

二、汛期堵口工程方案的制订

汛期堵口相对非汛期而言难度较大,堵口方案应根据口门区水流、河势、地质情况及采用的工程技术、施工手段等情况具体制订。

(一)制订堵口工程方案的基本思路

要想较快地堵复决口,可从三个方面着手:一是降低堵口难度,二是减少堵口工程量,三是提高施工速度。降低堵口难度,主要通过改善堵口水流条件来实现,措施包括水库拦水、涵闸分水、挑流坝导水和引河疏水等。减少堵口工程量,主要通过改善堵口工程的河床边界条件来实现,措施包括合理确定堵口布置和对河床采取防冲刷措施。提高施工速度,主要通过提高堵口效率和速度来实现,措施就是采取机械化的施工方式。

在以上这些措施中,采取机械化施工提高堵口的效率,是实现快速堵复决口的关键。

(二)制订堵口方案的基本原则

(1)要充分利用口门上游的水库拦蓄洪水,利用涵闸分水,以减少口门过溜，防止全河夺流，降低堵口难度。要注意工程运用时机，主要是控制堵口合龙时的流量。在考虑水库和涵闸运用方案时，要保证它们本身的安全，要特别关注可能发生的后续洪水。

(2)要以当地工程材料为主。黄河堤防决口口门宽大，堵口工程量巨大，所需要的堵口材料很多，因此要以利用当地资源为主。

(3)要以机械施工为主。机械化施工将提高堵口效率，可以满足汛期快速堵口的要求。

(4)尽量不采用辅助工程措施。汛期堵口的一个重要特点是，在口门的上下游较大范围内皆为积水或淤泥，场地狭窄，交通不便。若修建边坝、土柜、二坝(甚至三坝)、挑流坝、引河等辅助工程，不仅会大大增加堵口的工程量，延迟堵口时间，而且挑流坝、引河等辅助工程实施起来也非常困难。

(5)尽量采用河床防冲刷措施。黄河下游为沙质河床，随着堵口进占，口门逐步缩窄，河床被冲深，增加了合龙的难度和工作量，因此应尽量预先对龙口段的河床进行防护。

(三)堵口总体工程方案

综上所述，目前在汛期进行堵口，根据口门区水流条件分析，在采用具有较强抗冲能力的工程材料和工程结构，使用机械施工加强施工强度的情况下，可以实现单坝进占、合龙、闭气。所以，应尽量不修建边坝、土柜、二坝、挑流坝、引河等辅助工程，以减少堵口工程量，缩短堵口时间。但由于黄河河床抗冲性差，在堵口过程中，河床的不断冲深，将增加堵口难度和工程量，因而宜对河床采取防冲处理。总之，堤防堵口的工程方案应根据具体情况来制订。根据目前黄河的实际情况和当前工程技术、施工手段拟定的堵口工程总体方案是：对口门两侧堤防进行裹护，适当限制口门扩展；从两侧裹头进占堵口，修筑后戗跟进，加固占体；在进占的同时，对合龙区河床进行防冲保护；进占坝体合龙后，采取闭气措施；继续加固坝体至满足防洪要求。

(四)堵口工程的平面布置

(1)裹头位置。抢修堤防裹头的目的是限制口门的发展,但也不宜把口门限制得过窄,过窄将加大口门的冲刷,给堵口进占增加难度。若考虑到河道流量大,水位较高,口门发展快,口门流速大,堤防临背皆是水,场地狭窄,难以进行高强度的施工,直接在断堤头上裹头难以奏效,且要进行清理,扩大施工场地,调集人员、料物、机械等准备工作,可从两断堤头后退一定距离(下游可后退多些)开始裹头。

(2)堵口坝轴线位置。应根据口门附近水流、地形、土质等情况来确定。所以要做好口门附近纵横断面图、河床土质及水位、流量、流速等的测验工作。根据历史堵口经验,堵口坝轴线宜布置在口门上游,并尽量避开口门的冲刷坑,以减少堵口进占难度和进占工程量。根据有关模型试验成果,堵口坝轴线选定在口门上游,呈圆弧形,顶点向临河凸出 80～140m(距断堤轴线)。

(3)龙口位置。历史上黄河堵口一般不对河床进行防护,选择好合龙位置和龙口宽度十分重要。龙口位置根据水流条件、河床断面、土质来确定,一般选在耐冲的河床段,若河床土质差别不大,龙口一般选在深水段。目前进行堵口,在采取护底措施的情况下,龙口位置宜选定在处于中等水深的河床段,这样既可降低合龙的难度和工作量,也不致增加进占的难度和工作量。

(4)河床防护位置。主要是对合龙段的河床进行防护,并适当扩大防护长度、防护体顺水流的宽度,以保证防护体不滑动、防护体与河床结合面不发生接触冲刷为原则。

三、堵口工程组织实施

(一)组织保障

堤防堵口是一项紧迫、艰难、复杂的系统工程,堤防发生决口后,应立即按照《黄河堤防溃口对策方案》的要求,在采取应急措施的同时，由黄河防总与有关省（区）人民政府协商，尽快组成堵口总指挥部（包括堵口专家组）。堵口总指挥部应全面负责堵口工作，包括堵口工程方案的制订、实施计划的制定，人员的组织，物资、设备的筹集，堵口工程施工的组织等方面。

（二）施工总体平面布置

根据决口堤段的实际情况和堵口施工的要求确定堵口施工总体平面布置，分述如下：

（1）施工道路。除利用堤顶道路（大部分已硬化）作为主施工通道外，可在大堤背河坡上开挖4m宽的临时道路通往附近的上堤路口，作为空车返回道路。必要时，应对部分临时道路进行硬化，以满足施工的需要。

（2）裹头施工区。清除裹头堤段及临近100m堤段内的树木等杂物，并将此范围内的堤防削低至超出洪水位1m，以扩宽堤顶至20m左右，作为裹头的施工作业区。

（3）筑坝进占作业区。在口门两边临河滩地积水基本已退完时，及时在滩地上填筑筑坝作业平台，以满足进占施工需要。

（4）水上施工作业区。水上作业区选在口门附近河道内的缓流区，并在临近滩地上填筑施工平台。

（5）材料加工区。靠近口门的淤背区作为材料堆放加工区。

（6）生活区设在淤背区。

（7）料场。石料取自口门附近的险工备防石，必要时可从较近的石场运进；装填土工包、长管袋的土料取自附近淤背区的沙土；用于填筑后戗和用于临河闭气的土料取自淤背区的表层黏性土。

（三）实施步骤

堵口应按以下顺序实施：

（1）发生决口后，应立即关闭小浪底水利枢纽的所有闸门；相机关闭三门峡水利枢纽的闸门，拦蓄洪水；相机关闭故县、陆浑两水库的闸门拦水,利用引黄涵闸分水,尽力减少堵口进占和合龙时的河道来水。

(2)在离断堤头一定距离的大堤堆筑临河防冲体,遏制口门发展速度。

(3)黄河防总组织成立堵口总指挥部,尽快制订堵口方案,编制堵口工程实施计划,着手组织人员,筹集物资、设备。

(4)组织清除口门两侧 500m 范围内的树木等杂物,并适当削低堤顶,扩大场地;在大堤的背河坡开挖施工道路,解决现场通信和照明。

(5)做好水文预报、口门区水流监测、冲刷情况观测等工作,为堵口方案制订提供依据。

(6)从两断堤头后退一定距离开始裹头。

(7)在口门下游堤的临河侧选择一处较静的水域,组装、充填护底软体排。

(8)在裹头基本稳定时,按设计的坝轴线由两裹头进占堵口,在预定的龙口部位铺放软体排护底。

(9)当护底软体排铺放完成后,在其上抛投充沙长管袋。

(10)抛投巨型铅丝石笼进行合龙。

(11)在合龙占体前抛投土工包和铺管袋式软体排截渗,占后填土闭气。

(12)进一步加固加高坝体至满足防洪要求。

(四)堵口计划控制

(1)主体工程量、材料用量估算。根据所拟定的各项工程布置和断面计算工程量,并依据不同工程结构,在计算工程量的基础上增加 20%~50%。

(2)施工机械估算。根据施工场地条件和施工效率,分析计算需要的施工设备,并考虑设备备用,确定各单项工程的施工机械数量。

(3)堵口人员。按工种、机械定额进行配置人员,因劳动强度大,按四班轮流作业,每班工作 6 小时,计算确定各施工阶段所需人员数量。

第八章　黄河滩区生产堤对防洪的影响

第一节　生产堤的发展过程

黄河下游滩区生产堤是滩区居民为保护耕地、村舍而修筑的防水堤埝,俗称“民埝”,由来已久。最早可以追溯至1855年铜瓦厢决口初期,时值清朝当局忙于镇压农民起义,无暇顾及黄河的修堤防汛,便劝民筑埝自救,于是沿河两岸便先后修起了一些民埝。后来随着新河的逐步形成,部分民埝收归官方修守,逐渐形成了临黄大堤。但是,滩区内的居民为保护村舍、耕地仍近水修埝(生产堤)以自卫。遇汛期涨水,村民往往先守生产堤,而生产堤溃决后,又常常直冲临黄大堤而决,这种情况史册资料中多有记载。人们对生产堤的危害早有认识,如民国22年山东河务局呈请山东省政府制止民众修筑民埝,“民众临河筑埝,希图圈护滩地垦种,一旦汛涨水发,河窄不能容,势必逼溜危及堤防安全……严行制止临河修埝,以安河流”。

新中国成立后不久,国家就把废除民埝确定为黄河下游治河政策之一,经过1950、1951两年的努力,近水修筑的民埝大部分得以破除。1952～1954年,滩区修筑民埝又有所恢复。1958～1960年,三门峡水库修建后,在黄河下游由防洪逐步转向河道治理的情况下,执行了“防小水不防大水”的民埝政策,因而滩区新修生产堤长度迅速增加。1962年后,由于认识到生产堤危害确实严重,而执行不修不守的政策。1969～1972年,黄河下游河道严重淤积,1973年在郑州召开的黄河下游治理会议认为,滩区修筑生产堤是造成下游河道淤积的主要原因之一,因而提出了废除滩区生产堤的初步意见，并呈报国务院。1974 年，国务院批转了黄河治理领导小组《关于黄河下游治理工作会议的报告》，并批示"从全局和长远考虑，黄河滩区应迅速废除生产堤，修筑避水台，实行'一水一麦，一季留足群众全年口粮'的政策。"国家对黄河滩区生产堤的政策虽然已经明确，但是，由于生产堤直接关系到滩区群众生产生活的切身利益，废除阻力很大，故仍执行破除生产堤口门的计划。进入 20 世纪 80 年代后，为进一步废除生产堤，实行地方领导责任制，对拒不执行破除口门计划者追究地方领导责任，使大部分生产堤执行了按长度破除 20% 的破口计划。1982 年花园口站发生 15 300m^3/s 的洪水时，绝大部分生产堤被破除或冲决，滩区进水行洪，使滩区起到了良好的滞洪削峰作用。到了 20 世纪 90 年代，为克服生产堤破除长度不足，生产堤口门位置不当，仍有阻碍河道行洪的弊端，国家防总和黄河防总又提出滩区生产堤要留足过水口门，规定按生产堤长度的 50% 破口。经过黄河防总、沿黄各级政府及治黄业务部门的共同努力，曾一度按规定标准全部完成了破除任务。

第二节　生产堤对防洪的影响

在自然条件下，黄河下游洪水经常漫滩，而漫滩洪水对河道的发育常常较为有利。这是因为洪水漫滩后，由于滩面道路、沟渠、树木以及农作物的影响，滩地糙率远比河槽大，流速也远比河槽小，泥沙沉降速度相对较快，致使滩面上水流含沙量变小甚至变为清水。清水回归河槽后，使河槽发生冲刷。这种漫滩洪水的滩槽水沙交换，其结果使滩地落淤抬高，河槽冲刷下切；而非漫滩洪水的泥沙则只能淤积在河槽里。据有关研究资料，大洪水漫滩一般使滩地淤高，主槽刷深，不漫滩洪水及非汛期则河槽淤积。总体上讲，滩地淤积量大于河槽，但由于滩地面积大于河槽面积，长期作用的结果，滩地与河槽的淤积厚度基本一致，即河槽与滩地趋于同步上升，滩槽高差变化不大。

在有生产堤的情况下，洪水漫滩的几率大为减少，一般中小洪水难以漫滩，即使发生较大洪水，滩区群众也是尽力修守生产堤，努力不让滩区进水。等到防守不住而决口时，常常已错过沙峰(含沙量较高期)，而洪水中的泥沙已多淤于河槽与滩唇上，难以形成淤滩刷槽的条件，大面积的滩地则多年不能落淤。这种作用长期积累的结果，致使滩槽高差减小，滩面横比降加大，逐步形成了目前的"槽高、滩低、堤根洼"的严重不利局面，甚至致使局部河段河槽的平均高程高于滩地的平均高程，成为悬河中的悬河，即"二级悬河"。如东明河段河槽平均高程比滩地平均高程约高 1m，而滩唇比堤根高近 3m。当然，造成这种局面的因素是多方面的，诸如来水来沙条件、上游水库的运用方式、引黄用水等，但生产堤的存在不能不说是一个非常重要的影响因素。

一、洪水期间增加了下游的洪峰流量，抬高了洪水位

黄河孟津以下河段有堤防，两岸堤距上宽下窄，蓄洪能力上大下小。河南花园口以下河南黄河滩区面积 2 400km^2，山东河段堤距较窄，滩区面积约 1 120km^2。若以滩区每平方公里平均蓄洪 1.5m 深计算，则河南、山东滩区可蓄滞洪水 53 亿 m^3。从而可大大削减洪峰流量，降低洪水位，减轻下游河段防洪压力。以 1958 年 7 月大洪水为例，花园口站洪峰流量 22 300m^3/s，泺口站洪峰流量 11 900m^3/s，流量削减率达 46.6%，主要原因是黄河滩地节节蓄滞洪水，起到了蓄滞洪区分滞洪水的作用，这对黄河防洪是非常有利的。如果花园口以下河段全部修筑生产堤，束窄河槽至 1 000m，从花园口至黄河入海口约 700km，则洪峰水位可增高 0.75m 左右。况且山东河道较窄，就泺口断面而言，洪峰流量每增加1 000m^3/s，水位相应增高 0.5m，泺口水位将远远高出设防水

位，必将酿成决溢灾害。

二、加重了主河槽淤积，降低了河道排洪能力

黄河滩区修筑生产堤以后，洪水被约束在两岸生产堤之间，过水断面大大减小，中小洪水主要通过束窄后的主河槽下泄，泥沙也相应淤积在主河槽中，使过水断面进一步减小，排洪能力降低。据统计，1985 年 11 月～1995 年 10 月，黄河下游年均淤积泥沙 2.1 亿 t，比 20 世纪 50 年代的 3.61 亿 t 减少 42%，主槽年均淤积量由 50 年代的 0.82 亿 t 上升至 1.8 亿 t，主槽淤积量与全断面淤积量之比由 50 年代的 23%上升至 85%。高村以上河段主河槽淤积量为 50 年代的 1.7 倍，艾山以下河段主槽由 50 年代的微淤增为年均淤积 0.44 亿 t。以高村站和泺口站 3 000m^3/s 流量水位为例，1996 年 8 月较 1985 年汛期分别抬升 1.40m 和 1.70m，年均升高 0.13m 和 0.15m。20 世纪 80 年代以来，黄河主河槽淤积严重的原因主要有两方面：一为汛期流量减小，含沙量增高，致使高村以上嫩滩发育迅速，河槽宽度明显缩窄，艾山以下河段主河槽明显抬高，使过流面积减小；二为生产堤的大量存在，约束了水流，使淤积主要发生在主河道内。河道淤积的直接后果是，河道主槽萎缩，同流量水位抬高，排洪能力降低，河道行洪条件进一步恶化。“96·8”洪水高村站洪峰流量 6 200m^3/s，约为 1958 年洪峰流量17 900 m^3/s的 1/3，水位却高出 1.0m。黄河下游漫滩流量已由 80 年代初的 6 000m^3/s 左右减为不足 3 000m^3/s。

三、加剧了“二级悬河”的不利形势，增加了“横河”、“斜河”的发生几率，加大了临黄堤防守的难度

由于黄河下游逐年淤积，造成主河槽和滩唇淤得特别高，而大堤因长期不偎水，日渐低洼，形成了“槽高、滩低、堤根洼”的不利局面。生产堤的大量修筑，减少了洪水漫滩几率，进一步加重了主河

槽淤积,使“二级悬河”的形势更加恶化。据统计,1973～1993年20年间,淤积分布呈槽重滩轻趋势,高村至利津主槽淤积量占总断面比例由12.4%上升至53.6%,主槽淤积量由0.2亿t增大到0.34亿t。以郭城大王庄断面为例,滩唇比堤根高4.2m,主槽比堤根高1.1m,滩地横比降达1/683。同临黄堤相比,生产堤修筑标准低,质量差,防守困难,一旦溃决,滩地走溜,极易发生“横河”、“斜河”和顺堤行洪。由于大堤突然遭受大溜冲刷,对堤防威胁十分严重。另外,凌汛期滩区生产堤还容易卡冰壅水,危害更为严重。

四、增加了洪水预报难度

天然条件下,黄河下游滩地阻水建筑物相对较少,漫滩洪水通过滩唇,沿河全线进入滩区,主槽和滩地等各部位水体具有较好的连续性,洪水进出滩地比较容易,基本以整体向下游推移。洪峰沿程传播速度快、时间短、变化变形比较规则。生产堤的存在改变了漫滩洪水的演进规律,延迟了峰现时间和延缓了洪水传播速度,增加了洪水预报难度。生产堤对洪水传播的影响主要有以下两方面:一是生产堤修筑后,滩区滞蓄的洪水一旦释放,洪峰剧烈变形,峰现时间滞后;二是由于修筑大量生产堤,加重了河道淤积和河槽萎缩,致使平滩流量减小,滩地过流比例加大,大流速带宽度减小,全断面平均流速降低。

五、增加了中常洪水工程出险几率

由于生产堤的存在,造成河道淤积加剧,壅高了洪水位,使同流量水位抬高,中常洪水即造成防洪工程频繁出险。如“96·8”洪水,花园口洪峰流量仅7 600m^3/s,堤防就发生险情170多处,渗水段共长40 383m,管涌8处。这种局面是以前未曾遇到的。

六、群众麻痹思想加重，搬迁难度增大

修筑生产堤以后，发生洪水时，群众寄希望于防守生产堤，而且青壮年劳力都去防守、加固、加修生产堤，迁安救护力量薄弱，致使人员、牲畜、贵重物品迟迟不能迁出。由于生产堤防守难度大，决口后不得不放弃防守，洪水进滩后，仅依靠船只转移大量人员，增大了漫滩损失。事实证明，修筑生产堤加重了群众麻痹思想，对群众的迁安是十分不利的。

第三节 生产堤破除难的原因

一、受眼前利益和局部利益驱动，滩区干部群众不愿破除生产堤

滩区是黄河天然行洪区，由于历史上频遭洪水之害，滩区群众生产设施、生产工具损失较大，生产资料积累较少，生活与滩外群众相比较贫困。滩区群众主要靠滩区耕地赖以生存，黄河汛期，正是滩区庄稼长势喜人的季节，群众不忍心眼看即将成熟的庄稼受淹，想方设法保全收成。眼前利益和局部利益促使他们新修和堵复原有生产堤口门。地方政府在破除生产堤上也有难处，如果滩区被淹，不但粮食上交任务完不成，而且群众生活也无法保证。

二、滩区避洪设施严重不足

黄河滩区人口密集。据统计，黄河滩区共有人口 170 万，其中 60 万人无避洪设施，占滩区总人口的 36%。一些干部认为破除生产堤后，洪水漫滩机遇增加，而滩区避洪设施严重不足，滩区避洪压力过大。

三、滩区政策未得到落实

早在1974年，国家即规定在滩区实行“一水一麦，一季留足全年口粮”的政策，但这一政策多年来一直没有落实，群众怕漫滩后，生产、生活无着落。此外，滩区干部群众普遍存在麻痹思想和侥幸心理。认为黄河年年防汛不见汛，加之近年来黄河断流加剧，沿黄地区连续干旱，抗旱保丰收的任务很重，对黄河防汛的长期性、艰巨性认识不足。他们认为即使不破除生产堤，也能保证安全度汛。

以上因素严重影响了生产堤的破除。

第四节　对生产堤的应对措施

一、认真落实防汛行政首长负责制

地方行政首长负责制是在多年防汛工作实践基础上总结出来的成功经验。河道清障是防汛工作的重要方面,因而也必须实行地方行政首长负责制。实践证明,凡是当地政府重视,防汛领导责任制落实得好的地方,破除的生产堤口门就很少出现堵复,即使发现有堵复现象,破得也快,清得也彻底。另外,黄河业务部门要切实担负起监督检查的责任,及时向当地政府和上级主管部门报告有关情况和问题,防止生产堤的堵复和新修。

二、加强宣传教育,克服侥幸麻痹思想

各级政府和部门的领导应真正解决思想认识问题，做好群众的宣传教育工作，讲清生产堤对黄河防洪、对滩区群众生产生活及长远利益的危害，讲清楚黄河防洪的严峻形势，使之深刻理解并摆正长远利益和眼前利益、全局利益和局部利益的关系。同

时，要深入宣传水法规，认识修筑生产堤是违法行为，既劳民伤财又不能受益。

三、全面落实"一水一麦"政策

破除生产堤是黄河防洪的需要，更是滩区广大人民群众生产生活的需要。但是，要废除生产堤、巩固清障成果，必须全面贯彻落实"一水一麦"的滩区政策，并继续研究制定新的滩区优惠政策，切实提高滩区群众的生活水平，使之脱贫走上富裕之路。

四、加强滩区安全建设和滩区水利建设

黄河下游滩区面积近40万hm^2，占河道总面积的85%，滩区耕地有25万hm^2，居住170万人。黄河滩区既是宣泄洪水所必需的排洪滞洪区域，又是群众生产生活所必需的土地。但是，滩区内避洪设施建设速度缓慢，群众的安全保障程度很低。按照水利部批复的黄河下游滩区安全建设规划和近年国家与地方的投资水平，完成规划的安全建设任务尚需20年，远不能满足防洪保安全的急需，亟待加大投资力度，加快滩区安全建设的速度。同时，还要加强滩区水利建设。自1988年利用农业发展基金开展黄河滩区水利建设以来，滩区群众的生产条件有了较大改善，深受广大滩区人民的欢迎。但目前的建设水平与实际需要还有一定距离，仍需进一步增加滩区水利建设资金的投入。

五、有计划地淤滩淤堤河

在滩地适当地点，或利用控导护滩工程，或结合滩地灌排水设施，或利用滩地有利地形地貌，采取适当工程措施，选择黄河来水来沙的有利时机，适时放水淤滩，改善"滩低、堤根洼"的不利局面，从而有利于防洪，又便利群众生产。1975年以来，黄河下游多次进行人工引洪淤高堤河及附近洼地，取得了很好的淤滩效果。据

有关资料，黄河下游几次大的人工引洪淤滩，如兰考北滩、东明南滩、范县辛庄滩和陆集滩、濮阳渠村东滩等，每次淤地面积 800～6 000hm^2，淤堤河长 10～20km，淤厚 1～3m，既改善了村民的耕作条件，又提高了堤防工程的安全水平，其效果是显著的。

第九章　干流典型洪水和凌汛

第一节　干流典型洪水

一、1933 年中游洪水

1933 年 8 月上旬，黄河陕县站发生了自 1919 年有水文记录以来最大的洪水。这次洪水的特点是：泾、渭、洛(北洛河)、汾及黄河干流(龙门以上)同时并涨。泾河张家山站最大洪峰流量为 9 200m^3/s，最大 5 天洪量 14.06 亿 m^3，最大 12 天洪量 15.7 亿 m^3；渭河咸阳站最大洪峰流量 6 260m^3/s，最大 5 天洪量 7.85 亿 m^3，最大 12 天洪量 13.29 亿 m^3；北洛河洑头站最大洪峰流量 2 810m^3/s，最大 5 天洪量 2.84 亿 m^3，最大 12 天洪量 3.64 亿 m^3；汾河河津站最大洪峰流量 1 700m^3/s，最大 5 天洪量 2.91 亿 m^3，最大 12 天洪量 4.53 亿 m^3；黄河龙门站最大洪峰流量 13 300 m^3/s，最大 5 天洪量 23.6 亿 m^3，最大 12 天洪量 51.43 亿 m^3。由于干支流洪水相互遭遇，使陕县站出现峰高量大的洪水过程，实测洪峰流量达22 000m^3/s，5 天最大洪量 51.8 亿 m^3，12 天最大洪量 90.78 亿 m^3。洪水输沙量大，最大 12 天沙量达 21.1 亿 t(陕县多年平均输沙量为 16 亿 t)。

造成这场洪水的暴雨范围广、强度大，雨区位于黄河中游地区呈西南东北向分布，西自渭河上游，东至汾河及三川河，雨区面积是黄河中游有实测资料以来最大的。实测暴雨最大的是清涧河的清涧站，8 月 5～8 日，4 天降雨量为 255mm。暴雨中心位于渭河上游的散渡河、葫芦河、马莲河的东西川，大理河、延水、清涧河中游一带，三川河及汾河中游。这场大面积降雨发生在8月5～10日，有两次降雨过程，一是发生在8月6～7日凌晨，雨区基本上遍及整个黄河中游地区，7日减弱后，呈斑状分布；二是在8月9日，降雨集中在渭河上游和泾河上游一带，10日暴雨基本结束。

由于降雨为两个基本相连的暴雨过程，因此本次洪水在泾河、渭河及黄河干流河口镇至龙门区间都形成两次洪峰，陕县站22 000m^3/s的洪峰为第一次降雨所形成，第二次洪水使陕县站峰后退水部分流量加大，过程加胖。

由于降雨强度大，历时长，暴雨区范围内洪水横流，房舍淹没，冲毁耕地无数，损失惨重。这场洪水峰高量大，下游左岸自封丘县的贯台决口，在大车集至石头庄20km的区间里，几乎普遍漫溢。石头庄决口后，洪水沿长垣、濮阳、范县、寿张、阳谷等县横扫而下，现在的北金堤范围内全被洪水淹没，一片汪洋。右岸兰封小新堤、考城四明堂等相继决口，洪水所过之处，人畜漂没，房屋、田地俱被泥沙淤埋，河湖淤塞，原有的水系被打乱，洪水灾害及其所造成的深远影响，都十分巨大。

这场洪水在黄河下游共决口达到50余处，绥远、陕西、河南、河北、山东、江苏等省，因暴雨或洪水受灾面积超过8 600km^2，受灾总人口达364万，伤亡人数18 300人，有9 200个村庄进水，毁坏房屋169万间，淹没耕地85万hm^2，死亡牲畜64万头。

二、1958年洪水

1958年7月17日24时，黄河花园口站发生了22 300m^3/s的特大洪水（亦称“58·7”暴雨洪水），这场洪水为新中国成立以来黄河下游最大的洪水。

当年黄河水情的特点为：降雨量大，雨量充沛，汛期洪水量达454亿m^3，约占全年总水量610亿m^3的74.4%。洪水主要来源于三门峡以下干支流地区。

1958年进入汛期以后，黄河流域即连续降雨，7月7日以前，晋陕区间和渭河下游普遍降雨50～60mm，伊、洛、沁河流域降雨70～100mm，花园口站先后出现多次洪峰。7月14～18日，晋陕区间和三门峡至花园口干支流区间又连降暴雨，其中三花区间降大暴雨，暴雨中心垣曲5天累计降雨量达498.6mm，24小时雨量为366.5mm。这场暴雨面积广、强度大、时间集中，其中7月16日20时～17日8时的降雨，是造成花园口站出现22 300m^3/s洪水最关键的一场暴雨。

由于各地不断降雨，使黄河下游一峰接着一峰，接连出现洪峰，七八两月共出现大于5 000m^3/s的洪峰13次，大于10 000m^3/s的洪峰5次。花园口站7月15日12时起涨，7月17日24时出现最大洪峰流量，峰顶持续2.5小时，22日18时落平，历时7天，是黄河花园口站有水文观测以来实测的最大洪水。洪水19日到达高村，洪峰流量17 900m^3/s；洪峰20日到达孙口，最大流量15 900m^3/s；22日到达艾山，洪峰流量12 600m^3/s；23日到达泺口，洪峰流量为11 900m^3/s；25日达到利津，洪峰流量为10 400m^3/s。

这场洪水由三门峡以下干支流地区普降暴雨、干支流洪水基本上同时遭遇形成。洪峰具有水位高、水量大、来势猛、含沙量小、持续时间长的特点。花园口站10 000m^3/s以上洪水的流量持续时间为81小时，7日洪量61.0亿m^3，12日洪量87.0亿m^3。从来水组成看，三门峡洪峰流量8 890m^3/s，7日洪量33.0亿m^3，12日洪量52.0亿m^3，分别占54%和59%；小浪底洪峰流量17 000m^3/s，12日洪量56亿m^3；支流伊洛河黑石关站洪峰流量9 450m^3/s，12日洪量22亿m^3；沁河小董站洪峰流量1 050m^3/s，12日洪量3.3亿m^3。

洪峰到达兰考东坝头以下，普遍漫滩，堤根水深4～6m，约有400km堤段洪水位超过保证水位。其中，高村超过0.38m，孙口站超过0.78m,艾山超过0.93m,泺口站超过1.09m,各地超过保证水位的历时为35～80小时。山东省齐河豆腐窝以下险工坝岸几乎与洪水持平,有130多道坝岸水漫坝顶,东阿、济南也有部分坝岸漫水。东平湖由数个山口自然进水滞洪,最大进湖流量10 300m^3/s,最高湖水位44.81m,蓄洪量9.5亿m^3,超出保证水位1.13m,超蓄水量2.5亿m^3,超过保证水位历时80小时,湖区有44km多湖堤洪水漫顶0.1～0.4m。黄河堤防和东平湖围堤都出现了十分严峻的局面。

黄河防总及时分析了雨情、水情和工情变化情况,经过认真研究,认为花园口出现洪峰后,三花区间暴雨已经减弱,主要来水区不会再产生大的洪水,后续水量不大;此次洪峰具有洪峰比较高、峰型比较瘦,总来水量不是十分大的特点,且汶河来水量不大,艾山以下支流来水不多,因此,征得河南、山东两省的同意,报请国务院批准,决定采取"依靠群众,固守大堤,不分洪,不滞洪,坚决战胜洪水"的方针。

中央防汛总指挥部接到黄河防总的报告后,立即发出了"必须密切注意雨情、水情的发展,以最高的警惕、最大的决心坚决保卫人民的生产成果,坚决制止洪涝为患"的指示。正在上海召开会议的周恩来总理立即中止开会,乘专机亲临郑州,指挥黄河抗洪抢险斗争。在党中央、国务院的直接领导下,河南、山东两省进行了党政军民总动员,组织200万人上堤防守抢险。

在此之前,河南省人民委员会召开紧急会议进行了部署。省委、省人委发出了"关于紧急动员起来,战胜特大洪水的紧急指示",号召动员一切人力、物力,坚决搞好防汛工作,保证战胜特大洪水。沿河各地、市、县党政负责人都亲自上堤,领导干部分堤段包干负责,大批干部深入各防守责任段,与群众一起巡堤查水、抗洪抢险,并迅速迁离滩区群众,后方组织了大批防汛物资,支援抢险和群众安置工作。全省共投入堤防防守和滩区群众迁移安置的各级干部 5 000 多人，人民解放军各兵种部队 4 000 多人，群众防守队伍 30 多万人，加上后方支援的二线预备队共达百万人，船只 500 艘，汽车 500 多辆。东坝头以上大堤部分靠水，东坝头以下全部偎堤，形势十分危急，沿黄广大军民斗志昂扬，提出“人在堤在，水涨堤高”的战斗口号，每公里上堤防守队伍 300～500 人，同时又组织了机动抢险队，乘车沿堤巡逻，发现险情，立即组织抢护。河南堤防共出现渗水、蛰陷、脱坡、裂缝等险情 130 多处，险工出险 12 处、71 坝次，经过抢护，均未造成大的损失。

河南黄河滩区有 13 个市、县，1 001 个村庄，49 万多人，耕地 12.3 万多 hm^2。此次洪水淹没涉及 527 个村庄、24 万人，经过抢救，绝大部分群众安全迁出，仅死亡 4 人，倒塌房屋 15 万间，冲走粮食 30 余万公斤，淹地 8 万 hm^2。

花园口站洪峰过后，山东省也进行了迅速部署，省委、省人委决定“沿黄各地、县、乡党委、政府必须全党全民动员，集中一切力量与洪水搏斗，在不分洪的情况下，坚决保证沿河人民安全与农业大丰收”。洪峰进入山东后，沿黄共动员干部、群众和解放军 110 万人上堤防守。由于山东河道较窄，洪峰水位表现高，堤根水深 2～4m，个别堤段达 5～6m，东阿、济南部分堤段仅高出水面 1m 多，东平湖湖堤在 5 级风浪的袭击下，波浪越堤而过，十分危急。东阿以下临黄大堤和东平湖湖堤采取了加高子埝的措施，在广大军民的努力下，一昼夜间加修子埝 600 多公里，有效地防止了洪水漫堤。在最紧张的安山湖堤段，干部群众站在堤顶，筑成人墙，抵挡风浪的袭击，经过 19 小时的奋力拼搏，终于转危为安。山东共出现各种险情 1 290 多次，其中大堤漏洞 18 处，管涌 109 个，陷坑 228 个，大堤脱坡 32 处，埽坝坍塌蛰陷 308 段次，根石走失严重的 175 段次，掉塘子 56 段次，经过抢护全都脱险。

这次洪水，下游共淹没滩区耕地 20.32 万 hm^2，受淹村庄 1 708个，倒塌房屋 29 万间，受灾人口 74.08 万。洪水过程中共抢护险工坝岸 1 998 坝次、堤防渗水 59.961km、塌坡 23.879km、裂缝 1.392km、管涌 4 312 个。

对于这场洪水,党中央、国务院和全国各地都给予了巨大的关怀和帮助。人民解放军出动了陆、海、空、炮兵、通信、工兵等部队,调来了飞机、橡皮船和大量救生工具,投入抢险和滩区群众迁安救护。全国各地运来麻袋、蒲包、草包 200 多万条。辽宁、江苏等省及广州、上海、天津、青岛等城市赶运来了大批防汛物资。在全国人民的大力支持下,经过豫、鲁两省军民和广大治黄职工的共同努力,顽强拼搏,终于战胜了这场特大洪水,赢得了最后胜利。

1958 年洪水主要来源于三门峡至花园口区间,降雨的时空分布有利于形成峰高量大的洪水。洪水预见期短,防汛准备时间不足,调度难度大。这类洪水的含沙量大,水流冲击力强,河道控导工程和险工易出现险情,抢险任务繁重。这场洪水,是对黄河下游防洪威胁较大的一种洪水类型,必须引起高度注意。

三、1982 年下游洪水

1982 年 8 月 2 日,黄河下游花园口站出现了洪峰流量15 300 m^3/s 的洪水,是新中国成立以来仅次于 1958 年洪水的次大洪水。沁河小董站洪峰流量 4 130m^3/s,超过沁河防洪设计标准。

这场洪水主要来自三门峡至花园口区间。7 月 29 日到 8 月 2 日,三门峡至花园口干支流区间 4 万多平方公里普降暴雨和大暴雨,局部地区降特大暴雨。5 日累计雨量:伊河陆浑站 782mm,为 1937 年有实测记载以来的最高记录;洛河赵堡站 645mm,沁河山路平站 452mm,干流仓头站 423mm。其中,伊河陆浑站日最大降雨量高达 544mm。

三门峡至花园口干支流(伊、洛、沁河)相继涨水。伊河经陆浑水库滞蓄之后,龙门镇站洪峰流量为 2 820m^3/s;洛河白马寺站洪峰流量为 6 250m^3/s。伊、洛河下游汇合处的“夹滩”滞洪区,由于近年来河床淤高，滩面植树造林、农业种植等，加之黑石关水文站附近铁路桥和提水站的修建，增大了“夹滩”的滞洪作用，“夹滩”和两岸洪泛区进水后，淹没面积达 260 多平方公里，滞蓄水量约 4.6 亿 m^3，这是 1949 年以来所没有过的。经“夹滩”滞蓄后，黑石关洪峰流量削减为 4 110m^3/s，沁河小董站洪峰流量为 4 130m^3/s，三门峡下泄流量为 4 840m^3/s，小浪底站洪峰流量为 9 340m^3/s。各支流洪水与干流汇合后，形成了花园口站 15 300m^3/s 的洪峰，7 日洪量 50.02 亿 m^3。其中，三门峡以上来水 19 亿 m^3，占 37.8%；三花间来水 31.2 亿 m^3，占 62.2%。花园口站 10 000m^3/s 以上洪水持续 52 小时，平均含沙量 32.1kg/m^3。

花园口站自 7 月 3 日 22 时起涨，至 9 日落平，历时约 9 天。洪水过程由两个洪峰组成。第一个洪峰出现在 7 月 31 日 10 时，流量仅 6 350m^3/s；第二个洪峰出现在 8 月 2 日 19～22 时，洪峰流量 15 300m^3/s，峰顶持续时间 3 小时，大于 15 000m^3/s 的流量持续 12 小时。洪峰在向下游演进的过程中，生产堤多处溃口或人工破堤，口门总宽约 46km，滩区大量进水，滞蓄洪量 35 亿 m^3，洪峰沿程减小。沿途各水文站的洪峰流量为：夹河滩站 8 月 3 日 4 时洪峰流量为 14 500m^3/s，高村站 8 月 5 日 2 时洪峰流量为13 000 m^3/s，孙口站 8 月 7 日 2 时洪峰流量为 10 100m^3/s。经东平湖水库分洪后，艾山站 8 月 7 日 3 时洪峰流量为 7 430m^3/s，泺口站 8 月 8 日 22 时洪峰流量为 6 010m^3/s，利津站 8 月 9 日 23 时洪峰流量为 5 810m^3/s。

花园口站出现洪峰的同时，沁河小董站也发生了 4 130m^3/s 的超标准洪水，为有实测资料以来的最大洪水。8 月 2 日 10 时，当沁河上游五龙口站出现 4 240m^3/s 的洪峰后，黄河防汛总指挥部根据上游来水、降雨等情况综合分析，考虑沁河洪水经沁北滞洪区滞蓄、支流丹河加水后，沁河南岸五车口一带堤防可能发生漫溢等情况，下达了指令：为确保沁河防洪安全，必须在确保北堤安全的前提下，在南岸堤防高度不足的堤段紧急加修子埝，加强防守。河南省防汛指挥部和新乡防汛指挥部立即组织3万军民上堤，冒雨奋战10多个小时，筑成一条长21km的子埝，抢护堤防险情25处。洪峰到达时，五车口一带13km长的堤线水位超过原堤顶0.1～0.21m，由于及时加修了子埝，洪水没有漫溢。

这场洪水是新中国成立以来仅次于1958年的大洪水。与1958年花园口站22 300m³/s相比，花园口至孙口河段流量沿程小了6 000～7 000m³/s，但由于河道淤积抬高，水位却高于1958年1m左右，其中开封柳园口高2.09m，长垣马寨至范县邢庙河段水位高1.5～2.02m。下游滩区除原阳、中牟、开封3处部分高滩外，其余全部被淹，滩面水深一般1m多，深的达4～6m。共淹没滩区村庄1 303个、耕地14.5万hm²，倒塌房屋40.08万间，受灾人口93.27万。滩区水利和其他生产设施大部分被毁，受淹耕地基本绝收，损失严重。

这场洪水，黄河大堤偎水887km，其中河南堤段310km，山东堤段577km；沁河堤偎水150km，东平湖水库二级湖堤偎水26.7km。临黄堤堤根水深一般2～4m，深处达5～6m；堤防发生渗水17处，长3.9km；管涌9处，共40个；裂缝30处，长约700m；陷坑27个；有151处险工、控导工程，850坝段共出险1 136坝次。

为了确保山东窄河段堤防和津浦铁路济南老铁桥的安全，国务院领导与河南、山东两省负责人确定，孙口站洪水流量超过8 500m³/s时，运用东平湖老湖分洪，控制泺口站洪峰不超过8 000m³/s。为做好东平湖老湖分洪准备工作，山东省提前2天将分洪区2.9万名群众迁往安全地区，组织了3.9万多人防守二级湖堤。8月6日22时，当孙口站洪水流量超过8 000m³/s时，首先开启了林辛闸，7日11时又开启了十里堡闸分洪，到9日21时至23时先后关闭两闸，分洪历时分别为71小时和60小时。两闸最大分洪流量2 400m³/s(林辛闸1 070m³/s，十里堡闸1 330m³/s)，分洪水量近4亿m^3,最高湖水位42.11m。分洪后将孙口站洪峰流量由10 100m^3/s削减到7 430m^3/s,削减率达26.4%,大大地减轻了艾山以下河道的防洪压力。分洪后进湖沙量约500万m^3,闸后2km^2范围内一般淤厚0.51m,最大淤积厚度林辛闸后为2m,十里堡闸后为1.5m,绝大部分淤积物为粗沙或粉沙,短期内难以耕种的土地达1 425hm^2。

四、1996年8月洪水

1996年8月5日、13日,黄河下游花园口站出现了洪峰流量为7 860m^3/s和5 560m^3/s两次洪水(简称"96·8"洪水)。这场洪水虽然洪水量级不大,只属于中常洪水,但在下游河道中洪水水位表现高,演进速度慢,洪峰变形异常,不少河段水位超过历史最高记录,多处控导工程漫顶,堤防工程大量出险,滩区大部被淹,受灾人口多;141年未曾上水的河南原阳高滩亦发生漫滩,下游抗洪抢险出现了十分紧张的局面,因此引起了各方面的关注。

7月底到8月上旬,黄河干流晋陕区间和三花区间及泾、渭河下游分别出现3场强降雨过程,其中第一场主要在晋陕区间的降雨和第二场主要在三花区间的降雨,形成了"96·8"洪水花园口站的第一号洪峰;第三场晋陕区间和渭河下游的降雨形成了"96·8"洪水花园口站的第二号洪峰。

7月31日~8月1日,晋陕区间大部分地区降中到大雨,局部降暴雨。暴雨区主要分布在黄河干流及西部各支流的中下游,其中,窟野河王道恒塔日降雨量为88mm,温家川和龙门日降雨量均为72mm,无定河丁家沟和延水延安日降雨量分别为58mm和57mm。这场降雨,使该区间主要支流相继产流,窟野河温家川站8月1日6时18分洪峰流量2 180m^3/s;秃尾河高家川站1日5时36分洪峰流量1 050m^3/s,最大含沙量990kg/m^3;1日16时,吴堡站出现3 190m^3/s的洪峰流量。吴堡—龙门区间几条支流也相继加水，龙门站1日16时48分和2日6时36分先后出现两次洪峰，洪峰流量分别为4 580m^3/s和3 620m^3/s，1日20时出现最大含沙量468kg/m^3；潼关站3日1时洪峰流量4 230m^3/s，最大含沙量280kg/m^3。3日8时，三门峡水库最大泄量4 130m^3/s，8时最大含沙量328kg/m^3，成为花园口一号洪峰的三门峡以上来水。

8月2～4日，三花区间普降中到大雨，部分地区降大到暴雨，主雨区在伊洛河中游、沁河中下游和小浪底至花园口干流区间。三花间3天平均降雨97mm，其中，洛河102mm，沁河79mm，三花干流99mm，大于50mm等值线的面积笼罩三花区间及临近地区近5.7万km^2。3天降雨量伊洛河黑石关站为246mm，宜阳站为234mm，鸦岭站为155mm；沁河润城站为100mm，武陟站为128mm，蟒河孟良站为138mm。

三花区间由于前期土壤湿润，本次降雨有利于产流，伊洛河出现了1984年以来的最大洪水，洛河宜阳站8月3日19时30分洪峰流量为2 150m^3/s，白马寺站3日20时洪峰流量为1 980m^3/s。伊河龙门镇站3日14时洪峰流量为991m^3/s，黑石关站4日9时洪峰流量为1 980m^3/s。沁河武陟站5日18时洪峰流量为1 500m^3/s。黑石关站1 000m^3/s以上流量的持续时间为39小时，武陟站1 000m^3/s以上流量的历时为47小时。

三门峡站3日8时的洪峰首先和三门峡、小浪底区间产流相遇，小浪底站4日零时出现5 020m^3/s的洪峰流量，之后又与洛河黑石关站、沁河武陟站的洪峰相汇合，形成了5日15时30分花园口站一号洪峰，洪峰流量7 860m^3/s，相应水位94.73m，为有实测资料以来的最高水位。

8月8～9日，晋陕区间大部降中到大雨，局部降暴雨，雨区主要分布在黄河干流及两岸各支流的下游地区。1日降雨量，皇甫川沙圪堵为69mm，皇甫川为66mm，清涧河子长为57mm，屈产河石楼为 59mm。泾、渭河下游也降了中到大雨。本次降雨形成皇甫川站 9 日 11 时 6 分洪峰流量为 5 110m^3/s,最大含沙量 1 190 kg/m^3;窟野河温家川站 9 日 16 时 24 分洪峰流量为 10 000m^3/s,最大含沙量 1 090kg/m^3;干流吴堡站 9 日 23 时 24 分洪峰流量为 9 700m^3/s。吴堡—龙门区间的几条支流也相继加水,龙门站 10 日 13 时洪峰流量 11 100m^3/s,最大含沙量 390kg/m^3;潼关站 11 日 6 时洪峰流量为 7 400m^3/s。11 日 18 时 30 分,三门峡最大出库流量为5 100m^3/s,最大含沙量为 355kg/m^3。三花区间伊洛、沁河此时仍为一次洪水的退水过程,加水较少,13 日 3 时 30 分花园口站出现5 560m^3/s 的二号洪峰。

"96·8"洪水花园口站表现为两次洪峰,由于一号洪峰传播异常缓慢,二号洪峰在孙口站附近追上一号洪峰,两次洪峰合并为一个洪峰,形成一个矮胖的洪水过程,于 20 日 22 时 48 分过利津站入海。

"96·8"洪水花园口站 18 天洪水总量为 53.49 亿 m^3,输沙量为 4.0 亿 t,平均含沙量为 75.0kg/m^3。洪水由三门峡以上来水和三花间来水组成,其中:三门峡以上来水 35.73 亿 m^3,占花园口站总水量的 66.8%;三花区间来水 17.76 亿 m^3,占花园口站总水量的 33.2%。三门峡以上来水主要来自河口镇—龙门区间,龙门站来水量 23.84 亿 m^3,占三门峡来水量的 66.8%;渭河华县站来水量 6.79 亿 m^3,占三门峡总水量的 19.0%。三花区间来水量中,伊洛河来水量 6.97 亿 m^3,占 39.2%;沁河来水量 6.41 亿 m^3,占 36.1%;三花区间干流来水量 4.38 亿 m^3,占 27.4%。花园口站沙量绝大部分来自三门峡以上,三门峡 18 天输沙量 4.91 亿 t,其中,龙门站 3.25 亿 t,华县站 1.48 亿 t。

"96·8"洪水在下游河道中的演进过程十分复杂,具有洪水水位表现高、漫滩范围广、洪峰传播时间长及洪峰变形等特点。

第二节　干流冰凌洪水

一、1948 年下游凌汛

1948 年 2 月，河口地区气温较低，已开河段因冰水受阻，水位上涨较快，9 日滨县张肖堂以下凌洪漫滩，水深 2.0m 左右。由于时间紧急，利津、垦利部分滩区居民没有来得及迁出，共有 70 多个村庄被淹，房倒屋塌，牲畜、粮食、柴草、被服、生产生活用具等被凌水冲走或浸泡，遭受严重损失。垦利县四段村新修的民埝高度较低，质量较差，形成决口，汪二河、付家窝两个村庄被水包围。渔洼至赵家屋子 10km 堤段，先后出现 10 多个漏洞，最大直径 0.7～0.8m。河滨区干部、黄河职工及当地群众立即组织抢护，参加抢险的广大干部职工，不畏严寒，多次下水用被子堵塞漏洞，经过 3 昼夜的紧张奋战，终于转危为安。利津宋家庄大堤遗留有日伪时期的碉堡，拆除后回填不实，堤防于深夜出现漏洞 3 处，查险人员发现后，立即鸣锣呐喊报险，当地政府及河务部门负责人立即带领抢险队员和群众赶赴现场，先用麻袋装土和梢秸料、棉被、棉絮等堵塞洞口，被急流冲走；后又在背河打桩，用门板、钉耙、车盘捆扎后堵住洞口，阻挡料物被水冲出；在临河侧又加抛麻袋、被褥，经过一夜的紧张抢护，才将漏洞堵复，化险为夷。

在凌汛紧张时期和抢险堵漏的关键时期，沿黄党政军民全体动员，积极参加堤坝防守和抢险，积极破冰泄水，组织滩区群众迁移救护。人民解放军派出爆破队和火炮多门，在道旭、利津一带轰击积冰、爆破冰堆。山东黄河河务局机关全体人员分头出发，一方面在蒲台、利津和宫家险工砸冰，另一方面集中所有船只赴滩区各村抢救灾民。垦利七龙河、南岭子村 300 多户被水包围，县区干部驾小船 5 只，不到 1 天 1 夜的时间就把群众全部救出。

二、1951年下游凌汛

1950年12月1日，受冷空气南下侵袭，气温急剧下降，9日北镇气温最低为-16.2℃，14日利津河段开始淌凌，下旬气温继续下降，全河普遍淌凌。1951年1月7日，利津站流量460m^3/s，河口段开始插凌封河，之后向上迅速发展，14日封至郑州花园口，封冻长550km，总冰量5 300万m^3，河槽蓄水10.57亿m^3，最大冰厚0.4m。山东省人民政府于20日发出《关于加强防护黄河凌汛的指示》，要求沿黄各地、县加强对黄河防凌的领导，充分发动群众，做好组织工作，战胜凌汛。

1月22日气温回升，27日平原省境内黄河开凌解冻，冰水齐下，沿黄各级修防部门立即上堤，各县防凌指挥部紧急通知各区、乡、村迅速组织防守队伍，待命上堤。29日河开至济南泺口，凌峰流量增大到830m^3/s，水位急剧上涨，气温仍不断回升。30日河开至利津，凌峰流量增大到1 160m^3/s，两天内水位上涨1.45m；当河开至前左1号坝时，河口气温还比较低，前左以下尚未开河，冰水受阻，流冰上爬下塞，形成冰坝，前左水位急剧上涨2.4m，冰凌向上堆积。31日6时，冰凌壅塞至章丘屋子，18时发展到东张，冰坝长度达到15km，堆积冰量约1 000万m^3，回水影响70多公里，利津、垦利滩地全部上水，堤防全部偎水，大块冰凌壅上堤坝。利津、垦利两县组织了9 300多名群众上堤抢修子埝，日夜查险；山东河务局爆破队在前左河段突击爆破，但因冰凌堵塞太多，河段太长，河槽冰凌插死，爆破效果不大。2月1日晚，封冻河段受东北风影响，气温又一次剧降，上游流冰又被冻结，前左至宁海20km河道的冰量达4 000万m^3以上，滩地由于水流缓、流冰多，也被插冰堵塞，水位再次迅速上涨。2日18时，前左水位又涨2.0m多，利津站水位达13.76m，比1949年大汛期最高洪水位还高0.83m，北岸十六户，南岸宁海、东张一带堤顶离水面仅0.2～0.3m，局部堤段水与堤顶平齐。蒋家庄、扈家滩、西张、东张、章丘屋子等处先后发生漏洞、渗水等险情13处,均经奋力抢护脱险。

2日夜11时,在王庄险工以下380m处背河堤脚发现大的漏洞3处,其中最大1处洞口直径超过30cm,巡堤查水人员发现后当即鸣警告急,河务分段立即组织30多名抢险队员和300多名民工急速赶到奋力抢堵,因临河水面全为冰凌覆盖,无法找到洞口;背河抢堵因天寒地冻,取土困难,料物难以筹集,无法有效实施,漏洞不断扩大,过流越来越急。此时在临河破冰的队员发现大旋涡,正在用麻袋、棉被抢堵时,背后堤坡突然塌陷,继而堤身也塌陷10余米,正在抢险的10多人和照明灯具一起陷入口门。其他人员仍继续奋力抢堵,终因堤身已溃,又值黑夜,料物供应不上,于2月3日1时45分大堤溃决。随堤塌陷的3名队员被水冲走,不幸牺牲。

大堤初决时口门宽10m多,到3日8时发展成两个口门,共宽159m,中间有约50m的残堤,口门最终扩宽到216m,水深13m,过水流量600m^3/s(据事后调查,口门处是清光绪十九年赵家苹果园决口处,堤身下有厚约1.0m的腐殖秸料层)。溃水分两股,一股向东北,一股向西北,于八里庄汇合,在沾化县境富国、杨家庄子等处入徒骇河归海,泛区宽14km,长40km,淹及利津、沾化两县3万hm^{2}耕地,122个村庄,倒塌房屋8 641间,受灾群众85 415人,死亡18人。

王庄决口后,水利部、黄委、山东省人民政府、山东省河务局及地区负责人都极为重视,星夜赶赴现场,安置灾区群众,研究堵口方案。3月21日堵口工程开工,先在两坝头背河修筑围堤,供存料、取土。在口门附近打桩编柳,落淤出滩后,仅有两沟过水,总宽不到100m,最大流速0.5m/s,水深0.1m,当即从两端以麻袋装土抛填,即将合龙时,流量突然增大,河水上涨,30日利津流量1 000m^3/s,形势恶化。第二天河水退落,口门处水深只有2.3m,潭坑也已淤平，又将两边坝头帮宽，采用单坝进占、占后筑戗、占前抛石护根、下占合龙的办法进行抢堵。4月1日两边单坝同时进占，昼夜不停。7日凌晨，7 000多名抢险队员集合工地，进行决战；5时25分下占合龙，9时闭气，堵口成功。之后又完成复堤土方超过4万m^3及险工埽坝加固、刨根等工作，5月20日堵口工程全部竣工。此次堵口共用土24万m^3，秸柳料209.1万kg，石料1.54万m^3，木桩1.2万根，麻袋7.5万条，铅丝4.2t，用工24万工日。

三、1955年下游凌汛

1954年12月8日，河口开始流凌，15日在小沙一带插封，12月25日河口气温最低值达－17℃，封冻迅速向上游发展。至次年1月15日封至河南荥阳汜水河口，封冻段落长623km，冰量1.0亿m^3。其中河口地区冰量近4 000万m^3，一般冰厚0.3～0.5m，河口地区最厚达1.0m，王庄以下部分河段冰堆高达2～3m。

针对当年的严峻防凌形势，山东省委、省政府于1954年12月24日就下达了"关于黄河防凌工作的指示"，要求沿黄各地必须百倍警惕，充分做好准备，尽最大努力，克服困难，战胜黄河冰凌。各地县都组织了爆破队、机动抢险队，设立了冰凌观测队，滩区村庄加修围村堰，动员散居户提前迁出，在南北两岸分别设立了指挥部，做了比较充分的准备。

1955年1月23日，济南以上日平均气温转暖，冰凌融化；27日花园口开河，凌峰流量1 070m^3/s；28日开至泺口，冰水齐下，水鼓冰开，水位猛涨，发展急速；29日3时河开至利津，此时利津最低气温仍在－8.5～－11.6℃，冰层坚固。河开至王庄时冰水受阻，冰块上爬下插，形成冰坝，王庄至麻湾间的30km河道冰积如山，有的大冰块塞上堤顶和险工坝顶，虽经炸药爆破、飞机轰炸、重炮轰击，都无济于事。在20小时之内，40km河段全部漫滩，有30km河道超过保证水位，向上影响河道长度达90km，河槽蓄水量约2.1亿m^3。利津刘夹河29日1时水位为11.02m,18时30分达15.31m,上涨了4.29m,最快时每小时上涨0.9m,高出保证水位1.5m,部分堤段水与堤平,利津以上堤顶离水面也仅有0.5~1.0m,情况万分紧急。当地党政军民全力以赴,一方面组织爆破队进行爆破,并用大炮、飞机爆破冰凌;另一方面部署抢修子埝,严密巡堤查水,抢护险情。但王庄至王旺庄堤段仍先后出现漏洞20多处,普遍告急。29日18时,刘夹河背河堤坡3处冒水。其中坡脚处用麻袋装土排压后的一处冒水,暂时停止流水,但至19时情况突然恶化,成为两个出口,水流如注,险情迅速发展,使用麻袋、被褥、棉衣等进行堵塞时,均被冲走,洞口越来越大。随后虽紧急从利津城调来大批料物,在临河用麻袋装土抛成埽形,但因堤身内失土过多,多处出现裂缝,长18m的堤段突然蛰陷,深5m。在场群众趁堤顶塌陷、水势稍缓之机,突击抢堵,于23时堵复。

29日18时,佛头寺(今胜利)险工10号坝出现漏洞,当时已决定分凌,在炸开堤顶冻土分凌时,飞土反将漏洞堵死。19时炸开小街子溢洪堰围堤分泄凌洪,因过流小,水位继续上涨,王旺庄以下超过保证水位。五庄堤段原是1921年宫家决口合龙处,有县、乡、村10多名干部和400余名防汛队员防守,21时左右大堤背河柳阴地出现多处管涌,半小时后发展成为漏洞,洞口喷水如注。防守人员立即在背河用麻袋装土排压,在临河打冰寻找洞口,用草捆、麻袋装土、玉米秸等堵塞,但随抛随冲,漏洞急速扩大,堤顶塌陷成缺口,参加抢险的两名民工不幸牺牲。使用沉船堵口,船只靠近洞口即被吸入冲走,用两只装满麻袋的船填堵,也被冲走,口门已发展到3米多宽,又用大船装秸料和麻袋堵塞,再次被水冲走,口门扩宽到10m以上。此时,7级北风凛冽,16盏照明灯全被吹灭,取土困难,料物耗尽,于29日23时30分堤身溃决。口门中心桩号296+300,口门宽305m,水深6m,推算最大过流量1 900m^3/s,临河滩地冲刷成深沟,长750m,宽110m。正当五庄村西抢险时，王庄村东大堤桩号298+200处背河亦出现漏洞，因民工已全部奔赴村西抢险，出险时无人，于30日1时溃决，口门宽80m，冰水顺临河堤根倒流冲刷成沟，水出口门约2km与西口门溃水相汇合，沿1921年宫家坝决口流路经利津、沾化入徒骇河入海。此次受灾范围东西宽25km，南北长40km，利津、滨县、沾化3县360个村庄17.7万人受灾，淹没耕地5.87万hm^2，倒塌房屋5 355间，死亡80人。

五庄决口后，中央领导及山东省委、省政府都十分重视，及时调拨救灾款和粮食救济灾民，安排灾民生活。为争取桃汛前堵复决口，使灾区早日恢复生产，山东省政府决定由山东黄河河务局与惠民专署组成"山东黄河五庄堵口指挥部"，河务局调集工程技术人员勘查现场，拟订堵口方案，趁落水之机，组织1 372名民工和技工在东口门滩岸挂柳缓流落淤，堵复滩地串沟。2月28日滩地沟口堵复，西口门修做挑流坝，沟口挂柳落淤。3月6日开始截流，6 000多民工从两岸同时进占，冒雪奋战，11日抛枕合龙，加修后戗，13日堵口完成。堵口共用石料3 585m^3，柳料154.1万kg，秸料167.5万kg，用工39.64万个。之后，又调集6 600名民工修做口门复堤工程，用土方39.64万m^3，用工35.65万个，于5月底完成。

四、1969年下游凌汛

1968年12月～1969年2月，因受多次强冷空气侵袭，气温升降变幅大，流冰时间短，封河早，封冻期长，冰量、槽蓄水量大，黄河下游出现了历史上少见的3次封河、3次开河和3次漫滩偎堤的严重凌汛。

（一）首次封河与开河

1968年12月，受强冷空气侵袭，河口最低气温为-10℃，14日全河淌凌；20日又遇强寒流，气温继续下降。1969年1月1日，利津站日平均气温降至－11℃，2日在垦利义和庄险工首封，相继在西河口、王庄形成梯级封河，13日封至东明高村，封河长245km，冰量2 462万m^3，槽蓄增量3.36亿m^3。15日后气温回升，18日平均气温济南为8.7℃，北镇为3℃，菏泽、聊城河段全部解冻开河，大量冰水下泄，艾山出现1 240m^3/s的凌峰，水位猛涨，水鼓冰开。当河道开至齐河顾道口时，因下游尚未开河，大量冰凌受阻插堵形成冰坝，向上堆积至齐河，冰堆高出水面4～6m，长清、平阴滩区漫水，有50km大堤偎水出现渗水险情，当即组织群众上堤防守。济南以下19日开河到惠民归仁险工受阻，又遇冷空气侵袭，冰凌向上堆积至马扎子，至1月20日山东河段尚有132km封冻未开。

(二)第二次封河与开河

1月19日强冷空气侵袭黄河下游，至24日，－10℃左右的低气温持续约6天，形成第二次封河。2月2日封至郑州京广铁路桥以上，封冻段长600km，总冰量8 550万m^3，槽蓄水量12.8亿m^3，三门峡水库关闸蓄水。2月5日气温开始回升，9日河南河道解冻开河，山东艾山以上河段相继开河，高村站凌峰流量1 040m^3/s，到艾山站增至2 760m^3/s。凌峰所至，水位猛涨，齐河潘庄水位涨至39.14m，长清、平阴滩区再次进水被淹。济南军区驻当地工程兵独立营全力以赴，涉冰水抢救群众，经4昼夜将2万余群众全部救出脱险。参加营救群众的解放军官兵有9人在冰水急流中不幸牺牲。

11日泺口凌峰流量为1 210m^3/s，河开至邹平方家形成冰坝，向上插封26km，冰量达240万m^3，水位陡涨2米多，有50km大堤离水面只有2m左右。背河出现管涌等险情，章丘、邹平、济阳、高清4县滩区被淹，各县防凌指挥部组织群众，上堤防守抢险和迁移滩区群众。

(三)第三次封河与开河

2月12日下游又遭受强冷空气侵袭,利津站13日平均气温降至0℃以下。由于三门峡水库关闸断流,下游河道流量小,气温低,14日形成第三次封河后,发展很快,至24日又一次封到郑州铁路桥以上,长703km,总冰量10 327万m^3。

三门峡水库15日库水位已达323.68m,为给第三次开河拦蓄水量预留一定库容,减少库区淹没损失,16日开一孔泄流400m^3/s。周恩来总理非常关心黄河下游凌汛,多次听取汇报,批准三门峡水库运用水位由326m提高到328m。山东省防汛指挥部召开紧急防凌会议,部署沿黄地、县加强防凌措施,确保安全度汛。

25日气温回升,28日开始开河。为确保安全,在开河前利津、垦利各组织了3个爆破队,人民解放军派出8个爆破队,惠民、滨县、博兴县各支援1个爆破队,对利津窄河道及西河口以上重点河段进行突击爆破,奋战10天,爆破冰面1 545万m^2,耗用炸药123t。3月1日郑州花园口解冻开河,5日开河凌头到艾山,因冰坝阻水,长清、平阴滩区第三次漫水。6日泺口开河,凌峰达1 040m^3/s,受梯子坝至邹平方家冰坝影响,凌洪漫滩走溜,堤防发生渗水、管涌、漏洞等险情,后经抢护脱险。此时三门峡水库库水位已达327.64m,根据气温回升和下游开河情况,决定下泄流量加大至850m^3/s。9日又遇冷空气侵袭,已开河河段又向上封河至章丘刘家园。13日后气温回升,三门峡增大泄流的水头到泺口,流量为1 000m^3/s,促成局部开河,16日开河至利津,凌峰流量1 100m^3/s,最高水位13.65m,王庄水位13.02m,达到1958年洪水位。17日罗家屋子水位9.53m,超过1958年大洪水水位0.82m,18日全河开通入海。

开河期间,王庄以下全部漫滩,15个村庄被水围困,渔洼至西河口水位与生产堤齐平,四段至罗家屋子大堤离水面仅0.2m。人民解放军、胜利油田、黄河农场、济南军区马场等单位和沿黄群众

3 700 多人参加防守抢险。西河口围堰出现 3 个漏洞,生产堤与弃土处溃决,经抢堵转危为安。18 日渔洼以下生产堤 3km 处塌陷 3 个缺口,3 个小时后扩大到 50m,已失去抢堵条件,遂退守“五七”闸引渠北堤,确保大堤安全。

由于 3 次封河、开河，东阿至垦利 9 县滩区多次进水，共有 130 多个村庄 6.6 万人受灾，淹地 1.8 万 hm^2。三门峡水库防凌蓄水，最高运用水位达 327.72m，控制运用长达 52 天，蓄水 18 亿 m^3。

第二篇　工程管理

第十章　工程管理概述

黄河水利工程有着数千年的悠久历史。伴随着黄河水利工程的建设,工程管理也一直在进行。黄河下游的河防,历史上就是关系治国大局的要事。明代以前,河防由各地行政长官负责,各自为政;明代开始成立专门的治河机构,加强了河务管理。1933 年成立黄河水利委员会,河防由流域机构统一负责,是黄河管理体制的一次大改革。在新中国成立以前的漫长年代里,工程管理作为一项重要内容,包括在治河、河防的业务内,专业地位不明显。由于封建社会的闭关自守和科学技术的落后,在治黄科学研究方面不可能有大的进步,更谈不上工程管理专业研究的发展。

第一节　基本概念

一、工程管理

自有人类以来,就存在管理。但管理作为一门科学,还只有一百多年的历史。它发源于美国,以后推广到西欧、日本,现在已普遍受到各国重视。这是一门实用性较强的科学,它不仅运用于工商管理,也用于医院、学校、科研单位,以及军队、机关。它的目的是运用有限的人力、物力、财力,取得最大的效益。

工程管理,顾名思义就是管理者对工程实施管理。管理者是人,管理的对象是工程。工程管理的基本概念可定义为:管理者通过行政、经济、法律法规、技术等手段,实行以专业管理为主、群众管理为辅,专业管理与群众管理相结合,采取一系列维修、养护、检查、观测等措施,保障工程安全及有关设施完整,运用有限的人力、物力、财力，充分发挥工程的设计功能及效益的经常性工作。其主要内容包括组建管理组织，健全管理制度，制定经常性管养办法及管养工作规程，贯彻管理政策，进行工作检查、评比、考核、奖励等。

以上只是工程管理的狭义概念。从广义上讲，随着时代的发展，工程管理的概念必将与时俱进，进一步发展变化。比如现在的工程管理，从体制上由原来的专业管理与群众管理相结合向以专业管理为主过渡；从管理内容上由原来单纯工程管理向河道管理、水利管理发展；从手段上，许多新技术、新工艺、新材料的不断出现，使管理更加现代化。

二、工程管理单位

黄河的工程管理任务具体由河南河务局、山东河务局和小北干流陕西、山西河务局所属的基层河务局（闸管所）以及三门峡水利枢纽管理局（包括故县水利枢纽管理局）承担。这些单位同时还承担着水行政管理、水资源管理、黄河防洪工程建设、防汛管理等任务。因此，黄委所属的基层河务局不是纯粹的工程管理单位，而是定位为具有水行政管理职能的综合性事业单位，工程管理只是其一项主要职能。

目前，黄委下属具体承担工程管理任务的基层单位共有 79 个。其中，县级河务（管理）局 61 个，独立核算的闸管所 12 个，独立核算的专业机动抢险队 4 个（还有 16 个在基层河务局，属内部独立核算），2 个水利枢纽管理局。

三、工程管理的职能

（一）宏观控制职能

工程管理工作是一个庞大的体系，要使其成为一个既各自权责分明、运转自如，又便于整体协调和统一指挥，使之构成一个严密完善的整体，需要统筹兼顾，宏观调控。针对黄河河道工程的实际情况和黄河河势、工情特点，制定工程管理工作总体规划、年度实施目标任务，实施目标管理责任制，实现有限资金的最佳安排、管理人员的最佳调配，设施和设备效益的最大发挥等，均须从微观入手，宏观考虑。

（二）协调组织职能

工程管理与设计、基建施工、财务计划、科教、水政、防汛、经营以及地方政府有关职能部门等方方面面有着密切的联系，只有强化协调组织功能，才能发挥整体效应。没有协调，独木难撑大厦；没有组织，不能成为强有力的整体。千斤重担大家挑，才会充满活力，运转自如。

（三）指令监督职能

指令监督职能体现在：保证国家方针、政策、法令、法规以及上级主管部门的指示、规定的贯彻执行，目标任务、项目措施的制定、下达和落实，各种规章制度的制定、修订和颁发施行。

（四）科技管理职能

黄河河道管理工作，目前仍采用较为传统和陈旧落后的管理方式，与现代管理的要求相差较远。现代管理是以科学管理（以美国泰罗为代表，法国法约尔、德国韦伯等著名管理科学家完善补充所提出的管理阶段、管理理论和管理制度的总称）为基础，以电子计算机为手段，运用系统工程理论进行系统管理，广泛采用现代自然科学新成果、现代管理方法和手段，注重人才开发、培养及合理使用，重视行为科学的研究和应用，充分调动人的积极性，突出战略与决策问题，不断地进行新的项目研究和技术改造，提高科学技术水平。为实现黄河河道技术管理现代化，必须加强河道工程科研管理，收集、推广科研新成果及先进的管理经验，筹措科研经费，组织技术攻关等。

（五）服务职能

防洪工程管理是公益性事业，其性质就决定了它的服务性。

从大的方面讲，搞好工程管理，确保防洪安全，服务于社会发展和国民经济建设；从小的方面讲，搞好工程管理，搞好灌溉放水，搞好放淤改土，搞好工程绿化建设，可以造福一方。

第二节　管理体制、法规及目标

一、管理体制

新中国成立后，国家设立了治河专管机构，并实行专管与群管相结合的体制，县级以下建立群众性护堤组织，实行统一领导、分级分段管理。

黄委在黄河中下游沿黄各省、地、县均设有机构，负责所辖河段堤防的建设与管理。为了加强防洪工程的管理，1982 年后各县（市）河务部门先后建立了公安派出所和聘请了公安特派员。1988 年《中华人民共和国水法》（以下简称《水法》）颁布后，从黄委至县级河务部门均设立了水政机构，形成了“一文一武”相结合的执法管理体系。

沿黄的县、乡、村各级均设立了护堤委员会或管理小组。护堤委员会由公安、民政、教育、交通、当地黄河河务局等部门的负责人组成，由地方政府负责人兼任管理委员会主任。其主要任务是负责组织、协调、检查、监督辖区内的堤防管理工作。

黄河下游堤防每 5～10km 配备 1 名专职堤防管理人员，每 0.5～1km 配备 1 名群众护堤员。

二、法规制度

黄河下游堤防管理工作的各项规章制度，是由黄委以及沿黄各省、地、县政府或河务部门根据各个时期的工程情况和管理需要制定和颁发的，如堤防工程管理的通令、布告、条例、办法等。

(一)主要管理法规和要点

1949年冀鲁豫行署颁发的《保护黄河大堤公约》是新中国成立后制定的第一个具有规章性质的保护大堤安全的政令。1950年平原省政府颁发了《保护黄河、沁河大堤办法》,山东省政府对巩固堤防、消灭隐患有关事项发布了公告。20世纪60年代,河南省政府颁发了《河南黄、沁河堤防工程管理养护办法》,山东河务局制定了堤防养护和管理办法。70年代贯彻全国水利管理会议精神,河南省颁发了《河南省黄(沁)河堤防工程管理办法》,黄委制定了《黄河下游工程管理条例》。1980年山东河务局制定了《山东省黄河工程管理办法》,河南省五届人大常委会第十六次会议于1982年6月26日通过了《河南省黄河工程管理办法》。90年代,为贯彻《中华人民共和国水法》和《中华人民共和国河道管理条例》,河南省政府于1992年7月21日第21次常务会议通过《河南省黄河河道管理办法》,之后山东省政府也颁发了《山东省黄河河道管理办法》。1994年4月28日河南省第八届人民代表大会常务委员会第七次会议通过颁发了《河南省黄河工程管理条例》。1997年12月13日山东省八届人大常委会第31次会议通过颁发了《山东省黄河河道管理条例》。

上述管理办法和条例,明确规定堤防工程是防洪的屏障,必须加强管理,经常保持工程完整坚固,实行统一领导、分级管理的职责;组织和发动群众捕捉害堤动物,经常查处隐患;严禁在堤身和柳阴地区取土、放牧;黄河大堤临河50m、背河100m以内不准打井(包括水井、油井、气井)、挖沟、挖窑、建房、建窑、埋葬和修建其他危害堤身安全的工程或进行危害堤防安全的活动,不准在大堤两侧各200m安全区范围内放炮物探;禁止在堤顶行驶履带机动车和其他铁轮车辆,雨雪泥泞期间,除防汛抢险车辆外,禁止其他车辆通行;另外,还明确了堤防管理委员会及护堤员的任务和职责等。

(二)堤防检测制度和办法

1950年汛前,黄委根据1949年洪水时堤防出险情况,按照国家防总的要求,在下游全面部署了堤防抢险工作。山东省防汛指挥部制定了《重点检查堤防办法》,河南河务局制定了发现隐患、实行奖励的规定等,从而开展了大堤普查工作。

1955年根据黄委关于调查堤身及基础情况和黄河下游堤防观测办法,山东河务局制定了《堤防普查重点钻探观测办法》。山东、河南两局各修防处、段利用洛阳铲、螺旋取土钻、打井工具等对堤身土质进行普查,绘制出纵、横断面土质柱状图,并对老口门、薄弱堤段重点进行土质钻探和土质分析,并在河南詹店、西格堤、渠村和山东四隆村、颜营、东平湖、马扎子、济阳、王庄等共13处重点断面安设测压管进行堤防浸润线观测。1988年又在河南花园口、柳园口、曹岗和山东郓城杨集、济阳沟阳家安设观测管,进行常年观测。1964年结合开展大堤埽、坝普查鉴定,进行了一次大规模的工程普查鉴定。1978年按照全国水利管理会议的要求,进行了一次大规模的工程大检查;通过检查,基本上弄清了黄河下游工程中存在的问题。1980年以后形成了每年汛前进行工程检查的制度,一直至今。

(三)严格履行审批制度

在黄河堤防上修建工程,除按基本建设程序外,必须严格履行破堤审批制度,规定汛期不准破堤施工,破堤修建工程必须经黄河水利委员会批准。1985年后改由山东、河南河务局负责审批。批准后的破堤工程,施工时应当接受当地黄河河道主管机关对施工质量的监督;跨汛期施工的项目,施工作业方案需经黄河河道主管机关批准,由建设单位负责实施;工程竣工后,经黄河河道主管机关验收合格后方可启用,并必须服从黄河河道主管机关的安全管理。

(四)考核评比

黄河下游堤防检查评比开展已久,并逐步统一标准,形成制度。1982年,黄委颁发了《黄河下游工程管理考核标准(试行)》,考核内容主要包括:①堤顶平整,堤身完整坚固;②工程标志齐全,管理、观测设置良好;③树草茂盛,工程效益好;④组织健全稳定,规章制度完善;⑤无违章建筑物,无牲畜危害堤防等。

1984年,河南、山东河务局先后制定了《黄河工程管理检查评比试行办法》。河南河务局规定:修防段实行月检查、季评比,修防处实行半年初评;山东河务局按照修防段管辖堤防的长短,分甲、乙两组进行检查评比。1980年以来,黄委每3~5年召开一次工程管理会议,并进行检查评比。

三、堤防管理目标

黄河下游堤防管理目标总的要求是:加强工程管理,经常保持工程完整,监测运行状态,不断提高抗洪能力,保证工程防洪安全。随着治黄事业的发展,不同时期侧重面有所不同。1946年至20世纪50年代,大力培修加固堤防,处理隐患,维修养护工程;初步改变了堤防工程面貌;20世纪50年代到70年代,逐步建立、健全了管理组织和规章制度,但仍存在"重建设,轻管理;重骨干,轻配套;重工程,轻实效"的问题。

(一)"六五"时期的目标

"六五"时期(1981~1985年)工程管理的指导思想是:以安全为中心,以消灭险点隐患为重点,加强经营管理,讲究经济效益,提高科学管理水平,不断增强抗洪能力,保证防洪安全,充分发挥工程效益,积极开展综合经营,把管理工作提高到新的水平。

主要目标是:全面完成补残加固;重点薄弱堤段普遍压力灌浆;消除有碍防洪安全的违章建筑;完善排水工程,大搞草皮植被,提高防雨冲刷能力,逐步做到降暴雨不出大的水沟浪窝;达到堤顶平坦，堤身完整，堤肩林木整齐美观，树草齐全茂盛，并把可绿化面积全部绿化起来，树木保有量达到 1 700 万株，苗圃达到每 7.5km 大堤 $1hm^2$，实现树苗自给；河产收入以省局为单位，每年平均每公顷宜林面积收入(国家分成部分)达到 150 元。

(二)“七五”时期的目标

“七五”时期(1986～1990 年)管理工作的指导思想是：以安全为中心，以巩固工程强度为重点，提高抗洪能力，全面加强技术管理，各项工作努力达到规范化、标准化，积极开展综合经营和征收水费，充分发挥工程效益，以改革的精神把工程管理工作提高到一个新的水平。

主要目标是：基本完成现有险点、薄弱堤段的加固处理任务；清除近堤潭坑及严重渗水、管涌堤段，采取压力灌浆、抽水洇堤等多种措施，争取把第三次修堤中质量比较差的堤段处理一遍；淤背区凡已达到计划高度的全部包坡盖顶，开发利用；堤身防暴雨冲刷的能力达到日降雨 100mm 不出现 $1m^3$以上的水沟浪窝；河产收入以省局为单位，每年平均每公顷宜林面积总收入达到 300 元。

(三)“八五”时期的目标

“八五”时期(1991～1995 年)工程管理工作总的指导思想是：以安全为中心，以除险加固为重点，坚持依法管理，确保防洪安全，充分发挥工程的综合效益。

主要目标是：初步建立起水法、水管理和水利执法三个体系，主要配套法规的建设基本完成，走上依法治水、依法管理的轨道；逐步建立“修、防、管、营”四位一体具有良性循环的管理运行机制；全面实现工程管理的正规化、规范化，整体管理水平有较大的提高。

上述目标，除未安排投资的项目外，基本上得以实现。

(四)“九五”时期的目标

“九五”时期(1995～2000 年)工程管理工作总的指导思想是：

以安全为中心,以除险加固为重点,坚持依法管理,确保防洪安全,充分发挥工程的综合效益。

主要目标是:全部消除委编号险点;全面完成土地确权划界工作;争取50%以上管理单位达到二级及二级以上河道目标管理水平,其余达到三级管理水平;临河护堤地逐步形成二级或三级防浪林,消灭临背河护堤地种植空白段;加强管理科学技术研究,积极进行管理新技术、新设备、新工艺的引进、推广和应用;引黄涵闸保证适时放水和安全运用,按标准全额计收水费。

(五)"十五"时期的目标

"十五"时期(2000～2005年)工程管理工作总的指导思想是:以确保防洪安全为中心,以管理体制和运行机制改革为动力,以科技进步为支撑,以追求工程综合效益的最大化为目标,全面提高管理水平。

基本工作目标是:通过消除工程本身的险点隐患和工程附近的坑塘、堤河、井渠等险点隐患及强化工程内在质量,确保工程安全运用;通过工程管理体制改革,形成符合市场经济原则的工程管理运行机制;通过完善、优化河道目标管理,使依法管理和科学管理更加规范;通过增强科技含量,使工程的现代化管理有明显进步;通过工程的优化调度运用,创造历史最好的社会效益和经济效益。

四、堤防管理措施

(一)实行专管和群管相结合的体制

搞好堤防管理首先要健全组织,充实人员,依法进行管理。

(1)对堤防专管人员的要求:①负责做好所在乡及其所辖沿堤村的联系、宣传工作;②组织护堤员学习护堤政策、规定,研究和提高其维修养护堤防技术;③督促与检查护堤员的护堤维修养护工作,协助做好防汛及建设工作;④开展检查评比活动,表彰与教育护堤员，并组织好护堤员的收入；⑤发动护堤员查找隐患，检举和制止违章或破坏堤防行为的发生，并及时向当地政府和上级报告。

(2)县、乡、村堤防管理委员会(小组)的职责：①组织护堤员认真学习堤防管理技术知识；②经常对群众进行护堤教育，宣传有关护堤的政策和规定；③组织护堤员搞好堤防管理养护工作；④向破坏堤防的坏人坏事作斗争，协助处理违章行为。

(3)护堤员要做到：①向群众宣传护堤的意义和有关政策、规定；②保护堤防和堤上的树木、料物、通信线路、测量标志及其他附属设施，与破坏堤防的行为作斗争；③经常进行堤防养护，平整堤身，整修补植树草；④经常检查工程，发现问题及时上报和处理。

(二)及时进行工程维修养护

堤防工程的维修养护主要包括堤顶、辅道、堤身补残以及填垫水沟浪窝和备积土牛等，其费用在黄河下游防汛岁修事业费中专项安排。此项工作主要由护堤员承担，根据堤身土质、气候、降雨等不同情况，采取不同的养护方法。冬、春干旱季节，沙土堤段堤顶剥蚀严重，需要洒水撒土，填垫夯实，维护堤顶平整；夏、秋季节雨水多，堤身易产生水沟浪窝，需经常填垫平整。群众总结出“平时备土雨天垫，雨后平整是关键”的经验。为减少与防止大的水沟浪窝，采取：①堤身广种葛芭草护坡，“堤上种了葛芭草，不怕雨冲浪来扫”；②修做排水沟，一般间隔 100m 左右，在临背河堤坡上做一条宽 0.25m 的排水沟，与堤顶两侧前后戗集水沟相连，可排泄 100～200mm 的日降雨，其结构形式有混凝土预制、砖砌、三合土槽及淤泥草皮排水沟等；③坚持冒雨排水制度，越是大暴雨天气，越是要上堤排水，做到“察、排、堵、补”；④平整堤顶，用机械平整堤顶，拖拉机牵引刮平机平整，碾压机碾压，洒水车喷水养护，翻斗车运土等。

(三)经常普查隐患和捕捉害堤动物

黄河下游堤防隐患众多，历史上多是战壕、碉堡、老口门、旧房屋及井、红薯窖等，现在除地基渗水外，主要为堤身存在的“洞、缝、松”。每年汛前普查隐患，并在汛前进行处理。不能马上处理的隐患，要制定度汛措施。

獾、狐、地鼠、地猴、鼹鼠、地羊、黄鼠狼、地狗等害堤动物，在堤防内挖的洞穴对堤防安全造成严重威胁。如獾每年3～4月份生育一次，每窝1～2只，獾洞直径20～30cm，洞长10～20m，獾洞有支洞并分层，洞口隐蔽，且用土屯住。为捕捉害堤动物，远在清代，就沿堤分段设有“獾兵”，专职捉獾。新中国成立后，沿堤群众成立捕捉獾狐小组、专业队，利用农闲时间开展捕捉害堤动物活动。20世纪50年代至60年代为捕捉害堤动物的高潮期。

（四）开展工程达标活动

1982年黄委下发了《黄河下游工程管理考核标准》，要求全面加强技术管理，各项工程努力达到规范化、标准化。据此，山东、河南两省河务局制定了相应的办法。主要有：①工程完整坚固；②堤防绿化、美化；③管理设施完好；④管理组织健全，队伍稳定；⑤各项资料齐全；⑥综合经营效益高。把堤防达标与工程维修、堤防加固、淤背固堤结合起来，发动职工、护堤员共同开展达标活动。1996年，结合水利部在全国开展的河道目标管理工作，黄委按照水利部颁发的《河道工程目标管理考评标准》要求，在黄河下游河南、山东两省局开展了河道目标管理上等级活动。

（五）植被绿化

黄河堤防植树种草由来已久。早在春秋、战国时期，就开始在堤上植树。宋代河堤植树已具规模。明代刘天河总结堤岸植柳经验，归纳为“植柳六法”，即卧柳、低柳、编柳、深柳、漫柳、高柳。1946年以来，大力提倡植树，其原则是“临河防浪，背河取林，速生根浅，乔冠结合”。堤顶两侧俗称门树，以杨树、泡桐、苦楝等高大成材树种为主；临河堤坡设防水位线以下不植树，临河柳阴地全部植高、低卧柳，起缓溜防浪作用；背河堤坡植草，背河护堤地以种柳为主，间植其他成材林；淤背区多以果树、桑树等经济林为主，林粮间作或药用作物等。植树办法是县局出钱、出树苗，包给沿堤群众种植管理。在植树中推行“春季植树，秋季验收，按照成活率90%、保存率80%付资”的办法。同时要求，在一般情况下，树苗达到自育自种。1982年，山东河务局要求各单位明确专人负责，实行内部承包；河南河务局规定东坝头以上堤防每公里育苗0.1hm^2，东坝头以下每公里育苗0.067hm^2，还在一部分树木、河产收入较好的村试行统包结合的堤防管理责任制。

（六）稳定群众护堤队伍

在农村实行联产承包责任制后，农民收入增加，义务性质的群众管护队伍受到了影响。为了稳定护堤员队伍，与当地乡、村结合，使护堤员收入略高于同等劳力水平。护堤员的收入大体有以下几种形式：①与生产队干部、民办教师等享受同样补贴；②定量补助粮食或现金；③从生产队河产收入中给予提成；④河产树木、堤草分成给护堤员；⑤多分给护堤员责任田等。后又实行堤防承包责任制，主要形式有：①集体承包，即以护堤村承包，护堤员由村选派，报酬由村支付；②联户承包，由3～5户群众自愿联合组成承包小组，选派护堤员负责日常维护管理工作；③单户承包，承包户负责日常管理工作；④单项承包给护堤员，双方议定适当报酬。承包期3～5年，也有10～15年的，并允许继承或转让。护堤收入国家、集体、个人按一定比例分成。上述承包办法对稳定护堤队伍、调动护堤员的积极性起到了一定作用。

第三节　管养分离改革

随着社会主义市场经济体制的不断完善和黄河现代化管理的不断发展，原来的专职管理与群众管理相结合的管理体制已越来越不适应改革发展的要求。管养分离的改革新模式在黄河工程管理工作中正在被强力推行。

一、实行新运行模式的目标

实施“管养分离”就是将传统计划经济条件下对工程的管理、养护、维修三者合一的模式，转变为按照社会主义市场经济条件下管理和具体养护、维修作业相分离的模式，以适应现代管理“小政府，大社会”的需要。

实施“管养分离”，就是要使政府的管理宏观高效，机构精干；使养护维修企业通过有序竞争，优胜劣汰，激活内部管理机制，降低养护维修成本，提高养护维修作业的管理水平和资金的利用效率。

对承担维修养护任务的人员从管理机构中剥离出来，通过组建专业化的维修养护队伍，参与市场竞争，实现对工程的专业化管理。

二、管理、养护两者职能的界定

管养分离后，管理层的职能从原来的具体控制运用、养护维修、综合经营转变成对水利工程的资产管理、安全管理、调度方案制订、养护维修招投标及对养护、维修作业水平的监督检查等高层次的管理。

养护、维修(小型)的职能根据不同的地域、不同的单位有不同的内容，有一个变化的范围。基本的内容大致可概括为：堤防有堤顶平整，填垫小型雨淋沟(坑)，修剪杂草，獾狐白蚁的防治，树株修剪、打药、刷白等；河道工程有坝面平整，填垫小型雨淋沟(坑)，修剪杂草，獾狐白蚁的防治，坦石整理，树株修剪、打药、刷白等；涵闸有启闭机械的经常性擦洗、上油及对电路的经常性检查、维护等。具体运作时要根据具体情况进行合同文件管理。

一些有实物工作量的岁修、大修以及大水时的抢修，可列入基建程序进行管理。

三、实现新模式的关键制约因素

(一)稳定的资金渠道与足够的资金额

要实现管、养、修分离的新模式,要有稳定的资金渠道和足够的资金保障,两者缺一不可。公益性水利工程不具备生产力,是为保护和促进生产力服务的,根据公共财政制度,应明确定性为事业单位,经费纳入各级财政预算,实行收支两条线。每年按财政预算编制规定,根据运行管理定额及工作量提出下年度经费预算计划,按有关程序批准执行。对综合利用的水利工程应分清职责,各级财政对公益性部分的运行管理费用进行补给。

(二)妥善安置分流人员

任何改革最终都要涉及人的问题,对分流人员的妥善安置是个大问题。这在一些经济发达地区可能不是个问题,但在贫困和欠发达地区可能就是大问题。有些分流到养护公司的人员可能不愿意去,怎么办?因此,如何实现分流人员身份的转换和分流以后养护公司与原单位资产的转换,也是今后要很好地研究的课题。

四、新模式实施应注意理顺的几个关系

(一)维修养护队伍和现有施工企业的关系

在基本建设三项制度改革中,大部分水管单位工程公司或工程处,实行企业化管理,他们在技术、市场运作方面有着丰富的经验。在维修、养护分离后,分流人员不一定都要进入养护公司,可以根据实际情况统筹考虑,可将这两支队伍合并,既可承担基建施工任务,又可从事日常维修养护工作。

(二)维修养护队伍与群管队伍的关系

组建专业化的维修养护队伍,必然要对现在的群管队伍造成冲击;但专业维修养护队伍要逐步走向市场,必须考虑养护任务的

投资成本。因此，对于与当地乡、村关系十分密切、很分散、适宜群众管理的日常维修业务，要利用经济杠杆，促使乡、村建立有一定维修能力、便于管理的维修队伍，通过合同管理方式进行管理；也可以通过组建以专职养护人员为骨干、以农民合同工为补充的维修、养护企业，将专群结合的模式赋予新的内容，以用工的形式组成一个专群结合实体。

（三）工程维修养护与防汛工作的关系

水利工程维修养护的目是保持工程的完整，提高工程的抗洪强度，确保防洪安全。水利工程的维修养护，是防汛工作的基础。因此，要根据水利工程管理的性质与要求，把维修养护同防汛工作有机结合起来，按照用工定额计算出合理的费用，以合同形式加以明确。即进行维修养护工作的同时，还要承担必要的防汛工作，如防汛的宣传组织、技术指导、巡堤查水、紧急险情抢护等。

（四）维修养护与土地开发的关系

水利工程的护堤地、防浪林和河道整治工程护坝地等既是工程的组成部分，同时也具有一定的经济开发功能。因此，各单位要根据自己的实际，统筹考虑，正确处理工程维修养护与土地开发之间的关系。

第十一章　基本思路及措施

第一节　存在的问题

治黄工作的发展以及宏观形势上的变化，给管理工作提供了难得的机遇，同时也提出了更高的要求和严峻的挑战。能否抓住机遇、迎接挑战，是关系到黄河工程管理可持续发展的大问题。然而，黄河工程管理工作还有不少差距，还存在一些急需解决的问题。

一是管理体制与市场经济原则严重背离。现行的工程管理体制和"专管与群管相结合"的运行机制，是长期在国家计划经济体制下逐步形成的，这种体制和机制曾发挥过重要作用。但随着我国社会主义市场经济体制的建立和治黄改革的深入，这种管理体制和运行机制越来越不适应管理工作，有很多地方已严重影响到管理工作的开展。在传统的计划经济体制下，水利工程管理体制形式单一，管理人员和维修养护人员职责不分，外部缺乏竞争压力，内部难以形成监督、激励机制。虽然管理者对此也做过许多探索，如承包管理、内部竞争上岗等，但这些改革都未从根本上解决体制和机制的问题。

现在基建工程已经完成了"三项制度"（项目法人负责制、招投标制、监理制）改革，实行事企分开，工程基本建设运行机制的变化已冲击了原有的管理体制和运行方式。队伍要挣饭吃，被迫建立了施工企业，而这同时也削弱了管理队伍；在资金使用方面，原来传统的做法和路子有了改变，管理中一些不规范的做法要规范化，财务管理的形式也已发生了变化。事企分开后，传统的管理方式和社会主义市场经济体制会有更多的矛盾需要逐步解决,如职能的重新划分、经费渠道的调整、管理关系的理顺等。

在计划经济体制下,沿黄乡村承担着相当一部分护堤义务,群管队伍的报酬主要是靠当地政府(村队)解决;在市场经济条件下,这种运行模式的基础已不存在,护堤员的报酬无法解决,群管队伍不稳定,专管与群管相结合的管理模式受到很大冲击。

二是管理思想、管理技术手段、管理人员的素质水平远远不能适应现代管理的需要,许多单位对工程管理的任务和职能、职责存在模糊认识。黄河的重大问题及其对策研究提出了黄河的防洪问题、水资源问题、生态问题,以及近期和远期目标。这三大问题的解决和近期、远期目标的实现将拓宽管理的内涵。将来的工程管理要在现有管理内容的基础上,按重大问题和对策中赋予的任务,拓宽管理工作的内容,向效益型管理和向对水资源的管理、生态的管理、环境的管理服务等外延。管理者面对的是流域性的综合性的管理,面对的是社会主义市场经济体制下的管理,所以管理工作如何与重大问题及对策所提出的问题和近期、远期目标有机地结合起来,是一个新的课题。面对这样的要求,目前管理干部队伍的年龄、知识水平、管理思想、管理经验、技术手段等都很不适应。

三是依法管理、科学管理的基础薄弱。自从我国第一部《中华人民共和国水法》(以下简称《水法》)颁布十几年来,依法管理有了快速发展,产生了质的变化。但是,从法制社会的要求来看,其基础还很薄弱,水立法、水执法方面仍需大力完善和健全。黄委系统更是如此,黄河的工程管理还远远没有形成良好的依法管理体系。管理科学技术方面,黄河的管理设施、管理信息的传递和查询方式都还很落后,现代科学技术在管理工作中的应用还很少。要在这些方面有所进步或改善,还有大量的基础工作要做。

四是工程管理投入、产出没有形成明晰的核算体系,经费投入严重不足问题仍未得到有效解决。有投入,就应该有产出、有收益;有耗费,就应该有补偿。防洪工程的管理运行产生的是综合效益,其主要成分是社会效益。但是这类效益没有明确的量的概念,在核算上没有严格统一的办法,受益者也不是十分明确。理论上讲,社会公益性事业,其运行管理费用应由国家拨付。但是,由于效益的多少说不清,受益者是谁说不清,费用需要多少说不清,尤其是不能依法及时说清,也就建立不起真正意义上的投入产出、耗费补偿机制,只能是国家拨付多少使用多少。根据黄委防汛岁修费测算情况,以 1998 年工程为基数,所需的防汛岁修经费为 2.99 亿元,但实际上国家下达黄委的防汛岁修经费只有 0.89 亿元左右,相差甚远。如果考虑到防洪工程数量的增加,所需的防汛岁修经费将大大增加,经费缺口也将更大。如何解决这个问题,也有大量的基础工作要做。

以上所分析的主要是可能对黄河工程管理持续发展有较大影响的问题。当然还有许多具体的问题,也需要在今后的工作中不断加以研究、解决。

第二节　基本思路

黄河工程管理工作的基本思路,随社会的发展需求及所面临形势和存在问题不断地进行调整。根据黄河工程管理的实际情况,基本工作思路可确定为:以确保防洪安全为中心,以管理体制和运行机制改革为动力,以科技进步为支撑,以追求工程综合效益的最大化为目标,全面提高管理水平。

基本工作内容是:通过消除工程本身的险点隐患和工程附近的坑塘、堤河、井渠等险点隐患及强化工程内在质量,确保工程安全运用;通过工程管理体制改革,形成符合市场经济原则的工程管理运行机制;通过完善、优化河道目标管理,使依法管理和科学管理更加规范;通过增强科技含量,使工程的现代化管理有明显进步;通过工程的优化调度运用,创造历史最好的社会效益和经济效益。

具体从以下几方面做起。

一、通过消除工程本身的险点隐患和工程附近的坑塘、堤河、井渠等险点隐患及强化工程内在质量,确保工程安全运用

经过十几年的努力,委编堤身险点已基本消除,但较多的近堤坑塘等仍严重影响着工程安全,影响查险、抢险,对防洪安全造成很大威胁。因此,在确保工程安全运用方面,工作的重点要转移到堤防两侧,按照以前处理堤身险点的思路,研究编制黄河下游堤河及近堤坑塘、渠井等防洪隐患的消除计划,区分不同情况和类别,实施分级编号管理,按轻重缓急提出实施消除的措施意见,并进行加固处理,以确保工程防洪安全。加强工程内在质量管理的主要内容是:根据工程管理正规化、规范化要求,在继续加强经常性管理、进一步健全、完善管理规章制度、保持工程完整和面貌良好的基础上,切实注重工程内在质量的管理,严格工程观测检查、维修养护、除险加固的标准和工作质量,在查明工程隐患和薄弱环节、消除工程险点隐患方面下工夫,以增强工程的抗洪能力。

二、通过工程管理体制改革,初步形成符合市场经济原则的工程管理运行体制

水利部在2001年全国水利建设与管理工作会议上,对今后管理改革提出了新的思路,即探索“管养分离”的新机制,把水利工程的维修养护推向市场,对工程实行物业化管理。工程管理单位的职能,从原来的具体控制运用、维修养护、综合经营,转变为水利工程的资产管理、安全管理、调度方案制订及监督执行、组织物业管理的招投标等高一层次的管理。对管理人员落实管理岗位责任

制，实行目标管理，定岗、定编、定职、定责，形成精简高效的管理机构。把维修养护的职能和有关人员从管理机构中剥离出来，按照所维修养护对象的不同，分别组建成水利物业公司或维修养护单位。各类维修养护工程，要通过具有相应资质的水电工程施工企业或组建的物业公司、维修养护单位，以及社会的维护力量，以合同管理的方式进行。通过市场公平竞争，提高工程维修养护的质量，降低养护成本。同时，要探索“专管与群管相结合”管理体制的出路，对与当地乡、村关系十分密切、很分散、适宜群众管理的日常维修业务，要促使乡、村建立起有一定维修能力、便于管理的维修队伍，也要通过合同管理方式依法进行管理。

三、通过完善、优化河道目标管理，使依法管理和科学管理更加规范

河道目标管理是对整体管理工作方向的导向和评价。随着以后管理目标的建立以及管理思想、手段、技术的变化和提高，河道目标管理的内容也要作相应的调整，更好地为管理的主题服务。针对黄河的实际情况，对考评办法进一步完善、优化，考评的重点向管理改革、依法管理、科学管理和工程的内在质量管理方面倾斜，加大这些内容的的考评权重，以深化河道目标管理考评工作。

四、通过增强科技含量，使工程的现代化管理有明显进步

要提高管理水平，不断增强管理工作的科技含量是关键。工程管理工作要牢固树立从技术进步中求安全、从技术进步中求效益、从技术进步中挖掘潜力的观念，依靠科技进步来振兴黄河工程管理事业。增强科技含量，要以人为本，建立竞争机制，通过岗位管理，从整体上改变管理人员不适应现代化管理的状况，切实提高管理人员的基本素质。要加强管理科学技术研究，特别要加强管

理实用技术研究,同时要注重推进高新技术的应用和新技术、新成果的推广转化,引进和推广管理新技术、新设备、新材料、新工艺,瞄准21世纪世界科技新潮流,努力增强工程管理工作的科技含量,使工程的现代化管理有明显进步。

五、通过工程的优化调度运用,创造历史最好的社会效益和经济效益

管理工作要牢固建立起效益观念。工程的综合效益要通过工程的管理运行才能发挥出来;要发挥工程的最大效益,需要大量基础技术工作支持,通过管理基础工作为工程发挥效益创造条件。要努力通过工程的合理开发、优化调度,使工程的防洪减灾等社会效益和水、土、电开发等自身经济效益在工程管理范畴内发挥到最高水平。

第三节 搞好工程管理的措施

一、要始终把保障防洪安全放在首位

黄河工程管理工作的首要目的就是确保黄河防洪安全,这是工程综合效益中最大的效益。随着形势的发展和管理要求的不断提高,管理单位在确保工程完整的基础上,注重工程内在质量的管理,消除工程隐患。由于消除近堤存在的坑塘、堤河、井渠等隐患和工程薄弱环节的目标,涉及到地方政府和广大人民群众的直接利益,社会工作量大,有相当的难度,各级领导一定要给予充分的重视,认真做好地方政府和群众的工作,采取有效的措施,确保完成任务。工程管理的各项工作都要切实树立起把保障防洪安全放在首位的指导思想,以此为龙头,把各项工作带动起来。

二、要实现管理者思维方式的转变

广大管理工作者要实现管理思维方式的转变,思想观念上要从计划经济模式转变到市场经济模式,从侧重于行政管理转变为以依法管理为主体,从传统管理方式转变为现代管理方式。号召所有的管理者要努力学习现代管理技术、市场经济知识和政策法规,努力充实自己、提高自己,使管理队伍整体素质有一个质的飞跃。深入加强管理正规化、规范化建设,全面落实管理岗位责任制,实行岗位目标管理,引进竞争机制,实现日常管理与专业管理相结合,保持工程质量和工程面貌的完好,充分发挥其抗洪作用。

三、充分认识深化管理改革的艰巨性,以改革统揽全局

管理体制和运行机制改革是管理者的重要任务。从严格意义上讲,现在管理单位的职能包括水行政管理、防洪工程建设、河道管理、河道防洪、工程管理等方面,不是纯粹的水利工程管理单位,应定位在具有水行政管理职能的事业单位上。但随着黄委整体机构和体制改革,工程管理的“专管与群管相结合”模式将产生根本性的变化。管养分离改革是黄委整体机构改革中的一部分,必须与整体改革相统一、相协调。由于历史形成的现状管理体制的复杂性,人员素质、专业水平以及年龄结构老化的限制,进行管养分离改革难度大,不仅仅是管理部门的事,所以,要充分认识到改革任务的艰巨性、复杂性。要使改革能够顺利进行,必须有各个部门的密切配合。管养分离是今后工程管理改革的方向,管理单位要根据黄委的改革思路,结合自身实际,与整体改革步伐协调一致,积极稳妥地开展管养分离改革。

首先要加强调查研究,认真做好改革前的基础工作。认真研

究与市场运作相配套的有关规章、规范性措施，制定相关政策，如黄河工程管理定额标准以及管理技术规范、维修养护的招投标及合同管理办法、改善队伍文化素质与年龄结构的有效途径等。其次，管理单位要根据本单位情况，处理好改革与稳定的关系，深入分析可能出现的问题，以精简高效、实行宏观管理和行业管理、保证国有资产保值和增值为原则，认真进行管养分离后管理单位职责和运作方式的研究。

四、加强管理科学研究，不断增强管理工作的科技含量，努力提高科学管理水平

首先，管理单位要加强管理科学技术研究，特别要加强管理实用技术研究，同时要注重推进高新技术的应用和新技术、新结构、新工艺、新机具的推广转化，逐步增加工程管理的科技含量，提高现代科学管理水平。2000年以来，黄委开展了堤防隐患探测新技术的推广应用，取得了很好的效果，今后要从提高生产实践能力的角度，继续加强这方面的工作。要把河道整治工程根石探测技术、抢险堵漏技术、涵闸自动化控制、观测技术作为重点，在精度和时效性上争取有新的突破。

其次，要加强管理现代化建设，提高管理自动化、机械化水平。管理单位要积极配置一些现代化管理的硬件设施，同时更要注重应用软件的开发研制，充分利用计算机网络系统和办公自动化技术，大大提高管理工作水平。管理单位还要有超前的意识，在工程建设基本完成后，根据工程新的结构变化和管理的要求，积极发展与之相适应的管理维护新技术，提高管理的科学化水平。

再次，加强管理技术基础工作，进一步增加基础工作的科技含量。要组织专门的人员对一些管理方面的基本数据进行分析研究，并上升到理论高度，用于指导以后的工作。

五、加强各部门的协调合作，为工程管理工作创造良好的外部环境

黄委管理单位所从事的工作实际上是水利管理的范畴。这里的“水利”是广义的概念。也就是说，水利管理包括水管理、水工程管理、工程建设管理、防汛管理、水行政管理等多个方面。要树立大水利管理的观念，跳出单纯工程管理的小圈子，尤其要注意通过水工程管理达到水资源的优化管理配置。既然是广义的水利管理，就需要各个部门的协同配合，才能做好工作。计划部门要做好除险加固工程项目的计划安排；财务部门要做好资金调度和防汛岁修计划的安排；水政部门加大立法执法力度，加强依法管理；科技部门要进一步推动管理技术进步；人劳部门要加强管理队伍建设，努力提高管理队伍素质；新闻宣传部门要做好管理工作的宣传交流等。总之，各有关部门要围绕管理这个永恒的主体做好各项工作，为管理工作进步继续作出努力。

黄河防洪工程是公益性事业，管理部门应积极争取国家增加防汛岁修投入，根据目前物价水平，准确核算黄河防汛岁修基数，做好每年的岁修计划和预算，积极向国家申报。同时还要多渠道筹措资金，以保证管理工作的投入。

第一，要加强政策研究，加大有关政策的执行力度，向政策要效益。涉及全河的河道工程修建维护管理费、黄河水资源费等重要政策，各有关部门要加大工作力度，争取早日出台。

第二，管理定额的研究是今后工程管理工作的基础之一，它不仅是进行管理运行机制改革、实行物业化招投标管理的基本依据，还是进行工程管理经费预算、实行预算管理、确定国家投入的基本依据，一定要给予高度重视。

第三，要认真研究水利基金和特大防汛抗旱经费的使用规定和范围，对照自己的情况，及时提出使用计划。

第四,管理单位要充分利用自身水土资源和技术、人才、设备优势,因地制宜,盘活资产,以此为基础,带动其他综合经营项目的发展,开拓弥补管理经费的新渠道。

第十二章　工程管理专业研究

第一节　概　况

新中国成立以后，随着水利事业的蓬勃开展，工程管理也有了重大发展。20 世纪 50 年代初创建现代水利工程管理工作时，把主要管理内容归纳为“检查观测、维修养护、控制运用”三大项，从此，工程管理作为一项内容和地位明确的专业开始发挥显著作用，有力地促进了专业研究的发展。1981 年底，中国水利学会工程管理专业委员会的成立标志着工程管理专业的一个飞跃，大大加强了工程管理专业的学术研究活动。《水利工程管理技术》刊物的出版，更推动了研究活动的开展和成果的交流。1983 年 11 月成立的全国水利工程管理情报网拥有几百个基层和省厅管理部门等网员单位，增强了工程管理专业的信息交流和专题研究的活力。1992 年中国水利学会工程管理专业委员会改为水利管理专业委员会，标志着水利行业管理的加强，进一步拓宽了工程管理的专业领域，专业研究面临着更多新的任务。工程管理专业随着社会的进步在不断发展，专业研究作为专业发展的前导，发挥了巨大的作用。

黄河水利工程管理专业的研究工作除科研单位承担一部分外，大多数是在科研管理部门的协调下，管理单位在生产实践中完成的，专业研究内容具有极强的适用性，覆盖面较广。从专业研究发展总体情况看，20 世纪 50 年代和 60 年代在工程观测、维修加固、管理法规、调度运用等方面做了大量的工作，使各项管理工作的手段、设备、技术、规程标准很快得到改善和提高，但专业研究的整体水平还不高，领先的技术和突破性成果还不多。70 年代后期，尤其是科技管理部门正式成立以来，专业研究的深度和广度有了较大的发展，除了日常工作中的研究外，课题研究的数量大大增加，研究成果质量不断提高，专业研究的计划性有所加强。这些研究成果与生产实践紧密结合，推动着治黄工作的发展。

但是，由于工程管理专业研究尚缺乏长期发展规划，并且专业研究人员较少，还存在立项不系统、现代化技术水平不高等问题，不少迅速发展的管理技术有待于引进、研究和开发。黄河水利工程管理专业研究的任务还很重，还有许多工作需尽快完成。

第二节　研究工作的发展和技术水平

一、检查观测和安全监测

在黄河水利工程管理中，加强了工程的安全检查，使预防工作具有较高的水平。每年进行的汛前工程普查、汛期险工和控导护滩工程的定期巡查、洪水期间的巡堤查水和每年定期进行的河势查勘等，从组织、内容、程序、标准到资料整理，经过长期的总结、提高，都已产生较成熟的方法。在检查观测方面具有代表性的研究工作有以下几方面。

(一)隐患探测

物探技术广泛应用于堤坝隐患探测始于 20 世纪 70 年代末期。1978 年水利部在辽宁海城举办了“堤坝暗裂电测仪应用及电测资料整理分析学习班”后，黄河大堤应用电法探测隐患的生产性试验研究一直没有中断过，引进较多的是山东省水利科学研究所研制的 TZT 型堤坝隐患自动探测仪、黄委物探大队使用的 ZWD—2 型直流数字电测仪等仪器。在生产实践和试验研究中，电法探测在堤坝裂缝探测方面已取得较好的效果，但在洞穴等隐患探测方面还不够理想。

20 世纪 80 年代初,黄委科技办从美国引进地质剖面雷达试用于堤防隐患探测。90 年代以来,已将堤坝隐患探测技术的研究列入国家科技攻关课题,黄委物探大队应用电法、浅层地层反映波勘探技术、瞬态面波测试技术等进行裂缝、洞穴、软弱地段及老口门位置等隐患的探测研究,已取得了初步成果。黄河水利科学研究院采用微机选频仪、微机电测仪对涵洞、历史堵口的基础、堤防洞穴、疏松土层等隐患进行测试,也取得一定的经验。开展这些工作使黄委在隐患探测研究的广度上有了很大的发展,但与国内同专业的研究相比,还有一定的差距。在电法探测方面,探测数据与判断曲线的自动接口、数据的自动化处理已基本成功,部分单位从长期的探测实践中已积累了各种土质和地质条件下判断隐患的比照参数,使探测速度和精度大为提高。

(二)根石探摸

根石探摸是险工和控导护滩工程管理的一项基础工作,是研究水下根石变化规律、预防出险和探明河床土质、提高险工整治可靠性的重要手段。传统的根石探摸方法有:旱地锥探法,适用于老险工和脱河工程的基础检查;水下根石岸上摸水法,用摸水杆探查近距离的根石状况;水下根石船摸法,目测平距,在船上用摸水杆或铅铊测量水深。上述方法都存在精度低、不够安全的缺陷。

在探摸根石技术研究方面近年来做了大量的工作。1988 年济南河务局研制的压力平衡式根石探摸器,使用水压转换原理,在一定程度上解决了在岸上探摸时量距较近、深度不足等问题,安全度和精度有所提高。近几年黄委与有关单位合作,应用声纳技术研究高含沙、高流速下浑水测深仪器,并与探测机具配合测探根石状况;黄委设计院物探大队 1992 年利用电法勘探根石分布范围、定性研究其厚度,虽都取得了一定的成果,但研究成果在实际运用中效果并不明显。1997 年黄委引进美国 X－STAR 水下基础剖面仪用于根石探测。1997～1998年，在花园口河段进行了三次水下探测试验，探测结果与人工锥探结果基本相符。

（三）涵闸测流测沙

引黄涵闸的水沙测验具有较高的水平。水沙测验的研究主要反映在以下方面。一是水沙测验精度和水闸设计泄流曲线精度的比例，用以检查水沙测验水平并校正涵闸的设计泄流曲线。二是测试技术的研究。目前大多数涵闸都成功地研制改进了水沙自动化缆道测流装置，随着“数字黄河”的建设，许多涵闸只一个人在室内就可以完成全部测流测沙任务，达到了较高的自动化水平。三是引水引沙资料的分析研究，通过分析涵闸引水引沙占大河同期含沙量的比例，研究引黄水沙对大河水沙及河床冲淤变化的影响。

（四）工程安全监测研究

针对险工失事多是由于根石走失而引起滑塌的情况，1991年黄委主持开始研究“险工控导工程坝岸滑塌报警系统”，利用磁性材料，密封铰支撑悬摆机构和倾斜变化闭合导通信号原理制造出传感探头，终端监测仪安置在险工管理房内，当根石蛰陷探头倾斜时监测仪便立即报警。滑塌报警系统的研制对及时发现险情，预防工程失事有重要意义。其次，针对黄河大堤浸润线随水位变化的问题，在黄河大堤典型断面上安置了8组浸润线观测系统，观测与研究工作正在进行中。

二、维修养护

（一）锥探灌浆

锥探灌浆、消除堤防隐患是黄河下游工程维修养护的重要内容，其技术发展历来受到河务部门的重视。早在清代就有“签堤”措施。每年春初，用长约三尺、上端安有木柄的铁签“将大堤南北两坦逐细进行签试”，发现情况后“令兵夫刨挖录其根底”。这是历史上工程管理技术的一个创举。

1949年封丘段工人靳钊用钢丝钻探贯台险工坝基下河床土质，以解决跑坝问题。1950年经封丘段段长陈玉峰启发，靳钊将这一方法用于探查黄河大堤隐患，收到了明显效果，使这一技术很快在黄河下游推广开来。进而，又创造了锥孔灌沙消除隐患技术，从1957年开始改为压力灌浆消除隐患，使这一技术进一步得到发展。

1970年温陟黄沁河修防段组成打锥机革新小组，并成功研制出手推式电动打锥机、悬挂式梳齿拌浆机等，初步实现了打锥灌浆机械化。经过科技人员的不懈努力，20世纪70年代成为锥探灌浆迈向机械化的年代，有效地提高了锥探灌浆的质量和速度，消除了大量隐患。

20世纪80年代是锥探灌浆技术在黄河工程管理中提高、完善的时期。黄委工务处在武陟、山东河务局在济阳和鄄城等地，针对浆液配比、压力控制、灌浆程序不规范和有的堤段已灌2～3遍还继续存在吃浆量大等问题，进行了灌浆加固堤防的机理、浆液分布规律、泥浆固结过程及应力变化、终孔压力标准、灌浆施工程序等现场实验研究，并据以提出了黄河下游锥探灌浆的规程。灌浆机械研究也有了进展，济阳河务局研制的组合式灌浆机减小了体积、增强了机动性、方便了操作、提高了效率。这些成果分别获委、山东局科技进步成果奖，使锥探灌浆技术的研究从内容范围到技术水平都处在全国同行业的前列。

（二）獾、鼠等害堤动物防治的研究

20世纪50年代初，黄河下游管理部门就制定了捕捉獾、鼠的奖励规定，并不断研究捕捉方法。对判别獾、狐是否在洞内，以及大开膛法、截击法、烟薰法、压力灌浆（灌水）法、枪击法、毒炮法等捕捉，消灭獾、狐的措施都有了较成熟的经验，并不断有研究文章、报告、总结等刊出。1986年黄委工务处组织有关单位对獾狐害防治技术作了专题调研，对獾狐的活动特点、洞穴位置、分布及所处环境条件、处理獾狐洞存在的问题及今后的措施等作了较深入的调查,提出了《黄河下游堤防工程獾狐洞穴普查处理和捕捉害堤动物的暂行规定》,使防治獾狐工作有了统一的规范。

鼠类危害的系统研究是在1986年进行的。黄委工务处组织在兰考修防段堤防对堤坝上活动的鼠种分类、各鼠种的生活习性、洞穴分布规律和密度以及深度、对堤防削弱的程度及其他危害、灭鼠除洞的方法、对堤防工程设计考虑鼠洞影响的建议等进行了综合研究,首次系统地揭示了堤坝上鼠类活动的情况和危害,其成果获黄委科技进步奖。

(三)管理机械的研究革新

黄河下游防洪工程以土石材料为主,工程的维修养护需大量的体力劳动。另外,还存在远距离抛石等人工难以完全解决的问题。多年来,基层管理部门在管理机械器具的革新方面有不少成果。

堤防管理方面从20世纪50年代的马拉耙拖平堤顶,到研制改进堤顶刮平、压实机,堤顶除雪机,堤防洒水、喷药浇水、堤坡割草机械,结合淤区开发的简易活动泵站等,都取得了较好的效益,有的成果获黄委技术改进奖。

在险工管理方面,河南河务局研制的石料机械化装船法获黄委重大科技成果四等奖。随后,河南、山东两局研制出了捆枕架、抛石机、简易根石探测器等设备,大大减轻了体力劳动,提高了管理水平。另外,还研制出了混凝土四脚锥体防止根石走失技术。四脚锥体在任何情况下都能维持3个脚紧贴河床表面,其优点是稳定性好、抗冲刷、透水消能作用好。

(四)涵闸管理技术

涵闸管理方面成功地研制了测压管清污器。渗压观测是涵闸工程观测的必有项目,而测压管堵塞是渗压观测中常遇到的问题,张菜园闸管理段研制的测压管清污器,对清除测压管内的石子、泥砂、碎混凝土块、木棒和碎钢材等杂物效果良好，而且操作方便，效率高，已打入市场，在许多单位推广使用。此外，在刘庄、黑岗口闸研究引进的环氧砂浆粘贴橡皮止水处理涵洞接头沉陷缝的技术、闸门喷砂除锈以及喷锌、喷环氧涂料和涂刷氯代橡胶铝粉等钢闸门防腐技术的引进研究，都促进了涵闸工程管理技术水平的提高。

各涵闸管理单位普遍进行了闸门启闭高度指标的研究改造工作，目前除采用直尺滑标式高度指示器外，不少单位利用启闭机传动轴末级齿轮连接一变速装置，采用指针读盘法或光电转换数字显示法直接读取闸门启闭高度，使操作者在启闭机旁或集控室就能掌握涵闸启闭情况，保证了安全，提高了精度，减小了劳动强度。在涵闸管理方面，还针对黄河多泥沙的特点，研究了合理地控制运用程序以减少渠道淤积、闸前安装拦沙板等措施减少粗颗粒床沙的进渠量等拦沙减沙技术。林辛、黑岗口闸研究成功了涵闸的集中控制。林辛分洪闸应用计算机程序集中控制闸门运用在 1982 年汛期分洪时取得较好的效果。随着“数字黄河”的建设，涵闸必将率先实现现代化管理。

(五)工程老化标准的研究

研究水利工程老化的评价方法和标准及维修养护的配套规定，对于按老化、破坏、失修概念建立起工程折旧、大修等资金保证渠道，促进水利经营管理技术的进步和工程效益的发挥是非常必要的，是水利基础产业理论研究和固定资产管理中迫切需解决的问题之一。1991 年水利部水管司委托水利管理情报网联络中心组织水利工程老化研究，黄委及时由科教局立项组织力量开展工作，重点研究了水利工程老化的定义、评价标准、评价方法和手段，并对部分工程做了试评价，编写了《黄河下游河道堤防工程老化评价规程》，使这项基础理论的研究处在国内同行业先进水平。

三、工程加固

（一）放淤固堤

从20世纪50年代结合引黄泥沙处理淤填背河潭坑洼地、60年代进行有目的的放淤加固堤防试验、70年代以来大规模高速度的淤背固堤，到目前研究淤背建设超级堤防，形成相对地下河方案的可行性研究，以及围绕这项工作进行的远距离输沙、新型笼头、耐磨泵、管道沙量仪等研究成果都产生了较大的经济效益，不少成果获全国及部、省、委科技进步奖。

（二）堤防加固技术研究

自人民治黄以来，曾采用抽槽换土、黏土斜墙、混凝土灌注桩截渗墙等措施加固大堤，收到一定的效果。为探索堤防加固的新技术，1985年黄委工务处组织了“黄河下游堤防加固新措施”的研究，对板桩灌注墙、定喷墙、潜水组合电站灌注墙、沥青混凝土斜墙、水泥土斜墙、振冲法加固加密地基和强夯法加固加密地基等方法的机具、工艺、性能、适用条件、单价及黄河大堤加固的可行性提出了建议，一定程度上推动了黄河下游堤防加固的技术进步。

四、防洪抢险和埽工技术

（一）抢险技术和险情管理

抢险技术是工程管理专业的基础应用技术，在黄河上有着悠久的历史。1955年黄委吸取全国各地的成熟经验，总结提高黄河传统的抢险办法，编制了《黄河防汛抢险技术手册》，提出了堤防八大险情分类以及巡堤查水、险工摸水和坝埽护岸抢险方法，这是黄河抢险技术的第一次系统的研究、总结和提高。此后，各级河务部门针对各类险情做了大量的试验研究和实践总结，其中重点研究了堤防深水堵漏方法和进行堵漏演习试验。为了推广和改进抢险技术，1988年黄委组织有关人员以现代科学理论和工器具进步状况为基础，对抢险技术进行全面的研究总结，编写了《防汛抢险技术手册》，在内容的广度和技术水平的深度上都有了较大的提高，成果在国内部分省(区)推广使用，并获黄委科技进步奖，使抢险技术的研究发展到一个新阶段。

1985年黄委组织技术人员对黄河历史上遗留的工程险点的险要程度进行了分析，首次提出了委掌握的河道堤防工程险点的标准，并进行了规范化编号和管理，将有限的资金优先用于重要工程险点的消除上，在提高投资效益、增强加固效果方面起了积极作用。1988年通过总结基层修防单位汛期设立机动抢险队的经验，经报部批准，正式组建了“黄河下游机动抢险队”。这是对抢险组织管理的一项重大改革，使抢险管理在人员合理、设备完善、技术先进、机动性强等方面有了很大的提高。黄河下游的抢险技术和管理的研究、应用水平在国内处于领先地位。

(二)埽工技术

经过劳动人民长期的实践创造和发展起来的“黄河埽工”技术，凝结着中华民族治理黄河、研究治河技术的智慧结晶。汉代就有了用薪柴堵口的记载；到宋代埽工已有了较完整的做法，并在堵口与护岸方面发挥着主导作用。

人民治黄以来，随着管理技术的发展，“埽工”的含义在扩大，新材料、新结构的研究不断深入，应用范围不限于抢险堵口和护岸，还广泛用于修建和加固工程。20世纪50年代，黄河下游曾做了不少透水木桩坝，木桩上编织柳把以缓流落淤。其后，陆续试验过以混凝土为材料的“马杈坝”和灌注桩坝、以土工织物装土作材料的长管袋坝，以及网坝等，这些不同材料和结构的治河、缓流、导流工程为治黄技术的进步提供了很好的经验。

在护根方面，研究创新了粘结大块石、铅丝笼护根法、铅丝网片护根法、土工网罩护根法、扣砌法等，以及水冲造槽铅丝笼沉排的深基础护根施工技术。目前，黄河下游坝岸材料、结构、施工技术的研究方兴未艾，且已取得较大的成果。

五、生物防护技术研究

在水利工程管理专业，尤其在河道管理技术中，生物防护是工程整体中不可少的组成部分。历史上虽然未曾明确提出生物防护的概念，但对生物防护措施也是相当重视的。宋代为巩固堤防，有植树及保护“河上榆柳”的文字规定；明代刘天和总结堤岸植树经验提出的“卧柳、低柳、编柳、深柳、漫柳、高柳”的植柳六法，把堤防防护林种植技术提高了一步。

人民治黄以来，生物防护技术除堤防和坝前柳树防浪外，堤坡植草和生物堵串技术也不断发展。在植树方面，除树的品种、株行距的研究外，系统地提出了“临河防浪、背河取材、速生根浅、乔灌结合”的总体布局原则。20 世纪 80 年代初，开封县修防段王朝珍推广的泡桐带根埋干育苗法和大官杨改造技术，获科技成果推广奖。1987 年在对堤身树株根系解剖研究成果的基础上，提出了堤身不植树的改革方案，这是治黄史上工程管理专业研究的一项重大成果，使生物防护技术更加科学合理。1997 年，经过技术人员分析计算，提出了黄河下游高村以上临河植柳 50m 宽、高村以下临河植柳 30m 宽生物防浪林的建议，并在全河实施，取得了明显的社会效益和经济效益。

植葛芭草护堤始于 20 世纪 50 年代第一次大复堤时期。80 年代以来，台前修防段进行了葛芭草更新复壮的研究，中牟修防段引进龙须草探索植草防护的新出路。黄委、河南河务局在部水管司的支持下，开展了“龙须草生物防护作用”的课题研究，取得一定的成果。在防冲方面还试种了部分葛芭草排水沟，并与其他排水沟做了投资、维护和排水效果的对比试验，对拓宽生物防护技术的应用进行了有益的尝试。此外，其他一些县局还分别引进了铁板牙、羊胡草进行试种，均取得了一定效果。

六、规章建设

管理法规、规程、标准和办法是管理专业的软件,其科学、准确、及时和可操作性是管理专业研究的重要方面,反映着工程管理水平提高的程度。1949 年冀鲁豫行政公署颁发了《保护黄河大堤公约》,这是人民治黄以来制定的第一个具有法律性质的黄河工程管理的法规。新中国成立以来,法制和行业标准的研究、建设大致分为三个阶段。新中国成立初期至 60 年代,针对管理法规和标准缺乏的状况,管理部门投入相当大的力量开展调研、总结,颁发了一系列的规定和标准,使工程管理很快就有法可依。“文化大革命”后期至 1988 年《中华人民共和国水法》(以下简称《水法》)颁布期间,随着“拨乱返正”工作的进行,工作的重点放在规章的修订完善上,80 年代初为规章建设、恢复和提高的高潮时期。1988 年《水法》颁布以后,水和水利管理有了基本法律,法规修订和配套法规的建设工作作为工程管理的重点之一,迅速展开。各级管理部门都投入一定力量从事该工作的研究、调查、研讨,水政机构的成立更加强和促进了这一工作的进展。这一时期的成果主要反映在以下几个方面:一是以《水法》为依据修订原有法规,如河南、山东两省河务局通过省政府颁发了《黄河工程管理条例》等;二是法规建设向流域性管理发展,如黄委颁发的《黄河流域河道管理范围内建设项目管理实施办法》,以及穿堤管线、浮桥、渡口管理办法等都体现了这个特点;三是行业有偿服务和经营管理的办法不断出台,创造了一定的经济效益,如水费、采砂管理费、堤顶行车补偿费等;四是部门操作和管理规程的完善有了很大进展,水平有较大的提高,黄委颁发的《黄河下游工程管理考核标准》、《工程管理正规化、规范化暂行办法》及《关于工程设计、施工为管理创造条件的实施规定》,以及各级河务部门制定的配套办法等,对促使黄河工程管理处于全国先进水平起到很大的保障作用。

七、非工程防洪措施的研究

(一)蓄滞洪区安全建设

20世纪70年代开始滩区安全建设以来,黄委有关部门陆续研究了蓄滞洪区安全建设的标准、调度运用和迁安救护方案等。1989年黄委工务处与水利水电科学研究院水力学所合作,进行了《黄河北金堤滞洪区洪水演进及洪水风险分析》的研究,运用二维洪水演进数学模型对滞洪区洪水演进过程进行了模拟,对主流区位置、水传播时间等重要内容提出了改正意见。1991年山东河务局与水科院合作,对东平湖水库作了同样的数学模拟,并进行了东平湖防洪避难系统的研究。这些研究成果均获黄委科技进步奖,对提高蓄滞洪区安全建设规划和调度运用的水平起了较大的作用。1992年批准立项的国家“八五”科技攻关项目《黄河下游滩区及分滞洪区风险分析和减灾研究》,运用二维浑水数学模型进行洪水演进计算并提高运算速度和精度,研究东平湖与孙口—艾山河段河道洪水联合演进的方案,并重点研究河道内滩区洪水演进的内容。这些研究工作为黄河下游滩区滞洪区安全建设、防洪减灾提供了科学的依据,使黄河洪水演进和风险分析、减灾措施的研究处于国内领先水平。

(二)防洪决策支持系统的研究

近几年,黄委投入相当大的技术力量和资金开展了“黄河防洪决策支持系统”的研究和开发,系统将在雨、水、工情信息收集处理系统、防洪工程数据库和地理社会经济信息库等外围系统的支持下,通过快速灵活的信息检索与显示、暴雨和洪水预报、防洪调度方案的设计评价和优选、工程险情分析、灾情分析和减灾方案设计、防汛组织管理分析等功能,并与各级防汛指挥部门的专家相结合,实现现代化决策技术在黄河防洪决策中的应用,提高各层次、多目标的防洪决策的精度,缩短预见期,从而达到防洪减灾的目的。这项工作在黄委领导的重视和技术人员的努力下正以较快的进度开展，研究开发目标和成果在国内处于较高的水平。

八、三门峡水利枢纽工程管理专业研究

三门峡水利枢纽管理局成立以前，黄委有关部门对枢纽的管理和调度运用做了大量的工作。根据三门峡水库承担的任务和运用后库区出现严重淤积等问题，研究并成功地实施了从蓄水拦沙、滞洪排沙到蓄清排浑的调度运用方案，为长期发挥三门峡水库的作用奠定了基础。对三门峡水库防凌、春灌、防洪度汛和发电等年度调度运用方案进行了多年的总结，已提出较成熟的调度方案和程序。

三门峡水利枢纽管理局成立以后，进一步加强了对枢纽的工程管理工作。由于三门峡枢纽工程改建长期不断，运用和改建同时进行，工程管理的难度大。三门峡枢纽局从实际出发，抓准存在的主要问题，开展了一系列专业研究工作。建立了从检查观测到工程维修的一系列制度，扭转"重建轻管"的局面，加强工程观测和资料整编，使工程运行状况和工程面貌、管理秩序等发生了巨大的变化。1989 年开始的汛期浑水发电科学试验提高了经营管理效益，对机组磨损、气蚀和水草处理等工程运用问题有了新认识。泄流孔全部闸门关闭的方案及演习实施，使闸门关闭时间从 13 小时缩短为 8 小时，大大提高了工程调度运用的主动权。

1990 年三门峡水利枢纽管理局提出了工程管理发展规划，全面研究了管理工作的现状、问题、对策及发展，从大坝安全监测、廊道综合治理、坝面和尾水区改造、水工建筑物检查维修、机电设备管理、大坝管理自动化、防汛运用及水文泥沙观测等方面确定了发展目标和具体内容，这对三门峡水利枢纽工程管理的现代化将起到划时代的作用。同期制定的"技术改造规划"中确定的由水电厂、工程管理、防汛水情测报、工业电视监视和办公系统自动化五

个子系统组成的综合自动化体系，以及浑水发电科学试验、坝前尾水区泥沙淤积形态研究、左岸坝肩山体稳定度分析、双层泄流孔过流工况研究、溢流坝运行工况下静动力分析、泄流设施优化组合对过机含沙量的影响、泄流孔和机组含沙量与流量测定科研攻关课题的实施，将大大推进枢纽局工程管理科学研究的水平。

第三节　黄河水利工程管理专业研究展望

在现代科学技术迅猛发展的今天，管理行业越来越受到重视，管理理论和技术的研究一直在高速发展，管理手段不断更新换代，高新科学技术在管理领域得到广泛应用，向管理要效益已成为现代经济发展的方向之一。黄河水利工程管理专业研究也必将进一步得到各级主管部门的重视，从黄河防洪兴利的需要和黄河水利工程所处的位置出发，紧密结合国内外同行业的发展趋势，加强科研投入，使研究工作有较快的发展。

一、加强产业理论和水利工程经营管理理论与实践的研究

长期以来，水利的行业地位不稳定、不合理。水利工程的防洪除涝、灌溉供水和水电等功能的建设与管理被分割，水利产业的投入、产出脱节。在我国水资源十分紧缺的状况下，随着社会经济的不断发展，水利建设在国民经济发展和人民生活水平提高中的作用已越来越得到重视。水利管理要从战略高度来认识水利的地位和作用，把水利作为国民经济的基础设施和基础产业加以研究和体现。这无疑是我国水利发展的必由之路，也同时给水利工程管理提出了新的研究课题。建成并投入运用的水利工程是水利基础设施和基础产业的主体，是水利固定资产的主要组成部分。水利工程基础设施和基础产业的属性与特点、水利工程作为固定资产

管理的模式和运行机制、水利发展良性循环的外部环境和配套的法规政策是水利工程经营管理理论研究的重要内容。

黄河水利工程的防洪地位十分突出,黄河下游的供水效益亦十分显著。确立黄河水利工程在国民经济发展中的地位以及水利固定资产管理的模式,充分利用水土资源开展有偿服务,是当前水利经营管理研究的重点。首先,要把基础设施和基础产业分类,研究其投资分摊的办法并分别建立固定资产,基础设施部分以国家投入和有偿服务的事业收费为主体,基础产业则以市场调节的经营收入为主体。其次,要加快水价的改革,争取尽快实现水的商品化,按价值规律确定黄河渠首工程供水价格。同时,还要抓紧对河道工程修建、维护管理费的研究,争取在不长的时间内出台试行。这样,黄河水利工程作为基础设施和基础产业两大类,分别建立起各自的经营管理体系,使目前黄河工程建设和维护资金短缺、工程失修、效益下降的局面逐步得到改善。

二、建立工程安全监测系统

1987 年第 42 届联合国大会确定 20 世纪的最后十年为"国际减轻自然灾害十年"。1990 年初,我国有关部门研究认为,为了使减灾工作取得更大的成效,有必要建立部门性的、地区性的乃至全国性的监测、信息、示警系统。黄河下游的防洪工程历来贯彻"防重于抢"的管理方针,建立防洪工程安全监测和示警系统是十分必要的。系统应包括堤坝隐患和穿堤工程土石结合部状况的探测、涵闸安全监测以及险工坝岸和堤防安全的监测体系。在隐患探测技术方面,全国的目标是对重要的隐患险段定期进行监测,并建立隐患微机诊断专家系统;同时,还应进行探测特殊隐患(如堤坝较深部位的洞穴、深层集中渗漏通道)等新技术、新方法的试验研究,在特殊隐患的探测技术上有所突破。毫无疑问,黄河堤坝工程的隐患探测亦应以此为目标,以电法为主,解决测、读数据接口和微机数据处理技术和设备，提高布极速度，并通过一定的工作量积累起适合黄河大堤土质和基础构造的介质判读比照参数。引进适合黄河堤坝使用的仪器，在河南、山东两省河务局建立起几个隐患探测小组，进行技术培训，使之兼顾全堤线普查的速度和重点检查的精度，并制定隐患普查的规定，实行规范化作业并积累起系统的资料。

工程安全的监测技术近年来国内外进行了广泛的研究，已有了较成熟的经验。由现场传感器，通过计算机远程控制的自动化监控管理系统在一些大坝已经实施，比如美国路易斯所管辖的密西西比河大堤已设置远程自动化监控系统。黄河下游防洪工程安全监测的重点对象是重要险工的靠水主坝和重点堤段；主要目标是险工坝岸根石蛰动和整体失稳、堤防渗透稳定和穿堤工程土石结合部的渗流监测；主要功能应包括日常状态监控、异常状态报警和数据自动化整编。近期应加强坝岸根石蛰动监测现场传感器的研究，并引进有关仪器进行生产性试验工作，争取实现主要工程的安全监测。

工程安全监测系统建成后将与黄委已开展的雨、水情自动化遥测、通讯网建设等非工程措施共同组成黄河防洪的预报系统，这将大大提高战胜洪水的主动权。

三、建立起工程管理信息网系统

现代化的管理是以信息为中心的，而目前信息采集及其传播系统，以及使用信息来强化管理的观念在我国还十分薄弱。黄河工程管理也是如此，许多上下级的情况和各地的先进经验传播较慢，不能及时产生效益。在计算机技术及其联网运用已十分成熟的今天，黄委作为一个大的流域机构，应从工程管理这一直接服务、体现减灾兴利的专业入手，尽快建立起横向和纵向的信息网络，把各级、各部门分散的系统变成相互内聚的一体化系统，实现各类信息由目前的定期和不定期提供变为实时检索，在信息的收集、传输、加工、保存、维护和使用方面，以及系统的可扩充性、可压缩性、可替代性、可传输性、可扩散性和可分享性方面都达到较高的水平。要尽快研究委—局或委—局—市局的信息联网，彻底改变各级的信息不能共享、先进经验不能及时传播的状况，使管理现代化水平有较大的提高。

四、以现代化手段实现工程的优化调度

在工程调度运用方面还有很多课题需要研究。首先，目前黄河下游防洪、防凌、春灌、发电等主要调度目标要逐步研究按最大效益目标为主的调度运用。同时，调度目标还要考虑为减少滩地淹没，为度汛工程施工创造条件，创造临时淤滩淤串和背河放淤改土的水沙条件，提高春灌以外时期供水的质量等。要按最大效益目标原则研究三门峡水库、小浪底水库、下游河道工程和涵闸工程等的综合调度运用方案。黄委作为流域机构，还要研究流域上、中、下游水资源的综合调度利用，逐步提高按水系实时调度的水平，充分研究各阶梯水工程的联合调度，使水资源和水工程发挥综合的、连续的效益。

五、加强抢险技术和工程维护技术的研究

在相当长的一个时期内，抢险技术和工程维修加固技术的研究将是黄河工程管理技术研究的重要内容。抢险技术研究的关键点是查找漏洞的方法和深水堵漏技术、堵漏机械器具和新材料，以提高准确性和速度。膨胀材料、速凝材料和土工织物将在堵漏技术中发挥作用。快速抢修月堤的拼装模具和土料运载填充机械将得到使用。在险工坝岸抢险技术中大体积防护材料和抛石机械将取代目前的人工抛散石的方法，适应黄河冲刷变形的坝岸结构和材料将逐渐替代目前险工的坝型。堤坡防冲技术和生物防护措施

的研究试验成果将在近几年得到推广应用，从而大大减少水沟浪窝的土方流失量。小浪底水库建成运用后，堤顶路面拟采用不同材料，因地制宜地研究硬化措施，提高通车质量，减少工程维修投资。将进一步加强灭除害堤动物和洞穴处理的研究，试验长效、高效的药物、器械，有效地减少隐患再生率。管理维修技术的进步将有效地加强工程强度，提高抗洪能力。随着国民经济的发展和管理技术的进步，黄河水利工程管理将代表我国江河管理的水平，实现水利部"黄河的工程管理要走在全国前列"的要求。

第十三章　生物工程防护

第一节　基本概况

一、堤防工程地质概况

堤防工程地质情况决定着生物防护措施的整体防护效果。

黄河南岸邙山至东坝头堤段的堤身填以沙壤土，堤基多为粉土、细沙壤土，有的堤段夹有薄层黏土、沙壤土。济南市宋庄至王旺庄堤身多为壤土，堤基为壤土、沙壤土；王旺庄至垦利堤段的堤身多为沙壤土、粉土，堤基多为沙壤土、薄层壤土、盐渍土。北岸中曹坡至北坝头堤段的堤身多为沙壤土，堤基为沙壤土与中厚层壤土。北坝头至张庄堤段的堤身为沙壤土、壤土各半，堤基夹有薄层黏土与壤土互层。陶城铺至鹊山堤段的堤身为壤土及少量盐渍土，堤基为沙壤土、壤土互层。北镇到四段堤段的堤身为壤土及盐渍土，堤基为沙壤土夹薄层黏土、盐渍土的透镜体互层，在靠近地面黏性土常有裂缝。

二、自然灾害概况

黄河流域处于干旱半干旱地区，自然灾害严重影响着生物的生存。

黄河下游河南、山东两省已发生过的自然灾害有暴雨、洪水、涝渍、泥石流、滑坡、崩塌、河道淤塞、堤防溃决、河道变迁、寒潮、暴风雪、龙卷风、冰雹、冰凌、冻融、干热风、干旱、土地沙漠化、土地盐碱化、蝗虫、农林病虫害等三十余种，其中对河道工程植树种草有直接影响的灾害主要是龙卷风、冰凌、干旱、土地盐碱化、农林病虫害五种。龙卷风摧枝拔林,冰凌冲折临河树株,干旱使树木草皮生长缓慢,土地盐碱化使树木不能生存,农林病虫害使树木病死。这些自然灾害虽然对植林绿化有影响,但出现频率较低。

三、植树概况

(一)堤防植树起源

黄河堤防植树有悠久的历史。北宋开宝五年(公元 972 年)宋太祖下诏:“缘黄、汴、清、御等河州县,除准旧制种艺桑枣外,委长吏课民别树榆柳及土地所宜之木”(《宋史·河渠志》)。咸平三年(公元 1000 年),宋真宗又“申严盗伐河上榆柳之禁”。《宋史·王嗣宗传》载称:王嗣宗“以秘书丞通判澶州,并河东西,植树柳”以外,还因地制宜在堤前“密栽芦苇和茭草”,防浪护坡(《问水集·植柳六法》)。至清代已明确规定“堤内外十丈”,都属于官地,培柳成林,既可护堤,还可就地取材,提供修防料物。

(二)植树发展

1947 年黄河归故后,解放区人民在党和政府的领导下,在沿河两岸开展植树造林活动。1948 年渤海行署和山东河务局联合发布训令:“为保护堤身,巩固堤根,应于内外堤脚二丈以内广植树木,禁止耕种稼禾,以期保证大堤稳固。”1949 年公布《渤海区黄河大堤植树暂行办法》中规定:“植树种类以柳为标准,植树范围:无论平工险工,一律在大堤堤脚下二丈以内。”

新中国成立后,总结历史经验,提出“临河防浪,背河取材”的植树原则,将植树种草绿化堤防列入工程计划,每年春、冬两季开展植树活动。1958 年根据“临河防浪,背河取材”的原则,对绿化堤防、河产实行统一规划,规定凡设防的堤线,堤身一律暂不植树,除堤顶心酌留 4～5m 交通道外,普遍植草。后来受“大跃进”影响,沿堤盲目种植果树,植树造林大搞群众运动,树株成活率低;在三年自然灾害时期,树木遭到严重破坏;“文化大革命”期间,部分堤段树木再次被滥砍乱伐,盗窃树木案件也很严重。

1965年规定:临黄堤及北金堤在临河堤坡栽植白蜡条、紫穗槐、杞柳等灌木。险工的坝基、后戗、南北金堤的背河堤坡等地,可以根据具体条件栽植一部分苹果树。所有堤线的背河坡,除上述植苹果的堤段外,可植榆、杨、椿等一般树株或其他经济林木,如桃、杏等。在临河柳阴地内,从距外沿1m开始,栽植丛柳、低柳各一行,高柳两行。

在水利电力部的倡导下,1970年3月,山东河务局在鄄城县召开了山东黄河绿化工作会议,会议决定:“黄河大堤(包括南北金堤、大清河堤、东平湖堤、河口防洪堤)临背河柳阴地、临背堤肩、背河堤坡和临河防洪水位以上堤坡种植乔木;临河柳阴地和临河防洪水位以上堤坡也可乔灌结合,适当种植条料;临河堤坡(包括戗坡)全部种植葛芭草(或铁板牙草),废堤废坝、空闲地带除留作育苗的部分外,其他一律植树。”

1976年黄委在《关于临黄堤绿化的意见》中提出:为了便于防汛抢险,避免洪水期间倒树出险和腐根造成隐患,临河堤坡一律不植树,均种葛芭草护堤,临背河堤坡原有乔灌木,应结合复堤逐步清除。临河柳阴地可植丛柳,缓溜护堤,使其成为内高外低的三级防浪林。背河柳阴地以发展速生用树林为主,堤肩可植行道林,选植根少而浅的杨树、苦楝、泡桐等。

1979~1985年,堤防植树均按照“临河堤坡设防水位以下不植树;背河堤坡已经淤背的全部可以植树,没有淤背的在计划淤背的高程以上可以植树;临河柳阴地植一行丛柳,其余为高柳,背河柳阴地因地制宜,种植经济用材林;临背堤肩以下半米各植两行行道林,但不准侵占堤顶,堤顶两旁(除行车道外)及临背堤坡种植葛芭草,逐步清除杂草;淤背区主要发展用材林和苗圃”。对济南市郊区(北店子至公路大桥)铁路、公路大桥、主要涵闸及城镇附近重点堤段，要求高标准绿化，已经做出了成效。但随着大堤的加高，植林成活率低，浇水次数多，效益差，多年平均国家投入与收入基本相当。1972～1985年，河南、山东两省河务局绿化投资约1 100万元(不包括基建投资)，收入为769万元，收入占支出的70%(不包括群众分成部分)。更重要的是堤身植树对堤身有破坏作用，也不利防汛查水抢险。经多次开挖发现，基本上是树有多高，根有多深，有的根从背河扎到临河。经过多方征求意见并慎重研究，下决心改堤身植树为植草，堤坡、堤肩草皮化。1987年颁发的《黄河下游工程管理考核标准》第五条规定：堤防绿化，临黄堤身上，除每侧堤肩各保留一排行道林外，临、背坡上一律不种树。临河坡现有树株，1988年底前全部清除，背河坡现有树株，1990年底以前全部清除。堤肩和堤坡全部植草防护，草皮覆盖率不低于98%。临河柳阴地植低、中、高三级柳林防浪。背河柳阴地植柳树或其他乔木。淤背区有计划地种植片林或发展其他树种，开发利用率达到90%以上。平均每公顷宜树面积的树株存活数不应少于1 500棵。

新中国成立以来，在沿河各级政府的领导和支持下，黄河下游两岸堤防统一规划，逐年进行植树造林和采伐更新，不仅绿化了堤防，营造了黄河防护林带，改善自然环境，而且为治黄工程和防汛抢险提供了大量木材和梢料。

(三)植树管理

为了改变“年年植树不见树，岁岁造林不见林”的局面，各单位对植树绿化工作也进行了改革，试行了多种形式的承包。中牟县局实行“三定三包”(定树种、定株数、定规格，包栽、包浇、包管)，先预付20%～30%的工资，次年三月份验收结账，按成活棵数计资，一次结清。规定成活率达90%以上者，发全工资；达不到90%者，按成活比例扣一定工资。泌阳县局的承包责任制采取三种方式：一是对外承包，签订合同，秋后验收结账。成活率达90%的，按实植数目付款;少于 90%的,少一棵扣一棵树的成本钱。二是县局买苗栽植,由护堤员承包管理,秋后验收,按合同结账。三是县局植县局管,由护堤员负责浇水。济阳县局“河产收益分成办法”规定:承包时由河务段、村委会、承包户三方对河产(主要是树株)进行评议划价,记录存档,收入后原价折款仍按原分成办法,即国五、队五。承包后增值部分,国家分成 50%的比例不变,剩余 50%承包户和村委会分成,分成比例双方协商决定,原则上由国家占大头,承包户占中头,村委会占小头。承包者在承包的工程范围内种植作物,要服从业务部门的统一规划。树株胸径达到 15cm 时即可列入更新计划,逐年更新,但必须报经县局批准,收入由河务段结算,按合同规定分成兑现。

四、草皮概况

草皮是黄河防洪工程(堤、坝、涵闸)的生物防护措施之一,它具有护坡防冲、保持水土、绿化美化工程的功能,对维护工程完整、保持其应有的抗冲强度、改善生态环境等方面起着重要作用。新中国成立前,黄河堤防杂草丛生,护堤作用差,易出水沟浪窝和隐患。1950 年河南第一次黄河大复堤时,濮阳县修防段开始种植葛芭草。先在桑庄试种,植草十余里。葛芭草根浅枝蔓,节生根,叶旺盛,就地爬,棵不高,每平方米四丛,可以覆盖严实,护堤很好,群众说:“堤上种了葛芭草,不怕雨冲浪来扫。”濮阳县修防段的植草经验在全河普遍推广,对保护大堤起到了很好的作用。1979 年 6 月 18 日,沁阳县降雨 45mm,据查全堤线出现水沟浪窝 183 条,填垫用土 142m^3,投工 316 个。而沁阳南关堤段长 21km,由于草皮覆盖好,堤身没有冲出水沟。但葛芭草属暖地性草种,喜光照,在背荫坡面处繁殖能力较差,对杂草、害草的拒斥力较弱。多年来,山东黄河防洪工程以种植葛芭草为主,由于管理粗放,不能适时进行更新复壮，草皮退化、老化日趋严重，覆盖率逐年下降。从葛芭草的生长情况看，一般朝阳堤坡生长较好，背阳堤坡生长较差；涵闸、虹吸工程周围及险工覆盖率较高；控导工程覆盖率较低。当前，一部分草皮长势不旺，有的已枯死，且由于高秆杂草丛生，生物防护作用减小，排水又不完善，所以每年雨季降水出现水沟浪窝较多，工程遭到严重毁坏。据统计，山东黄河各类防洪工程每年土方流失一般为20万～30万 m^3，降雨集中的1990年和1991年均达到50万 m^3，严重影响工程的完整和抗洪能力。如1990年7月6日至10日，济南地区降雨超过100mm，天桥区北岸大堤，从桩号133+920～134+440，长520m，共流失土方560 m^3。其中临河堤坡葛芭草覆盖率80%左右，出现水沟浪窝18条，流失土方仅58 m^3，占本段堤防流失土方总量的10%，而背河堤坡1990年春整修后没能及时植草，自生的杂草覆盖率约30%，出现水沟浪窝144条，土方流失502 m^3，占流失土方总量的90%。

为了改变草皮草种单一的状况，充分发挥生物防护工程的作用，达到经济、高效的目的，近几年，部分县河务局除加强葛芭草的复壮管理外，引进、选育了龙须草、铁板牙草、鲁牧草、本特尔草、地毯草等优良草种，在部分堤段试种成功。

五、存在的问题

(1)植树绿化总体规划设计方面考虑欠妥，致使部分堤段因未考虑近期大堤加培、修补前后戗、机淤固堤等基建工程和其他因素的影响，造成部分树株提前更新或清除，浪费了人力、物力、财力，也干扰了植树绿化工作的正常开展。

(2)部分单位只顾追求年度植树数量，而忽视种植质量和黄河工程宜林地特殊地理环境的影响，大量的管理工作跟不上，造成树株特别是幼树死亡或生长不良，成活率没有保障。

(3)防护林日常管理缺乏必要经费。目前上级主管部门下拨到基层管理单位的植树绿化投资大多是一次性的,且有数量指标要求,日后管理费缺乏,形成“重植轻管”的现象。树株浇水费用大多只够当年新植树的费用,往年的老树、幼树因缺乏投资而不能及时浇水,只有靠天恩赐,而施肥、防病除虫费用更是缺乏,以致严重影响了树木的生长和存活率。

(4)树木专管人员缺乏。究其原因主要有两个方面:一是由于治黄专业人员数量不足,还要肩负着日常的防汛、基建、岁修、管理等任务,用于树木管理的投工投劳有限;二是群众护堤队伍不够稳定。目前情况是树木的日常管理任务大部分要由护堤员来承担,且护堤员年人均收入较社会上同等劳力收入水平低,且树木更新按国五、队五分成比例中护堤员应得部分不能及时全部兑现,护堤员缺乏责任感,加之部分护堤员年龄偏大,工作中力不从心,影响了对树木的日常管理。

(5)树木缺乏科学管理。表现在对林木病虫害束手无策,不能很好地加以控制,任其蔓延。同时,树木修剪不讲科学,盲目砍伐。更有甚者,为获取林木枝条而掠夺性修剪。这样既不利于树木的正常生长,又减少了防汛用料的来源。另外,由于部分宜林地土壤肥力差,粉沙质土比例大,造成树木生长不良,成为老小树,影响其效益的发挥。

(6)沿黄部分群众法律意识淡薄,维护林木的自觉性差,损坏、盗窃、盗伐树木的现象时有发生且屡禁不止。另外,对特殊堤段如村台附近、道口周围的树株缺乏行之有效的管理措施,牛羊啃食、人为破坏现象严重。对部分单位当年植树存活率的调查表明,最高年份为85%,最低年份仅为40%,一般年份为60%左右。个别堤段甚至出现“年年植树不见树”的局面。

(7)其他因素。如自然灾害的影响,对树木生长也构成了一定的威胁和破坏。

第二节　生物措施防洪评价

一、堤身植树的防洪评价

黄河堤身植树由来已久，树种主要以柳树为主，还有橡柳、榆树、杨树、桐树、柏树等。堤身植树的利弊几十年来一直是一个有争论的问题。一种意见认为，堤身植树是防洪生物工程措施之一，对防风固沙、防冲固堤、缓溜落淤、维护工程完整、提供抢险料物、改善与调节区域气候、保证黄河防洪安全作用重大；同时，堤身植树可取得经济收入，对稳定护堤队伍非常有益。另一种意见认为，堤身植树投资大，经济效益差；堤身植树影响防汛查水抢险，若遇大风雨树身摇动，会对堤身造成破坏，特别是树根腐烂，削弱堤身强度。为了对堤身树株种植产生的防洪和经济效益作出科学的评价，必须对堤身树木的生长规律和危害进行实事求是的分析研究。

(一)堤身树根的生长规律

据黄河1965～1986年前后解剖柳树、橡柳、榆树等实例，树龄在17～31年不等，在黄河大堤堤身上的树根有如下特点：

(1)树根为了吸取水分，向含水量大的方向发展。如31年生柳树种在临河堤坡，该树多数根扎向临河险工下面，甚至扎深到枯水位以下。18.5年生橡柳也种在临河堤坡，但因临河为高滩，背河为潭坑，所以该树树根横穿大堤，扎向背河。20年生榆树所在堤段多年未靠水，主根为吸取雨水顺堤坡向堤顶生长。

(2)土质越松软，树根长得越粗、越长。在沙壤土中，树根生长顺利；遇有淤块或坚硬的土层，树根就萎缩或分杈后改变方向，向松软土内生长。

(3)复一次堤树生一层根。如17年生柳树根分两层，31年生柳树根分三层，27年生榆树根分两层。层与层之间基本是相差

1m。这是由于新段堤土层含水量大,树为了吸取水分而形成的。

(4)树根长期吸收不到水分就萎缩、干枯、腐朽。如17年生柳树,由于上层树根吸收不到水分,根系已腐朽。

(二)堤身植树危害分析

(1)削弱堤身抗洪能力。从黄河大堤解剖的树株看,7年生树株根在地表以下一般埋深2~3m,最深的可达6m以下,最长的根曲线长17m,水平长13m。直径在1cm以上的最多的可达75条,树根扩散范围最大的为124m^2。如按树株间距3~4m,树根在堤身内一定部位将相互交错。由于树根在堤内埋藏深、数量多、扩展范围大,树株更新时不可能全部挖除。每次复堤都要在堤身内留下大量的树根,并且会使后种植的树根和以前留在堤内的树根串在一起,经过几次复堤,这些树根大都在洪水位以下。这将削弱大堤的抗洪能力。

树根腐烂后产生的孔洞在大堤挡水时,水很快渗入堤身使浸润线位置抬高。水进入孔洞后,由于水的浸泡,孔洞附近的土粒松散,产生不均匀破坏,造成堤身内部裂缝出现。如裂缝进一步向背水坡发展,水就有可能由背水坡流出,水在裂缝、孔洞内流动阻力小、流速大,易于将土体内的土粒带走,最后形成横贯堤身的通道而将堤身冲毁。

由于树根孔洞破坏了原来堤内土的结构,无论孔洞在临河坡或背河坡内,由于孔洞较多,经渗水浸泡,土体的容重增加、摩擦力减小、抗剪强度降低,因土体失去稳定而发生滑坡,造成大的险情。

(2)树根破坏涵闸、虹吸管黏土防渗层和止水设置,威胁工程安全。

树株种在涵闸和虹吸管附近,大量的树根可穿透涵闸和虹吸管的止水设置,造成水流通路。从1986年8月20日济阳大柳树店虹吸开挖的实际情况看,在粉沙土层内,8年生的杨树根可扎至5m深的虹吸管底部。

(3)堤身植树影响堤坡草皮生长,降低堤坡防冲能力。由于树枝、树叶遮挡阳光,树根吸取大量的水分和养料,抑制草皮的生长,往往造成树下或附近成片的草皮长势不好甚至不长草,使草皮护坡防风浪和雨水冲刷的能力大大降低。

(4)堤身植树可引起大的水沟浪窝。1983 年中牟黄河修防段由于暴雨袭击,30km 多的黄河大堤遭到严重冲刷,出现水沟浪窝 873 个,冲走土方 22 426m^3。中牟黄河修防段在总结堤坝工程遭受暴雨破坏的经验教训时认为,除了筑堤土质、施工质量差等因素外,也有因植树不当造成对大堤的破坏的因素。如在 56 + 700 处大水沟里有一个柳树根,直径 22mm,长 23.6m,这个柳根从背河堤肩直伸到临河前戗堤下,水沟基本上沿着树根走向。

据沁河 69 + 500 处榆树解剖知,一条树根将大堤从坡面到树根底下胀裂一条宽 3cm、深 80cm、长 2m 的裂缝,如遇暴雨一定会被冲刷成大的水沟。由此可见,堤身植树,影响堤身坚固,不利防洪安全。

(5)堤身植树不利抢险堵漏。洪水漫滩后,工程防护的重点是坚守大堤,防止堤防决口造成重大灾害。目前普遍采用的查找漏洞和抢堵漏洞的方法都不允许堤身有树株,否则探洞杆因障碍物多,移动不便,抛袋堵漏、软帘覆盖等方法无法达到严密堵覆闭气的效果。

二、大堤防浪林的评价

黄河洪水漫滩后,风浪对大堤的冲击和冲刷是很严重的,特别是易形成顺堤行洪的堤段,堤身的安全受到严重威胁。目前一般采用修筑防护坝和挂柳等措施防浪防冲,这些措施无疑能发挥出巨大的作用。然而修筑防洪坝不但投资高、工程量大,而且坝基一般较长,相对阻水,给滩区排洪增加了困难;临时挂柳比较被动,不能彻底解决防浪问题。因此,营造以防浪林为主的生物防浪工程是确保黄河防洪安全的重大举措,具有重大的防洪效益、经济效益及生态效益。

黄河下游防浪林防洪效益十分显著,防浪林体系的建成将有效地缓解大洪水时风浪对堤坡的冲刷,黄河下游的风浪淘刷险情将明显减少;防浪林还具有缓溜落淤的作用,可以抬高堤脚附近地面,减缓滩地的横比降,减小发生“横河”、“斜河”的危险;防浪林能提供充足的柳料资源,抢险时不仅可以就地取材,使险情得到及时有效的抢护和控制,而且还减轻了沿黄群众为抢险备料的负担。防浪林的生态效益十分显著,在一定范围内不仅可以防风,调节温、湿度,防止水土流失,还可以发挥绿化、美化环境和净化空气等作用。防浪林的防洪效益可转化为间接的经济效益,保护两岸人民生命财产,保障两岸工农业生产的持续稳定发展。

黄河下游大堤临河侧营造防浪林历史非常悠久,但由于护堤地比较窄,一般为 7～10m,难以形成防浪林体系。自从人民治黄以来,重点在消除断带上下工夫,对防浪林体系建设缺乏深入细致的系统研究,加上沿黄投资有限,防浪林的建设一直是薄弱环节。随着河道的不断淤积,洪水漫滩的几率随之增加,防浪林建设的问题也日益突出。

根据湖北省水利厅在长江上进行防浪林试验研究的资料来看,防浪林之所以能降低风速,改变气流,主要是林木有由众多的枝、叶、干组成的高大树冠。当气流穿过林带时,受林木的阻挡、摩擦、摇摆,迫使气流分散,改变了原有气流的结构,气流内部摩擦作用的加强,又进一步消耗了其动能。防浪林不但可以防风,还可以消浪。其作用机理是波浪通过防浪林时水质点与林木主干、枝叶间的摩擦消耗波能,同时也加剧水质点间的紊动掺和而损耗波能,从而达到削能消浪的作用。防浪林主要是消耗林缘前波浪的能量,使林缘前波高到达堤坡时大为降低,从而起到保护堤身的作用。

(一)防浪林带宽度计算

防浪林消浪作用的主要影响因素有林外缘波高 H_0、林宽 B、种植密度 D、水面处的树干平均直径。湖北省水利厅防浪林试验研究成果所提供的消浪系数公式为

$$K = \frac{K_T H_0 - H_{1/10}}{K_T H_0}$$

式中 K——消浪系数;

K_T——系数,$K_T = 0.96$;

H_0——林外缘波高,cm,$H_0 = 18 v_{10}^{6/5} F_{有效}^{1/3}$,其中 v_{10} 为水面以上 10m 高处的风速(m/s),根据资料,一般年份汛期较大风速 $v_{10} = 15$(7 级风),$F_{有效}$ 为有效吹程(km),黄河高村以上由于堤距变化较大,取 10km、6km 计算,高村以下平均吹程取 3km 计算;

$H_{1/10}$——堤坡处浪高,根据黄河实际情况 $H_{1/10} = 30$cm。

计算防浪林宽度仍采用湖北省水利厅防浪林试验研究成果所提供的公式

$$K = \frac{1}{1 + 1.30 e^{(0.0167 H_0 - 2.53 \lg B - 1.92 \lg D - 1.45 \lg \Phi)}}$$

式中 K——已知消浪系数;

B——防浪林带宽,m;

D——种植密度,株/m^2;

Φ——水面处的树木主干平均直径,取 0.12m。

经计算,不同密度条件下防浪林带宽度见表 13-1。

从计算结果可以看出,吹程越大,种植密度越小,所需防浪林宽度越大。高村以上,平均吹程为 10km,如果消浪 70%,密度按 1.5m×1.5m 计,防浪林宽度最小需 68m;高村以下,平均吹程为 3km,如果消浪 70%,仍按密度 1.5m×1.5m 计,防浪林宽度最小需 45m。

表 13-1 **黄河下游防浪林带宽度** (单位:m)

密度		1m×1m			1.5m×1.5m			2m×2m		
K		90%	80%	70%	90%	80%	70%	90%	80%	70%
吹程	10km	125	60	37	251	111	68	361	172	104
	6km	107	51	31	199	93	58	308	146	90
	3km	83	40	24	153	73	45	238	112	69

一般来讲,林带宽度越宽,防风浪效果越强。但黄河下游滩区人均耕地面积仅 0.14hm^2左右,且分布不均,粮食产量较低,生活水平普遍低于滩外,若占用大量土地种柳,群众生活必然会受到影响。为尽量少占土地,又能最低限度地满足防浪需要,黄委规定高村以上防浪林宽度取 50m,高村以下取 30m。

黄河下游防浪林优选树种主要是柳树,常规的是旱柳和垂柳。旱柳高 20m,垂柳高 10~20m。柳树适应性强,喜水湿,亦较耐寒,繁殖容易,生长迅速。柳树有较强的木质结构,树皮细胞中强性水合物较多,遇水可选择性吸收利用,促进生根。柳树枝上顶芽顶端优势明显,侧生长相对较弱,要生成宽大树冠,需要常常进行头木作业、抹芽或适度修枝。柳树根系发达,具有强大的须根系。在正常生长条件下,树冠垂直投影面积就是根系分布面积。

柳树本身弹性纤维量大,木纤维和韧皮纤维发达。据研究分析,可变系数为 60%,5 级风力与 1m 浪高对 1 年生柳树进行冲击,柳树枝条不受影响。柳树枝条、叶片具有不同弹性和开张角度,对风浪能起到很突出的分散和消力作用。

(二)河道管护地、背河护堤地种植评价

利用管护地解决取材和修防料物始于宋代,到明、清时已有明确规定,“堤内外十丈”属官地,培柳成材,既可护地,还可就地取材,提供抢险修防料物。这说明历史上对利用管护地提供料源的作用是有所认识的，并得到了不断的丰富和发展。

新中国成立后，每年春、冬两季开展植树活动，临河种植丛柳、紫槐等条类灌木，险工的坝基、大堤前后戗、背河护堤地等根据情况种植柳、杨、白蜡等取材林。河道整治工程始于20世纪70年代。为了解决河道整治工程抢险用料，达到防风固沙、绿化环境的目的，河道控导护滩工程及护坝地也普遍种植柳树、杨树或其他树种。20多年的防洪实践证明，利用河道整治工程管护地和大堤背河护堤地培植抢险料物取材林意义很大，能解决洪水时河道整治工程抢险用料，减轻群众提供料物的负担。

第三节　防浪林种植与管理

防浪林建设是防洪工程采取生物防护的重要举措，它对堤防防洪起着重要的作用；同时，它在堤防工程防浪防冲、培育抢险料源等方面有着其他方法不可替代的优势。但防浪林工程和其他工程有着截然不同的特点，防浪林工程是具有生命的生物工程，其施工和管理受制约的影响因素较多，难度较大，由此出现了“年年种树不见树”的恶性循环现象。

一、要建立健全施工管理组织和质量保证体系

防浪林建设工程受季节限制，工期短，时间紧，为保证栽植树木的成活，按时保质保量完成任务，必须有严密的组织管理机构和质量保证措施。在施工中成立项目经理部，根据施工任务一般下设7个工作小组。

(1)苗材供应组。负责采购苗种，把好等级、大小、品种质量关。

(2)规划组。负责丈量尺寸、放线、号树坑，使所植树木达到间距相等、横顺成行、整齐划一的标准。

(3)浇水保墒组。其职责为浇水、保墒。

(4)后勤组。其职责为车辆调度、食宿安排、财物供应等。

(5)协调组。其职责为协调各村及当地群众的关系,争取人力、物力支持,排除各种干扰。

(6)安全组。负责树苗、工具、料物、机械设备的安全保卫工作。

(7)看护组。负责树木栽植后的看护,处理毁林、盗窃案件等。

为使各小组各司其职,各负其责,确保各工序环环相扣、不出差错,对防浪林的种植和管护制定严格的规章制度和奖惩措施,职责落实到人。为确保工程施工质量,按照防浪林建设的施工程序,建立自身的质量保证体系,绘制质量保证体系网络图,严格按照"三检制"要求,不论是土地平整,还是树苗进场、树坑开挖、树木种植都严格按照"班组初检、质检组长复检和项目经理终检"的办法层层把关,使防浪林建设工程自检达到优良标准。

二、因地制宜规划布局,确保工程外观质量

防浪林的作用是防浪护堤。因此,应形成高、中、低三档的阶梯格局,即:沿临河堤脚一般种植经济价值高、成材快的三倍体毛白杨,中间种植高柳,剩余位置全植丛柳。规划人员采用百米绳丈量挂线,然后撒石灰粉号坑,使树木栽植后形成横顺通直、整齐划一的布局。

三、树木种植坚持"四大、三埋、两踩、一提苗"的原则,确保成活率

(一)四大

"四大"为挖大坑、栽大苗、浇大水、封大堆。

1. 挖大坑

为使树苗便于扎根,树坑一定要大。三倍体毛白杨和高干柳

树坑要达到0.6m×0.6m×0.6m的标准;丛柳种植变传统的锹插法为坑埋法,挖坑标准为0.3m×0.3m×0.5m;堤口挖坑标准为0.8m×0.8m×0.8m。

2. 栽大苗

苗种采购验收时必须做到:

(1)选用一年生、根系发达的壮苗、大苗、无虫害苗。

(2)当天树苗当天栽,不栽隔夜苗种,保证树种根系湿润。

(3)树苗的高度、直径采用卡尺和尺杆丈量控制。高干柳高度为1.50m,小头直径6~10cm;丛柳长度为0.60m,小头直径为3~10cm;三倍体毛白杨胸径必须在2cm以上。

(4)验收不合格的树苗不准进场。

3. 浇大水

树苗种植必须严把浇水保墒关,做到栽前洇水、栽后复大水,坚持一个"透"字,保证树坑洇水透、墒情足。

4. 封大堆

对栽下的树木进行复灌,待坑内水全部洇完即可填土封坑。封坑时把树苗四周封成高于地面20cm的锥形土堆,同时踩实,确保坑内土壤湿润,防风抗倒。

(二)三埋

植树填土分三层,即挖坑时要将挖出的表层土1/3、中土1/3、底层土1/3分开堆放。在栽植前先将表层土填于坑底,然后将树苗放于坑内,使中层土还原,底层土作为封口使用。

(三)两踩

中层土填过后进行人工踩实,封堆后再进行一次人工踩实,可使根部周围土质密实,保墒抗倒。

(四)一提苗

主要是指有根系的三倍体毛白杨树苗,待中层土填入后,在踩实前先将树苗轻微上提,使弯乱的树根舒展,便于扎根。

通过种植实践证明,上述种植管理措施是提高树木成活率的一种行之有效的方法。

四、防浪林建设要在“管”上狠下工夫

由于气候干旱、虫害、人为损坏等因素的影响,往往是植树容易存活难,所以就必须“植管”并重,尤其要在“管”上下工夫。为保证防浪林建设成功,使所植树苗健康成长,在管护上根据新栽树苗柔弱细小、抗干旱和抗病虫害能力差、抗人为损坏能力低的特点,紧紧围绕存活率这个中心,进行防浪林的管护工作。主要采取三个结合,即:国家组织管理与集体组织管理相结合,管理与经济利益相结合,科学管理与宣传教育相结合。

(一)国家组织管理与集体组织管理相结合

由于防浪林种植量大、面广、战线长,光凭专管单位组织的以派出所、水政骨干人员为成员的专业护林队进行看护,人手明显不够,难以应付。为了搞好林木看护,专业护林队与由沿河各村治保主任牵头组织的群防护林队相互配合,进行树木看护。为提高群防护林队的积极性和责任感,本着“谁看护谁受益”的原则,与各村群防护林队签订看护及树木成材后的的分成协议,分成比率为6:4,即国6民4。这样做能极大地提高其积极性和责任心,不但能减轻专业护林队的负担,而且又能降低管护难度,同时也为保证树木安全成活奠定了一定的基础。

(二)管理与经济利益相结合

专业护林队作为管护的骨干力量,他们工作业绩好坏关系到防浪林建设的成败。为增强其积极性和责任心,单位和专业护林队签订了“树木管护协议”,该协议明确规定专业护林队的职责、任务及奖惩办法,做到责、权、利相互依托(具体协议内容要根据各地实际情况具体制定)。

（三）科学管理与宣传教育相结合

要求专业护林队员都成为树木的“保护神”和科学管理的多面手。既从“看”上下工夫，又从“管”上动脑子，不仅使树木栽能活、活能存、长能茂，而且能使树木增强抗病防灾的能力。因此，首先必须加强科学管理，掌握树木的生长规律、病虫害及其防治方法等知识，时刻密切关注着树木的生长情况。在天气干旱少雨时，能根据天气变化、墒情大小及时组织人力、机械开沟浇水，培土保墒；根据病虫害发生发展情况，认真钻研树木的防病治虫技术。为解决防治病虫害的疑难问题，护林队员和地方林业部门要加强联系，向林业专家咨询请教，翻阅有关专业书籍，掌握科学的林木病虫害防治及管护方法，做到对症下药，消灭病虫害。从实践经验看，三倍体毛白杨作为一个树木新品种，其优点是生长快、材质好、经济价值高，但也有幼树抗病虫害及防风抗折能力差、对水肥条件要求高、不易管理等缺点。三倍体毛白杨易发病虫害有溃疡病、黑斑病、桑天牛、潜叶蛾、杨小舟蛾、杨扇舟蛾等。针对溃疡病、黑斑病主要通过施肥、浇水增加营养水分，使其健壮，即可避免此病的发生；针对桑天牛害虫，其主要危害是成虫产卵于一两年生树干上及较大树的树叶上，其主要食物是构树、桑树叶，幼虫顺主干从上往下钻心，致使树木折断和死亡。桑天牛的主要防治方法：采用清除构树、桑树，断其食源，对病树虫眼插毒签，注射 1605、氧化乐果 50 倍或者 100 倍溶液。潜叶蛾、杨小舟蛾、杨扇舟蛾害虫（均为食叶害虫，幼虫吃叶，成虫变蛾，蛾再生卵，卵变幼虫，年生 2 代）的主要防治方法：人工喷洒灭幼脲药液（该药为生物药液，毒性小、药效长、效果好）；另外，也可采用“飞防”，即飞机喷洒药液，对防浪林这种面大、线长、数量多的林木除虫效果最好，即省时、省工、省钱，每年最好喷洒一次。对林区内的高秆害草采取草甘膦和人工铲除的方法进行清除，以避免树木被缠死或燃草烧树现象的发生。

在加强科学管理的同时，社会教育也不可忽视。利用电视、广播、宣传车、散发传单、张贴标语等各种媒体和形式进行宣传教育，使广大群众从思想上认识到防浪林对保护堤防安全的重要性和必要性，晓之以理、动之以情，增强群众爱护树木、保护树木的自觉性，形成一个国管、民管、人人管的良好社会氛围。

第十四章　堤防隐患探测

第一节　探测技术的发展与应用

一、黄河下游堤防隐患探测技术的发展

（一）人工普查

远在清代，河务机构即已用长3尺、上带手柄的铁签，进行签堤查找堤防隐患。1949年9月，黄河下游发生了12 300m^3/s大洪水，兰考东坝头以下两岸堤防发生漏洞806个，大量漏洞的发生表明堤防隐患是非常严重的。1950年6月，黄委部署："各地对新旧堤防应进行普遍而严格的检查，凡新旧堤结合部、施工分段衔接处，以及穿堤建筑物，都应列为检查的重点，新旧堤一律进行签试，"制定了《堤防大检查实施办法》。据此，河南、平原、山东河务局广泛发动沿河群众，普遍检查堤身隐患，各修防处（段）组成小组沿堤检查，对群众中举报隐患者给予奖励；同时采用平原省封丘段工人创造的钢锥，在堤身进行锥探，凭感觉检查堤身隐患。1950年山东共查出隐患3 519处，平原、河南查出各种隐患共4 086处，其中獾狐洞穴559处，战沟残缺175处，坑穴50处，井穴、暗洞、红薯窖198处。1952年发现碉堡66处、军沟206条、防空洞110处，其中齐河县发现一条军沟长20m，宽2m多，洞内有尸体和铁锅等物，有些洞口直接与大河相通。1953年河南武陟秦厂村西大堤上发现一个獾狐洞，位于堤顶下3～9m，洞穴横三竖四，上下交错，全长达300m。大量隐患的发现，加深了对消灭隐患重要性和长期性的认识，从而将普查隐患工作定为制度，要求每年各省都组

织大量的人力,对堤顶、堤坡进行全面的普查,对重点隐患堤段严格普查,还号召沿河群众举报隐患。从1950～1987年,全河共发现隐患约35万处。

(二)锥探隐患

1950年开展群众性普查堤防隐患时,封丘黄河修防段段长陈玉峰,启发工人靳钊把用钢丝锥在黄河滩区找煤的技术用到查找大堤隐患上来。同年3月,由陈玉峰和靳钊带领工人、民工40余人,首先用8号钢丝在封丘王集等堤段进行锥探隐患试验。在10天中锥眼5万余个,发现獾狐洞、藏物洞、地窖、鼠洞等90余处,随即进行开挖回填处理。黄委及时把这种锥探隐患的技术在下游全面推广。由于钢丝锥细软,对高大堤防锥探深度不够,1952年原阳修防段开始改小锥为大锥,锥径为10～16mm,锥长6～11m,锥头直径由10mm增至20～25mm,大锥四人操作,并配有各种扶锥支架,锥深5～9m,每班每日锥25～30眼。大锥布孔,一般孔距1m,行距1～1.5m,重点堤段孔行距0.5m。改用大锥后,操作人员多,锥力大,对小隐患感觉不灵。采用灌沙后,增加发现隐患率约40%。

锥探灌浆作为一种发现并加固隐患的措施,是治黄工作者的首创。1970年曹生俊、彭德钊两位技术人员在河南温陟黄沁河修防段研制出手推式电动打锥机,锥杆直径22mm,锥头直径30mm。1974年河南局彭德钊工程师在手推式电动打锥机的基础上,改进为"黄河744型"12马力柴油机自动打锥机,1人操作可锥深9m,每台班可锥300眼左右,相当于人工打锥工效的10倍,在河南推广30台,并传到汉江及漳卫运河上。1970年山东鄄城试制成功杠杆式机动打锥机,锥径15～20mm,锥头直径24～26mm,2人操作,两分钟可打1个7m深探孔。1984年山东黄河河务局引进湖北省洪湖县全液压传动打锥机10台,锥深9～12m,主要用于堤顶部位锥探与堤防加固,取得一定成效。

（三）抽水洇堤

抽水洇堤的基本方法和原理是：在堤顶开挖纵向沟槽，槽底锥孔灌水，根据渗水、漏水情况，分析判断堤身隐患，然后用人工开挖翻修处理。1957年东阿段在南桥和大河口进行抽水洇堤长532m，开挖槽沟底宽1.0m、深1～2m，沟底锥孔灌水，效果较好。1959年在齐河老城东门外、王庄、大王庙、丁口、红庙、许坊、李家岸、荆隆口等堤段进行抽水洇堤，总计长1 420m，发现大小漏洞45个、堤顶隐坑7个、裂缝50条（长1 121m）；堤顶槽沟灌水，堤身出现冒水口33个，直径0.1～0.5m。

1965年河南在中牟赵口、兰考四明堂、原阳篦张堤段进行抽水洇堤，三处合计长2 599m，这三处均为历史老口门，堤防薄弱，土质多沙。按堤顶宽度二分之一开挖沟槽，槽底以0.5m间距锥孔，孔深9m，随后灌水。经洇水，三处共发现洞穴112处（赵口34处，四明堂52处，篦张26处），洞径一般0.5m，最大1.5m，堤身、戗坡上出现冒水口26处，出水口径0.1～0.5m。洇水后堤顶相应均匀沉陷0.01～0.17m，后进行开挖填实和灌浆处理。1985年沁河杨庄改道新右堤出现裂缝，为查找隐患，在距临河堤肩2.0m处开挖0.5～1m槽，锥孔洇水，查找隐患效果较好。

（四）电法探测

1958～1960年，山东黄河河务局与山东大学合作，采用放射性钴—60进行堤防隐患探测试验。20世纪70年代开始应用地质勘测中的电法勘探来探测堤坝隐患，先后利用鞍山电子研究所研制的YB—1型裂缝探测仪和山东省水科所研制的ED—80型土坝探伤仪进行过试验。1985年黄委引进了美国SIR—8型地质雷达，经过三年试验，效果不佳。1980～1985年，山东水科所又研制了TZT—1型堤坝隐患探测仪，在方法上采用电阻率剖面法探测裂缝位置和走向，利用经验公式确定裂缝顶部埋深，取得了可喜进展，积累了一定经验；但对资料的解决尚停留在定性或半定量阶段，对裂缝的下延深度及规模的探测问题未能解决，且探测速度较慢，不能满足工程要求。

电法探测在堤防隐患探测中的应用，极大地推动了堤防隐患探测的研究。进入20世纪90年代，随着计算机技术的高速发展，使得物探仪器和方法也有了日新月异的变化，为堤防工程隐患探测开辟了广阔的前景。

第二节　堤防隐患探测仪器

一、黄委设计院物探队

在有关部门和专家的支持下，1992年底将"堤防隐患探测技术研究"列为"八五"国家科技攻关项目，研究了堤防隐患（软弱层、裂缝、獾鼠洞穴等）的地球物理特性及探测理论，从基本理论、编程分析方法、仪器设备改进入手，利用国内最先进的仪器设备解决探测速度较慢的问题，提出了适合不同隐患探测特点的物探方法及仪器设备的开发改造方案，通过大量的现场试验，取得良好的探测效果。如将高密度电阻率法用于堤坝隐患探测，在技术上完善了电阻率剖面法，不仅解决了裂缝位置、埋深、走向等问题，而且解决了裂缝下延深度及规模的探测，使裂缝探测技术更加完善。

该项目在1996年通过专家组验收，认为达到国际领先水平。1996年被国家科委列入"九五"国家科技成果推广项目。

二、山东局科技处

山东黄河河务局自1987开始采用电法进行黄河堤坝隐患探测试验研究（黄河水利委员会治黄技术开发基金项目合同编号：87—104），通过大量的探测、分析和开挖验证工作，取得了较好的探测效果。采用不同的电测方法和布极方式，堤防常见的裂缝、洞穴、松散土夹层、渗漏等隐患的位置和分布状况均能被探测到。异常系数取1.30作为判断堤顶隐患的标准,经开挖都发现不同程度的堤身隐患。同时在堤身质量、土质普查及压力灌浆效果检查等方面也取得较好的应用效果。该项技术自1992年在山东黄河普遍推广采用(黄河水利委员会治黄技术开发基金项目合同编号:91B03),已探测堤段长度87 987m,占临黄堤长度的10.96%,找出异常点346个、异常堤段49段,为及时加固处理提供了依据。使用该项技术比用开槽洇堤法探测隐患节资327.8万元。

山东局科技处研制的探测仪器于1996年通过了专家验收。专家认为:隐患探测采用了综合物探方法,相互印证,可比性强,准确率高,提高了推广应用研究的综合性与科学性;研究中提出的按异常系数1.30作为划分隐患分布的标准,是科学的、合理的,具有实用性,为推广综合物探进行隐患探测提供了依据标准,具有创造性。

山东局科技处研制的ZDT—1型智能堤坝隐患探测仪处于国内领先水平,是集单片机、发射机、接收机和多电极切换器于一体的高性能、多功能的新一代智能化仪器。该仪器主要特点是连续测深、显示二次场衰变曲线、建立衡流探测电场、点测或扫描方式测量自然电位、完善了常规电法仪的性能和技术指标。在1988年8月长江大水中参加九江段隐患探测,分析结果准确。1997年获中国专利技术博览会金奖。

三、江西九江水科所

1993年水利部推荐的江西九江水科所研制的堤防隐患探测仪器和手段有很大进步,处于国内先进水平。黄委于1994年4月组织了专题调研。

该所1985年选定电法探测堤坝隐患课题并着手进行研究,通过大量的研究工作,取得了较好的效果。在电测研究方面,运用了不同的电测方法，验证了电测资料分析的四个经验公式。应用了计算机的有关技术，编写了各种电测方法的程序，提高了电测工作速度，减少了计算误差，降低了劳动强度；研制了电测仪器与计算机接口电路，提高了电测工作的自动化程度。课题研究所取得的成果在20世纪80年代末期处于国内先进、省内首创地位。

四、试验选用仪器综述

上述三个单位研发的隐患探测仪在黄河上的同一堤段进行了效果探测试验，具体表现为：

(1)黄委设计院物探队使用购置的MIR—1C多功能直流电测仪性能可靠，操作简单，应用于堤防工程隐患探测“八五”攻关项目研究，在探测理论、方法技术上，使半无限空间理论认为不存在异常的弱小隐患的探测得以实现，设计了高效合理的探测装置，探测精度、工效在国内处于领先地位。

利用面波波速、动力弹性参数综合划分大堤介质的层次结构，定量评价大堤质量，应用中间梯度法和高密电阻率法确定裂缝的位置、埋深及产状，探测深度超过10m。在数据的采集、资料解释和处理手段上，利用计算机的最新成果，使隐患探测技术比过去有很大突破。

(2)山东局科技处“ZDT—1型智能堤坝隐患探测仪”性能稳定，工作可靠，操作简单，现场重复测试误差对比不大于2%；设定了适用于黄河堤坝隐患探测的连续测深和测漏功能；智能化程度不低于目前国内同类仪器，施测速度快。黄委设计院物探队和山东局科技处的仪器都具有汉字提示、人机对话、数据储存、曲线显示等功能。现场操作和数据处理借助计算机，较以往各种仪器都方便实用。

该仪器测探速度快，提高了工效，较国内使用的TZT—1型数字式电测仪和DDC—2Z、DDC—2M指针式电阻率仪快5～6倍。

(3)九江市水科所采用TZT—1型堤坝数字电测仪探测配合PC—1500微机进行数据处理，仪器是通用的探测设备，仅限于采集数据通过自编的程序在PC—1500微机上进行处理，代替了手工点绘曲线。水利部1993年推荐的九江市水科所探测仪器也就是该所编制的程序，设计了探测仪器与PC—1500微机接口电路，代替了人工计算和绘图。1995年底至1996年6月，该所结合TZT—1型仪器实际运用，对仪器进行了改进，提高了自动程度。但因缺乏运用试验，所以该所新改进的仪器尚没有用于现场操作。

第三节　隐患探测规定

一、探测计划

黄河堤防工程隐患探测是工程管理的一项重要内容,探测的结果可为黄河汛期防守、堤防除险加固及维护管理提供科学依据。

隐患探测分为探测普查和探测专项检查。探测普查是日常工作中掌握堤防工程动态的重要手段,对于及时发现和处理堤防隐患有着重要作用,对安排除险加固和工程维修具有一定的指导意义。探测专项检查是在工程除险加固前通过探测确定堤防隐患性质、特征,以利于制订堤防工程除险加固方案,以达到提高投资效益的目的。探测时应避免近堤高压线、大地强电场等因素干扰,探测过程中应有消除干扰的技术手段。探测普查原则上每10年须对全部设防大堤普查一次,普查结束后须提交探测堤段的定性分析报告,包括隐患性质、数量、大小、分布等技术指标。探测专项检查的年度计划应根据堤防除险加固和工程维修的需要,由省河道主管部门在上年末提出堤防探测专项检查建议计划书,报黄委审查立项后实施。

二、外业探测

堤防隐患普查,测线布置应从上界桩号自上而下顺堤布设测线。测线间距一般采用 3~4m,险工和薄弱堤段须不少于 3 条;点距以 2m 为宜。堤防隐患详查时,测线布置要与隐患走向垂直,可适当加密测线。为保证探测记录桩号与大堤桩号一致,避免造成位置分析误差,在探测过程中,每测试一公里就要与大堤桩号校准一次。探测人员应按要求认真做好现场测试记录,保证探测资料的准确与完整。探测过程中,技术人员要做好探测数据的解释判断工作,随时检查和区分各种因素对观测结果的影响,必要时要做补充观测,避免和减少各种干扰因素对判断结果带来的误差和错误。

三、资料分析

探测分析人员对外业探测记录要及时检查验收,发现问题应通知测试人员补测。资料验收应满足下列要求:①使用的仪器设备符合规定的技术指标;②测线间距、极距、点距选择正确;③按有关要求进行测试。

对普测中所得到的数据,除用计算机处理成图外,还要在方格纸上绘制视电阻率剖面图,在电剖面曲线横坐标的下方应标明桩号,推断隐患的位置、性质、特征等。对于用电测深法进行详测的数据,要绘制电测深曲线或视电阻率等值线剖面图,有条件的可绘制成彩色分级断面图,以便对典型的异常情况做定量分析。资料分析要结合堤防探测的历史沿革、洪水观测统计资料以及现场具体情况,对探测资料进行定性和定量分析。

电剖面法的探测数据主要是为了分析解释堤身质量,提供定性资料。也就是从视电阻率剖面图中,根据视电阻率变化的幅度来判断隐患异常点。一般情况下,异常的幅度值大于正常允许值的1.3倍可视为异常。通过电剖面法测出的隐患异常较突出的点，要用电测深法进行详测。

电测深法是在定性分析的基础上判断普测中探明的异常点是否可靠，分析隐患的定量指标。根据视电阻率异常的分布、形态及异常幅值等，定量解释隐患的性质、形态、大小、深度等参数。定量分析隐患的埋深可在视电阻率剖面图上用半悬长法估算，底部埋深可在电测深曲线上用拐点切线法估算；隐患性质可结合视电阻率剖面图、视电阻率等值线图和其他资料进行综合分析。

对典型隐患异常点要进行综合分析，提交隐患性质和特征值，在核对分析后，提出隐患处理意见报上级主管部门。在异常点分析的基础上，要从总体上对视电阻率剖面图进行分析，以掌握堤防总体质量状况。以 P_s 值相近的堤段作为一个电性段，用平均值代替该电性段的阻值，将探测地段分为若干相对高阻段和低阻段，结合洪水观测和其他资料，对堤防总体质量做出综合评价。

在完成野外探测和资料整理分析后，按要求编写探测技术总结报告。报告应包括探测堤段概况、探测方法与技术要求、资料分析与解释、结论与建议、有关附图附表等内容。

第十五章　黄河大堤獾鼠危害与防治

千里之堤，溃于蚁穴。据近代历史记载，黄河历次决口除堤身高度不足所发生的少数几次漫溢决口外，多数是洞穴隐患所造成的溃决。獾鼠是造成大堤(坝)洞穴隐患的主要原因。沁河大堤文载，自清乾隆十六年(1751年)以来，因獾洞致决的达19次，决堤口门宽度20～300m不等。当时的户部尚书给乾隆皇帝的奏折中反映了旧中国黄(沁)河大堤獾鼠猖獗和致决后的灾害情况："鼠穿堤堰千百孔，黄水破堤淹九洲；千里荒芜人烟绝，尸盖涡阳覆亳州。"由于獾鼠洞穴危害的严重性，清代治黄机构设置有专职"獾兵"，常年坚持捕捉獾鼠，处理大堤(坝)的隐患。

1946年黄河回归故道，标志着人民治黄的开始。由于害堤动物和战争为害，堤防残破不堪，洞穴丛生。为保证安全，黄委先后于1948年、1950年发布了《关于平工管理指示》，制定了捕捉大堤(坝)獾鼠的奖励规定和普查处理隐患的实施办法。以后，随着黄河下游大堤(坝)工程建设的发展和管理工作的深入，捕捉獾鼠、处理隐患逐渐形成制度。黄河下游及晋陕黄河北干流河务部门，每年汛前都要组织黄河大堤(坝)的徒步拉网式普查，对獾鼠洞穴等隐患及时加固处理，给防洪工作奠定了物质基础。

第一节　獾鼠习性

一、獾

獾亦称"猪獾"，属哺乳纲、啮齿目、鼬科，广泛分布于欧亚大陆。成年獾体长约0.5m，尾长0.1m有余，头长耳短，身体粗胖，皮下脂肪较厚，体重约15kg。毛呈灰色，有时发黄，夏秋灰褐，冬春灰黄，形成保护色；头部有三条宽白纵纹，耳沿亦呈白色，胸、腹、四肢呈黑色；腿较短，前蹄宽短、爪长，后蹄窄长、爪短，形似小孩脚丫，俗称“獾脚”。前爪长约6cm，善掏洞穴，速度惊人，一夜可掏7～8m；掏洞穴时，前爪挖，后蹄刨，屁股推。獾视觉一般，听嗅觉灵敏。凭借灵敏的听嗅觉，它可以较快地发现猎取目标，又能实时地辨别险情，或藏匿或逃遁。獾生性胆怯，疑心颇大，特别狡猾，只要发现洞前有天敌活动的迹象，会长时间避开不再出入。因此，捕捉獾时应十分小心。

獾是肉食性动物，食性较杂，几乎是捕到什么吃什么，其中主要以老鼠、青蛙、蛇、刺猬、昆虫等小动物为食。在动物食源不充足情况下，瓜果、农作物、草根等也可用于充饥。獾是游击性觅食，一般不储存食物，且喜欢吃鲜食，不吃死掉的动物。因此，人们设想以死烂动物为诱饵进行捕捉很难奏效。

獾喜欢夜晚活动，有“昼伏夜出”之说；獾奔跑速度不快，走动时脚尖着地重，脚跟着地轻，爪印相当突出，多走熟路，线路弯曲；喜饮水、游泳，生活环境中多有水源。獾一般都有几处洞穴，以一处为主。每处有数个洞口，通常只在一两个洞口出入，单口洞穴不会住獾。獾善冬眠，每年立冬至次年惊蛰期间，穴居洞内，不吃不喝。次年惊蛰后开始活动，此时其身体虚弱，行动迟缓，为尽快恢复体力，活动相当频繁。獾喜欢居住于土质干燥松软、地势较高、人迹罕至的地方，如背河的戗台、废土牛、旧房台和树草丛生处等。这些地方既挖洞省力，又不易被天敌发现。獾一般情况下是傍晚后出洞，黎明前进洞，而且出入洞时都十分小心。进洞前，先在洞的附近转两圈，确认无危险后，才慢慢后退入洞；出洞时，先观察洞前是否有天敌存在，若没有，则一跃而出，迅速跑远。獾主要是凭借比较灵敏的听、嗅觉辨别敌情。

獾的冬眠期一般在立冬到次年惊蛰期间。其间靠吃自己的粪便和消耗皮下脂肪维持生命，身体虚弱干瘦。夏秋季节食物丰足，活动频繁，身体肥胖。沿黄群众把獾一年四季变化概括为“一、二、三（农历月）一般干，四、五、六一身肉，七、八、九赛油篓，冬季囤洞不出口”。

獾每年9～10月份中旬交配，翌年4～5月份生育，每窝产仔3～4只。产仔后，觅食频繁，易被发现，是全窝捕捉的好机会。

二、鼠

鼠俗称耗子，属脊椎动物、哺乳纲、鼠科，种类极多（全世界约450种以上），分布极广，繁殖及适应性较强。资料表明，黄河下游堤坝工程范围内主要分布有褐家鼠、大仓鼠、大家鼠、小家鼠、黑线姬鼠、黑线仓鼠、田鼠、鼢鼠（盲鼠）和麝鼠等九种，约占全国迄今发现鼠类184种的5%。鼢鼠身体粗圆，毛色黑灰，尾短眼小，视力较差，以植物根茎为食，常活动在地表以下0.1～0.3m深度。其余鼠种具有如下共性：体小头圆，口吻突出，唇有须，眼圆，耳小，门齿发达，无犬齿，躯干圆长，四肢细短，尾巴长，前肢比后肢短，有五趾，各趾有钩爪，第一趾特别小，毛柔，背暗褐，腹灰白。

老鼠寿命2～3年，幼鼠2～4个月便性成熟，一个月左右即产仔。鼠一般有五对乳房，褐家鼠有六对乳房，每年生育5～8胎，每胎4～7仔，妊娠期短，发育迅速，致使繁殖力非常强盛，尽管有獾、狐、猫、鹰的大量捕食及人类捕杀，也难以彻底驱除消灭。

凡鼠多穴居于食物丰盛、地形地貌复杂多变、沟壑较多、杂草丛生处，且洞穴有数个口门，易于逃遁。老鼠生性敏锐、多猜疑、智力强、善攀越、会游泳，加之食性杂，对环境的适应性特强，目前已发展到世界绝大多数地区均有鼠的状况，捕杀难度很大。

三、狐

獾、狐、鼠统称为黄河大堤的主要有害动物，并历来作为防治重点。作者认为,这种传统的观念和提法似有不妥,狐狸不宜列为害堤动物。獾的洞穴大,鼠的洞穴多,均会造成堤坝工程的大量隐患,对防洪安全十分不利,必须加强防治,而狐狸则不然。

狐属脊椎动物、哺乳类、犬科。狐有近10种,我国主要分布有赤狐、十字狐,其生理习性相同,形貌相近。形似犬而瘦小,躯干长,四肢细,口吻尖突,有黑须;耳朵呈三角形,不很大,听、嗅能力皆敏锐,瞳孔椭圆形;体长1.2m左右,尾巴长达躯干之半。狐常居于山林、土岗、沟坡等地形多变处,因无刨掏洞穴的习性,其洞穴多为袭居,昼伏夜出,捕食鼠、鼬、蛙、鸟及昆虫等,时而也掠食家禽。初春交配,妊娠期60天,每胎5～8仔,两年成熟,寿命10～15年。狐生性敏捷、多猜疑、极狡猾,逢敌则从肛门旁的臭腺放出恶臭而逃跑。狐狸肉臭;毛皮蓬松柔软,是制裘的好原料。

(1)从狐狸自身的能力讲,它不会刨挖洞穴,多袭居獾洞或穴居沟槽,有捕食老鼠的本能,无危害堤身的行为,列为害堤动物是不符合客观实际的。

(2)从生态角度讲,大自然中存在许多鼠类的有力天敌,除猫、黄鼠狼、獾和鹰外,狐狸也是其中之一,一只狐狸一昼夜可捕食老鼠20多只。正是这些天敌的存在,才大大地减轻了人类防治鼠害的负担。因此,从维护生态环境的意义说,我们应保护狐狸,这对减少堤防鼠害、巩固堤身强度会发挥积极效果。目前,狐狸已进入人工饲养阶段,我们要及时了解并掌握其动态,研究狐狸用于大堤鼠害防治的可能性,而不应该下大力气来消灭它。

基于以上观点,作者认为黄河大堤管护运用宜坚持以减免獾害为中心,开展獾鼠的综合防治为重点,搞好工程的维护运用管理,放弃把狐狸列入害堤动物的提法,推动捕害灭患工作的有效深入发展。

第二节 獾鼠活动规律

黄河下游堤防从孟津铁谢至垦利入海口、沁河五龙口以下、大清河戴村坝以下，各地均有老鼠出没行迹，造成大量洞穴隐患和水沟浪窝，不同之处是不同堤段鼠的种群、数量不同及危害大小的差异。獾活动的堤线主要在沁河口以下至艾山以上，临黄堤、北金堤及东平湖堤均有其行迹，其中邙金、长垣、濮阳、兰考、东明、阳谷及东平湖等堤段活动猖獗，其他堤段基本上没有獾的活动和危害。据近年对獾鼠害防治研究，黄河大堤(坝)獾鼠活动有如下特点：

(1)在某一堤段范围，獾有反复出没、重复危害的情况。堤段长度为2～6km，如郑州邙金局大堤0+000～6+000、兰考县局大堤126+640～135+000、东明县局大堤175+000～177+000；活动范围最大达13～14km，如长垣县局大堤28+000～42+000、阳谷县局金堤110+000～黄堤3+000。这些堤段连续多年遭受獾害，年年捕捉，屡捉不绝。

老鼠活动范围一般为300～1 000m，堤身土质疏松、食物资源充足、地形地貌杂乱等是老鼠择穴的先决条件。如兰考县南北庄堤段，堤根低洼，堤身下部土质潮湿，堤上鼠害明显增多。

(2)獾洞在堤身分布与堤身坡形、植被好坏以及近堤的生态环境有关。一般堤坡不平顺、备防石料堆放不齐整、堤身杂草杂树多、人迹罕至偏僻、近堤低洼有饮水、好隐蔽易逃遁的堤段，为獾提供了适宜的天然生活环境，这些堤段獾活动就猖獗，洞穴隐患较多。獾洞多分布在堤(坝)坡中部，洞道处于设防水位以下，洞口位于背风朝阳的地方。据濮阳县局统计，1985年以来共计发现39处獾洞66个洞口，在戗台、废土牛、旧房台及杂草丛生处的占86%，洞道埋深3～5m，处于设防水位以下。

堤身鼠洞一般分布在堤坝身中上部，要求洞穴土质疏松干燥，以利于其居住和存放食物。堤根地势低洼,地下水位普遍较高,串沟、漫滩洪水及连绵降雨影响,更增加了堤根积水几率,是导致鼠洞上移的主要原因;其次是堤身中上部废弃土牛、房台多,打场堆垛晒粮多,为便于觅食,老鼠往往就近挖洞居食。从堤段上划分,临村堤防、上堤路口,人畜活动频繁,鼠洞明显减少;反之,则鼠害较多。据1987年兰考县局鼠害普查分析资料,在总数近千个洞口中,分布在堤顶以下0～5m范围的占80%,按堤顶超高3.0m计,设防水位以上的洞口数约占60%。

(3)獾的个体数量有随鼠的个体数量增减而变化的现象,这种现象可能与獾以鼠为主要食物之一有关。据近年调研情况,獾活动的堤段鼠害也表现猖獗,黄河大堤獾鼠活动是否存在食与被食的依存关系,还有待于今后我们进一步研究。关于该课题,欧美生物学家已取得北半球冰土带旅鼠和捕食者北极狐或美洲赤狐的数量呈周期性变化的研究成果。在加拿大冰土带狐的捕获数量每隔三四个季度出现一个高峰年份。分析表明,捕获狐的头数高峰与旅鼠数量有关,这种周期性变化,可以衡量食者与被食者的依存关系。原苏联生物学家在亚马尔湖沼泽地区研究发现,旅鼠和北极狐个体数量变化有着密切的联系,狐出现的高峰比旅鼠发生的高峰只迟半年。

(4)獾的洞穴构造情况不一,有的一穴只有一个洞口,有的有几个洞口,有的甚至有几十个洞口。如1986年在大堤桩号51+350～51+450段发现的叶庄獾洞,一穴有12个洞口,洞径一般为20～40cm(最大洞径可达100cm),洞浅者3～5m,深者达20～27m。另外,在开挖解剖叶庄洞穴时还发现有的洞穴分上、中、下三层。其中,上层比较干燥,内有一些干草,经分析确认为“卧室”,里面还有若干个“天窗”,起观察外界情况和通气作用;中层存放食物和粪便;下层排水和躲藏用。三层洞上下连通,纵横交错。由此可见,獾洞既科学又有一定的规律性。

第三节　獾鼠危害分析

獾鼠危害严重,具体有以下几方面:

(1)降低堤身抗洪强度。獾洞具有内部分层、一穴多洞、埋藏深、洞道长、洞径大的特点。近年来獾的个体数量又呈上升势头。1982 年开封县局大王源堤段发现一处獾洞有 30 个洞口,分布在长 60m、宽 15m 的堤坡上,埋深 5~7m,洞径 0.3~0.7m,横向伸入堤身 5~15m,最多达 26m。1986 年阳谷县局北金堤 110+000~临黄堤 3+000 堤段,汛前工程普查一次发现獾洞 85 个,一般埋深 3~4m,洞径 0.3~0.6m,洞身长度 10~20m。1993 年 3 月,濮阳县在习城、徐镇和王称固发现 3 处獾洞,其中习城洞穴有 3 个洞口,埋深 3.2m,洞径 0.32~0.6m,主洞伸入堤身后分为 3 支,一支由堤身中部向下游延伸 26m,另两支横穿大堤越过临河堤肩后汇合,向下游延伸 6m 多。

(2)引起大量水沟浪窝。鼢鼠为觅植物根茎,在堤表掏挖大量洞道,埋深 0.1~0.2m,在堤表形成土垄,其洞道垂直或平行于堤轴线,降雨极易在堤坡上集水汇流,形成水沟浪窝。如兰考县南北庄堤段,1991 年发现一鼢鼠洞,洞口位于背河堤肩下 3.5m 处,埋深 0.10~0.25m,走向弯曲至农田,洞总长约 120m。据护堤职工观测,堤防水沟浪窝的形成除排水设施不完整、布局不合理外,主要是鼠洞所致。

獾鼠洞穴有洞径、埋深及分布部位的不同点,又有群居、狡猾、一穴多口、内部分层、主支有别、功能各异、洞穴分布面积大(獾 15~150m^2,鼠 1~140m^2)的共性,加之獾鼠洞穴有竖直天窗或运粮通道,这些洞道是集中汇流侵蚀淘刷堤(坝)身土体最终造成水沟浪窝的主要原因。特别是当竖向通道位于堤肩、戗顶或坝顶的挡水子堰以内时,情况更严重。

由于獾洞埋藏深、洞径大,大面积的洞穴隐患出现在堤(坝)坡、堤(坝)顶备防石处,会加剧堤坝体应力分布不均匀状态,雨水渗透力和其他机械力作用,洞顶土压力会很快达到极限状态以致失稳破坏,造成堤(坝)岸坍塌垫隐险情。

第四节　捕害灭患与獾鼠数量的关系

一、大堤隐患与獾鼠数量的关系

黄河大堤(坝)隐患主要包括动物洞穴、树根腐烂洞穴、堤(坝)身蛰隐裂缝等,其中动物洞穴隐患发生几率最高,也最严重。统计1976年以来黄河下游大堤捕捉獾鼠与处理隐患的关系(见图15-1),发现如下特点:

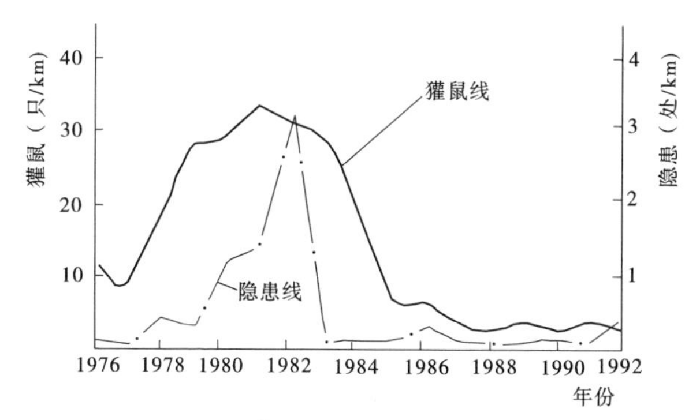

图15-1　捕捉獾鼠与处理隐患关系曲线

(1)大堤隐患数量随獾鼠数量多少波动,二者存在较为明显的因果关系。因此,欲减少大堤隐患,降低除险加固投资,必先从有效防治獾鼠着手,加强防治措施和方法研究,以较小的投入换取较大的收益。

(2)1982年以前,獾鼠数量和大堤隐患呈上升势头,1981～

1982年间达到最高峰，捕捉獾鼠、处理隐患依次为35只/km、1.4处/km和32只/km、3.3处/km。1983年黄河下游第三次大复堤基本完成，至此大堤补残加固步伐加快，工程管护运用不断得到重视与加强，整修堤坡，完善排水设施，驱除杂草更新草皮，堤身面貌逐步改善，破坏了獾鼠的栖息环境，獾鼠数量和隐患发生数量逐年下降，并保持在较低的水平。

另据1983年以来黄河下游捕捉堤獾与处理隐患回归分析，隐患与堤獾相关系数为0.76(见图15-2)。二者相关程度高的事实告诉我们，防治堤獾是减少隐患的重要环节之一。

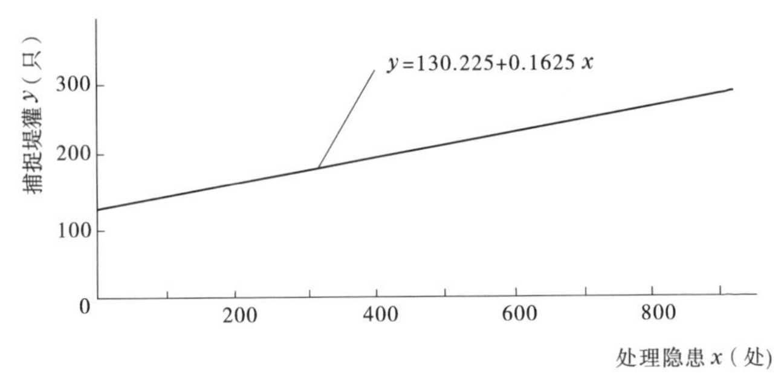

图15-2 处理隐患与捕捉堤獾回归曲线

二、经济分析

据1983~1993年黄河下游捕害灭患统计资料和近年实施情况，十年来共计捕捉堤獾1 780只，捕捉单价(含举报费)300元/只，经费支出53.3万元，洞穴处数据统计测算为三獾一穴，处理洞穴590处，每处挖填加固经费1.8万元，经费支出1 062.1万元，小计为1 115.4万元；捕鼠约15.7万只，单价1.0元/只，经费支出15.7万元，两项合计为1 131.1万元，年平均113.11万元。若计入因鼠洞造成浪窝的回填加固费，估算捕害灭患年平均费用将达200万元以上，占每年岁修工程投资的6.6%。由以上分析，我们可以得到如下启示：

(1)1983年后，獾鼠数量减少，堤坝隐患相应减少，节减了经费支出，捕杀獾鼠、工程环境治理及其他防治方法是有效果的，且效果很显著。

(2)捕捉獾鼠经费年平均6.9万元，占年均总费用113～200万元的3%～6%。比重比较小，必须加强獾鼠害的前期防治研究和投入，减少獾鼠数量，减免堤坝隐患发生几率。设想每年能列支岁修经费的0.4%(计12万元)用于獾捕捉和防治研究，经过3～4年的工作，除害灭患费用控制在100万元以内是完全可能的。

第五节 獾鼠防治方法

捕捉獾的方法主要有枪打、夹打、烟熏、下网、下药和开挖洞穴擒拿等。不管采用哪种捕捉方法，都要首先了解獾的活动情况，确定其是否在洞里。确定獾是否在洞里的方法有两种：一是用扫帚将洞口扫平，第二天看是否有獾蹄印或尾巴印出现，并根据蹄印和尾巴印方向，可判断獾是否在洞内；二是人藏在洞的附近，观察獾是否进入洞内。现将各种捕捉方法简述如下。

一、枪打法

在獾洞口附近或其活动几率较大的地方，白天挖一人体隐蔽坑，上面用草作以伪装，夜间在此处伺机用猎枪击之。

二、夹打法

打獾夹子形如鼠夹而稍大，系由半圆形夹丝、四段弹簧、保险、踏板等部件组成。在洞口前獾必由之路下一个或几个夹子，并做以伪装。獾经过时踩住踏板，即可将它夹住。此法简单实用，便于伪装，效果好，但易误伤人和家畜家禽。

三、烟熏法

当观察到獾在洞里时，只留一个洞口，将其他洞口和“天窗”全部堵死，然后将布棉、辣椒、硫磺、秸秆等混合物点燃，通过预留洞口投入洞内，利用产生的大量有毒气体和浓烟毒死或闷死獾，此法适用于简单的洞穴。

四、下网法

捕獾网是胶丝织的形似鱼网、网口能收缩扩大的一种捉獾专用工具。当确定獾在洞里时，马上用此网将洞口前围好，使獾跃出洞口，窜到网里，人即可将它捕住或打死。该法与烟熏法配合使用，效果较好。

五、下药法

此法是把獾喜欢吃的牛肉等食物用“敌鼠钠盐”或其他无味毒药拌泡，放在獾洞口附近，獾一旦食之，即可将它毒死。

六、开挖洞穴拎拿法

此法有两种：一种适用于短洞，用捉獾网、铅丝笼先将洞口围好，然后由洞口开始，沿洞的走向逐节开挖，直至捉住獾为止；另一种适用于长洞，先探明洞穴走向，然后在洞顶挖直径0.7～0.8m的竖井(井深必须在1.5m以上，以防獾爬出逃跑)，若洞比较长、转弯多，可分段进行，直到捉住獾为止。不管采用哪一种开挖方法，当挖到獾时的擒拿法有两种：一是活捉活擒，即当獾头往里时，用棉被把它紧紧挤住，然后从棉被下面一手抓住其后肢向后拉，一手按住脖子，另一个人用8号铅丝将獾捆住；二是两把粪钗捕捉法，即将洞挖到距獾1～1.5m(头向外)时，一人拿粪钗向獾扎去，獾必定用嘴死死咬住钗齿，另一人再拿粪钗猛地向它扎去，即可将它扎死。开挖擒拿法必须日夜不停地进行,否则将前功尽弃。因为獾一旦发现有人挖洞,它不是向前快速掏洞,就是向后囤门。濮阳县河务局用此法仅在叶庄、五窑两处捉獾6只。

黄河流域鼠害防治多年沿用的依靠堤坝管护人员人工捕捉法,特别是盲鼠,人工捕捉成功率很高,同时也涌现出不少捕鼠能手。化学药物灭鼠、生物方法灭鼠、毒气弹炸鼠仅在小范围内试验,尚未取得大的成效,还需进一步研究。

獾鼠危害有目共睹,防治难度确实很大,传统的方法需要完善,新的方法更需要探索研究。防治獾鼠需要注意以下几个方面:

(1)工程防治与社会防治相结合,重点研究与综合防治相结合,因地制宜,减少獾鼠害数量。獾鼠危害不仅仅局限于防洪堤坝,社会各行业乃至人类本身也深受其害,防治具有社会性,应从社会整体利益出发开展工程獾鼠防治,力求减少其个体数量,控制危害至最低限度。就工程的危害而言,獾鼠在各堤段表现不同,有些堤段有鼠无獾,有些堤段獾鼠并存,数量、种类也有差异;而每一种防治方法又都有它的特长和局限性。这就要根据各堤段实际,制订切实可行的防治方案,坚持综合防治与重点研究相结合,达到有效灭害的目的。如对鼠害猖獗的堤段,可采取化学药物、生物工程方法防治为主,辅以驱除杂草,清除打场堆垛,整治堤身坝坡、更新草皮树木等;对獾鼠并存堤段,亦可从环境治理入手,探索生化方法灭鼠和捕杀堤獾的新方法。

(2)工程环境治理是驱除獾鼠、减少危害的重要防治措施,应该深化加强。某些动物或濒于灭绝或已经灭绝,另一些动物泛滥成灾,首先是弱肉强食、优胜劣汰的生物进化原理起主导作用,其次则是环境。环境改变与否是动物能否生存发展的最主要原因,动物的形态、生理特征都与环境息息相关,如环境不适鼠会迁徙、季节变化獾毛色更改等,环境条件遭受破坏,动物便难以生存,即便不捕杀,也会自行减少。反之,若只注重毒灭捕杀,忽视治理其栖息环境,只能使獾鼠数量暂时减少,停止杀灭活动,獾鼠数量又会很快恢复甚至增加。因此,清除堤身与护堤(坝)的树丛杂草、整修堤(坝)坡、更新草皮、平整废土牛和旧房台等,是破坏獾鼠栖息环境、减少獾鼠危害的重要措施。

(3)把防治獾鼠作为工程管理的一项经常性工作来抓,达到长期控制獾鼠害至最低限度的目的。獾食性杂且适应性强,鼠分布范围广又呈几何级数递增,彻底消灭似乎是不可能的。因此,必须把防治獾鼠作为工程管理的一项经常性工作来抓,制定相应的管理制度和奖罚办法,提高管护人员思想认识,促进捕害灭患工作的持续深入发展。

(4)从生态系统整体观念出发,把眼前实际防治效果与社会生态效益结合起来,在利用生化方法杀灭獾鼠的同时,防止造成益鸟、益兽和人畜伤亡。如鹰、猫、蛇等动物是有害虫鼠的天敌,其繁殖能力又远赶不上虫鼠,两者比例失调时,有害虫鼠增加更快更多,对工程对社会危害更严重,损失也更大。

第六节　堤身獾鼠洞穴隐患处理

目前处理獾鼠洞穴隐患的方法有开挖翻筑法和压力灌浆法两种。

一、开挖翻筑法

此法可与捕獾鼠相结合,既捕捉了獾鼠,又将洞穴进行了开挖。王窑洞穴处理采用了此法。具体做法是:先根据已掌握的洞穴轮廓、深度和土质开挖安全坡度,确定开挖面积,然后按土方开挖规范进行开挖。当挖到无洞口时,用铁锥在坑底及坑坡上探测,观察是否真正开挖彻底。洞穴开挖彻底后,按照土方回填规范要求回填。此法的优点是处理隐患彻底,不留后患。但开挖、回填量大,投资大,有的地方因条件限制而无法开挖。

二、压力灌浆法

对于较大较复杂的隐患,为使其充填密实可采用这种方法。该法在叶庄堤段洞穴处理中作了尝试,效果不错。具体做法是:灌浆土料选择了黏粒含量小、析水性好、固结收缩率小的中粉质壤土,泥浆容重为 15.68kN/m^3,布孔密度采用行距 0.75m、孔距 1.5m。另外,考虑到泥浆析水固结收缩作用,采取了复灌措施。其复灌次数按下式确定

$$(1-p)+(1-p)p+(1-p)p^2+\cdots+(1-p)p^{n-1}=1$$

式中 p——泥浆收缩率,中粉质壤土为 34.5%;

n——复灌次数。

经计算,复灌三次即可使隐患充填密实。为了使泥浆能充分析水固结,三次灌浆间隔时间分别采用 5 天和 7 天。灌完浆后,经开挖检查,质量良好,至今未出现水沟。此法处理隐患投资省,效果比较好。

第十六章　河道整治工程根石加固

第一节　根石的概念

根石也叫“护根石”，是坝的下部保护石，分为有根石台、无根石台两种。无根石台时，以设计枯水位划分，枯水位以上为坦石，以下为根石；有根石台时，以根石台顶划分，以上为坦石，以下为根石。根石是坦石乃至整个坝身安全稳定的基础，坡度1∶1.1～1∶1.5，以坝前头及上跨角为最深，一般达 8～15m，最大 23.5m。承受大溜剧烈冲刷，易坍塌走失，坡度或深度不足时，能导致坝岸出险。

一、黄河工程中根石的分类

从目前黄河工程根石情况来看，黄河工程根石大体可分为三类：第一类是抢险形成的根石。这种根石一般以抛柳石枕、散石或铅丝笼为主，根石不规则且延伸较远。这种工程的根石在黄河工程中占绝大多数。第二类是在新修的坝岸或新建后一直不靠溜工程的根石。这种根石保持竣工后的形状，根石相对较浅且无平面方向的延伸。第三类是新结构根石，如武陟一局老田庵工程 14、15 号坝的铅丝笼沉排和 23 号坝化学成形挤压块沉排等坝段。这类根石一般保持一个整体，不出现散乱现象。后两种根石形式虽然目前数量较少，但也应作为根石分析研究的一个问题。

二、根石的断面形态

根据根石探测断面图分析，根石断面大多呈“下缓、中陡、上不变”的分布规律。主要原因是上部一般高于枯水位，通常按设计标准整理维护，即使遇到较大险情，抢险后仍能及时修补。而根石中间陡主要是因为:①根石中部水流流速最大,块石容易起动走失,在水流的自然筛选作用下,边坡上剩下的块石相互啮合较好,抗滑稳定性和防冲起动性都较自然堆放情况下的块石明显增大,因此容易形成陡坡;②抢险及根石加固的块石无法抛到根石底部,大多都堆积在边坡中上部,使中间坡度相对较陡。这种情况在险工坝段尤为突出。处于根石最下部的块石,由两部分组成:一部分是冲刷坑发展到一定程度,坝体根石局部失稳滑入坑中;另一部分是因折冲水流冲刷块石起动后,运动至根石底部。其中以第一部分占绝大多数。下部的根石主要起抗滑稳定作用,故坡度较缓。另外,还有一些特殊断面(如反坡、平台及锯齿等),形成的主要原因在于坝体水中进占修做及抢险过程中,采用搂厢、柳石枕或铅丝笼等结构,这种结构体积大,且不易排列,容易形成各种不规则的断面。这种断面会造成水流紊乱,促使河床淘深,影响基础稳定。

一般认为,根石是一个连续体,但在实际上,黄河工程根石在平面和深度方向都不一定是一个连续体,而且很明显不是一个光滑平面。主要表现为:一是在平面方向,可能出现未与根石相连的零散石块;或是在根石的垂向分层上,出现两层甚至更多层的根石;这两种情况主要出现在根石形成时间较长的坝垛。二是根石上层是一块块不规则的石块,石块间可能存在缝隙且高低不平。

三、根石稳定的条件

坝体的稳定主要取决于根石与其上部的土石压力是否相适应;当根石上部土压力一定时,坝体稳定性主要取决于根石厚度、深度和坡度,其中以深度对坝体稳定的影响最大。当冲向坝体某一部位的水流强度大于坝体该部位曾受过的最大水流强度时,原来相对稳定的坡度随坝前局部冲刷坑的形成和发展以及根石的走失而变陡,坝体稳定性降低,随时可能出险。因此,只有当坝体受过较强水流的冲刷,根石达到一定深度后,根石坡度才能保持相对稳定，坝体出险几率才会相应减少。

（一）深度

黄河坝体为浅坝基修筑，在水流冲刷出险后，不断抛块石以加固坝基。黄河上判断坝基稳定的传统方法是通过探摸根石深度来确定的。探摸的根石深度即可认为是坝前冲刷坑的深度。

实测资料表明，一般情况下在迎水面至圆头交界处冲刷最为强烈，迎水面中部次之。洪水情况下，坝前一般冲刷深度为8～9m，局部最大冲刷深度可达18m。目前黄河下游实测坝体根基最深的为建于清乾隆九年（1745年）的花园口将军坝，其根石深度为23.5m。

（二）坡度

根据《黄河下游1996至2000年防洪工程建设可行性研究报告》计算成果，当乱石坝结构的坝高为20m时，坦石宽1m，坦高5m，坦石内外坡均为1∶1.0，根石台宽2m，根石深15m，根石外坡1∶1.3，根石内坡1∶0.7时，坝体整体滑动系数为1.02，护坡安全系数为1.15。由此可以认为，当根石外坡达到1∶1.3时，根石是基本稳定的。但由于根石的稳定性主要取决于根石的厚度、深度和坡度，其中以深度对坝体稳定的影响最大，也就是说，只有根石达到一定深度后，根石坡度才能保持相对稳定，坝体出险几率才会相应减少。由实际探测成果知，深度大于15m的根石占所探测断面的比例很小。为充分保证坝体安全稳定，目前黄河河道整治工程根石坡度设计取1∶1.5。

第二节　根石走失的原因及加固措施

一、根石走失的原因

有关试验及原型观测表明，坝体根石在水流的冲击作用下有两种主要运动形式。一是随着冲刷的逐步发展,大量块石失稳,向冲刷坑底塌落;二是水流的挟带力引起部分块石向下游或向冲刷坑底滚动。根石的这两种运动形式通称为根石位移。第二种运动形式即为根石走失,它是坝岸出险的重要原因之一。

根石走失主要有三种去向:一是在折冲水流的作用下沿坝面向冲刷坑底滚动,这部分块石一般块体较大,使坝体根基加深加厚,下部坡度变缓,有利于坝体稳定;二是沿坝体挑流方向顺流而下,这部分块石一般块体较小;三是沿回流冲刷深槽分布,且在走失量和体积上沿程递减。

根石走失与水流流速、水深、块石粒径及断面形态等有关。流速越大,根石越容易走失;边坡系数越大,单个块石的稳定性越好;另外,水深较大处的根石不易走失。

二、防止根石走失的加固措施

由统计资料看出,凡小流量出险的坝岸,根石均单薄,由于河势发生变化而发生险情。因此,日常维修养护坝岸中,及时补抛根石是非常重要的。在日常的维修管理中应着重注意以下几个方面:

(1)探摸根石。及时探摸根石,了解坝岸基础动态,是管理中的重要工作。尤其对着溜情况发生变化的坝岸要根据情况随时进行摸探,发现问题立即采取固根措施。

(2)网罩护根。为有效地防止根石走失,在有条件的情况下可采用网罩护根的方法。其方法是借助于民间的鱼网原理,在根石容易走失的部位(上跨角、下跨角、前尖)用铅丝或高强度的尼龙丝,编织成鱼网形式。网罩的近坝一边固定在根石台上,另外的三边串一条粗的铅丝或钢筋,其上拴连大块石或混凝土预制块作为网坠,靠河槽的一边也可用铅丝笼。这样将网坠放置在根石以外的河床上,即形成了以网来罩护根石的防护体系。在水流的作用下坝前若形成冲刷坑，这时网坠蛰动位移，网边也随之收紧，使整个护网能紧贴根石及河床。那些被罩护的根石只能随河床冲刷变形，在网内位移，而不能滑出网外，能有效地防止根石走失。

(3)提前备料。多数常年不着溜的坝岸基础较差，根石单薄。这些坝岸应事先备部分铅丝笼、大块石或粘结大块石放置在根石前沿。当坝前形成冲刷坑时，所放铅丝笼或大块石直接滚入冲刷坑内起到护根作用。采取这种方法比出险后再抛石抢护争取了主动权，并解决了抛石不容易到位的问题，能有效地防止险情向严重方向发展，起到了将险情治早、治小、治了之目的。

(4)根石断面不足的坝体应及时抛石加固。现有坝体根石坡度系数大多在1:1.1～1:1.3之间，根石深度小于15m。为了使坝体在受到水流冲刷时有一定的适应性，根石坡度应加固调整其系数达到1.5左右。对靠河坝体应进行经常观测，一旦发现根石坡度不足，即应提前在汛前枯水位或断流期加抛根石并使其抛至预定位置，减少坝体出险几率。

第三节 乱石坝根石走失的原因与防护措施

从黄河下游乱石坝出险情况看，大都与根石走失有关。防止根石走失，是确保乱石坝坝体安全的最关键的问题。

一、根石走失的原因

(一)水流条件的影响

(1)乱石坝周边水流形态与冲刷坑深度的影响。黄河下游乱石坝大多数是非淹没的下挑坝体，坝体对近岸水流流速场干扰很大。由于水流在坝前受坝体所阻，迎水面水位升高，形成上回流及下降水流。下降水流与主流合并成为螺旋流，这是造成坝前冲刷坑的主要原因。下回流是水流过坝时的扩散离解造成的。水流过坝体以后,由于单宽流量和近底流速的加大,在最大底流速区形成冲刷坑。在坝体上、下游主流与回流的交界面附近,因流速分布的不连续或流速梯度的急剧变化,产生一系列漩涡,回流周边流速较大,在坝体上、下跨角部位冲刷。郓城县局根石探测资料表明,在中水位情况下,流势顶冲坝岸时,根石冲刷深度在根石台顶以下13~16m。

(2)高含沙水流对乱石坝根石的影响。由于黄河是多泥沙河流,高含沙水流使其特性发生了变化,二相流变成均质流。当水流深度增大时,河床物质变得容易起动,造成高滩深槽,部分河段主槽缩窄,单宽流量加大,水流集中冲刷力增强,坝前冲刷坑就比较深。1977 年汛期,苏阁险工新 9 坝与 9 坝出险就是高含沙水流集中,严重冲刷根石造成的坍塌出险。

(3)弯道环流的影响。弯道环流作用使得凹岸冲刷,凸岸淤积。郓城河段大部分都是受人工建筑物控制的河湾,水流因受离心力作用,对工程冲刷力加强,促使根石走失。

(4)“横河”、“斜河”的影响。“横河”、“斜河”使水流顶冲坝垛,造成根石走失,出险的几率较大。

(二)根石断面的影响

(1)根石断面不合理。乱石坝坝体大部分堆积在根石上部,形成上宽下窄、头重脚轻的现象。这种情况对坝体稳定极为不利,根石很容易出险走失。

(2)根石外坡凹凸不平。外坡不平会造成水流翻花搜淘,增大水流强度,促使河底淘刷,影响根石稳定。

(3)根石断面坡度陡。坡度越陡,下降水流的冲刷作用越强,冲刷坑越深,越易造成根石走失。

(三)块石粒径的影响

由于块石较小,坝前的流速大于根石起动流速时,块石从根石坡面上就会被一块一块地揭走,造成揭坡。

(四)工程布局的影响

工程布局不合理、坝裆过大造成上游坝掩护不了下游坝,形成大回流,甚至出现主流钻裆,冲刷坝尾导致大险。如苏阁险工13~14坝之间坝裆过大,后来又修做护岸和坝垛。还有个别坝坝位突出,形成独坝抗大溜,造成水流翻花,淘根刷底,坝前流速增大,水流冲击力超过根石起动流速,被大溜冲走块石,造成根石走失。如杨集险工 8 坝、伟庄险工的 6 坝,就是这种情况,造成多次抢险、抢大险,浪费了大量的人力、物力。

(五)抛石施工方法不当的影响

(1)在险工加高改建时,把原有的根石基础埋在坝基下,往外重新抛投根石。这样施工即使过去已经稳定的根石,也会重新坍塌出险。

(2)加抛根石不到位。在大溜顶冲情况下,居高临下在坝顶上投抛散石,这种情况会造成大量块石被急流卷走,一部分则堆积在根石上部,也不稳定。这样不但造成浪费,而且很难有效地缓解险情,很可能会增加险情,造成大的坍塌。

(3)旱地施工,根石加固时,把块石抛堆在泥土上。这样一旦着溜淘刷,根石就会走失。因此,一定要改旱地施工为水下施工。

二、根石的防护措施

(一)根石坡度适当

根石坡度过陡是造成根石走失的主要原因之一。根石的坡度决定于流速的大小和石块的重量。根据以往的经验,根石的稳定坡度为 1∶1.1~1∶1.2。根石坡度愈小,冲刷坑愈浅,同时冲刷坑距根石坡脚也愈远。如有条件应按 1∶1.3~1∶1.5 修建根石坡。如补充根石时石料走失,要采用质量大于 50kg 的块石,小块石可装铅丝笼使用。

(二)补充根石要防重于抢,讲究方法

为争取防守主动权,各险工坝岸要有一个严格的管理制度,做到班坝责任制,要定期组织人员探摸根石,及时了解根石走失情况,特别是那些常年靠溜的主坝,对水下根石要及时探摸,并根据实际情况,区别不同部位,采取不同办法,主动补充根石。从过去探摸根石断面情况看,有相当一部分断面根石坡度达不到1∶1,但是形态多为上陡、下部稍缓、中间凹,即断面中间部分坡度最陡,根石走失严重部位位于中水位以下3～4m处。乱石坝补充根石时应注意以下几点:第一点,应根据缺石部位,采取不同的补根办法。对于已经有相当根基的老工程,应首先稳脚石补坡,俗话说的"护坡先护脚,脚稳坡不脱"就是这个道理。围护根石底部,要用铅丝笼镇脚。它的优点是铅丝入水不易锈断,石笼能适应水流淘刷而改变坡度,石笼重,浮力小,下沉快,能按要求到位;同时,抛石笼护根能防止根石前爬问题。补坡抛根时用大块石,按先远后近、先深后浅、先上游后下游的顺序进行。第二点是保证补充根石到位。要边抛边摸根,一次到位。这样不仅能节省大量石料,且固根效果明显良好。如1987年,郓城县杨集险工4、5坝两坝由于河势上堤连续出险,虽经多次抢护,但效果不明显,根据探摸根石断面,坡度仍很陡,且凹凸不平,后经用船压50kg以上块石补坡,用船抛铅丝笼围脚固根,并边抛边摸,完全按要求进行了加固,结果连续数年虽紧靠大溜,一直未再出现险情。第三点是在枯水季节,对水上根石部分要全面进行整修。对坝坡上和根石体上的没有抛到位的多余浮石清理到底部去。如果有条件,可以粗排整平。

(三)对出险情况的认识和处理

险工工程管护人员必须做到以下四个方面:①对所管护坝岸的基础情况心中有数,每道坝岸的修建时间、坝下土质、探摸根石断面、历次抢险次数、用料多少、抢护方法等都要建立档案,特别是要建立、健全岗位责任制,做到经常探摸根石,雨季要冒雨查险、排

放积水等。②对河势变化情况心中有数。河势多变要能看到近期河势变化的趋势,哪些坝可能要靠大溜,根据经验一般急险不超过三道坝,要注意洪水过后的落水过程中的变化,要预先心中有数。③对险情的判断做到心中有数。如在查验时发现坝身出现裂缝,要尽快查找原因,注意观察险情的变化,及时上报处理;再如查险时听到水下根石有连续响声,这说明根石在滑动有走失,出现这种情况要认真分析,做到抢早、抢小、抢好,警惕出现大的险情。④抢护方法要心中有数。出现险情后,要能根据具体情况采取必要的有效措施。乱石坝出险绝大部分是从根石出问题,要用比较经济的方法处理。

在抢护中需要注意到:①坝基础土质。沙土底险情表现多为慢蛰,故可以抛大块石和柳石枕,上面要有块石或石笼压枕,避免栽头前爬;淤土底最容易前爬,一定要使用铅丝笼镇脚;格子底易出现猛墩蛰险情,所以要注意多使用柳石枕,上压大块石或石笼。②出险部位。如上跨角出险,此处溜急,根石走失严重,最有效的抢护方法是抛铅丝笼;如下跨角出险,此处属回溜淘刷,可用柳石枕、土袋枕,上压铅丝笼或大块石;若大面积坍塌,也可用柳石搂厢、层柳层石、抛枕护根,压石笼和块石;如坝前头出险,可用铅丝笼围护;如有揭坡现象,可用大块石或小体积石笼(0.3m^3 以下)压补根石坡;如坝的迎水面出险,可抛 5~10m 长的柳石枕,压石块,同时也可抛不同体积的铅丝笼;若出险段较长,根石走失严重,可采取“抢点、护线”的方法,先用铅丝笼、柳石枕集中抛护一点或数点,逼溜外移,以缓解险情,然后再根据料物和险情再补裆固根。抢护点的宽度一般在 10m 左右。如 1976 年大洪水时,杨集险工 18 坝,由于溜势突然变化,大溜直冲迎水面,根石严重走失,坦石墩蛰,土坝基已有部分蛰裂,险情发展很快。为避免垮坝,决定采用“抢点、护线”的方法,先逼溜外移,同时集中人力和料物,在 60m 长的迎水面上,先抢起了三个垛,用铅丝笼和 5m 长的柳石枕抢护。经过一天一夜的抢护,才使险情得到了控制,保护了坝基,取得了抢险的胜利。

第四节　根石探测

一、根石探测方法

目前根石探测主要采用人工锥杆探测、以点定线确定根石走势的方法。锥杆可从结构和材料上进行分类。从结构上划分:一是可套接的锥杆,一般第一节长 3m,其余各节长 2～3m,可接至 10～15m长;二是不可套接的锥杆,一般分为短、中、长三种,短杆 3～4m,中杆 5～8m,长杆 8～12m。从材料上划分:一是钢管锥杆,采用直径 20～30mm 的钢管;二是钢筋锥杆,采用直径 14～20mm 钢筋。从探测现场看,钢筋锥杆在水流较小的过水断面和旱坝较为方便;钢管锥杆因其较粗、阻力大,使用较为费力;而在水深溜急处,两种锥杆均不适宜;钢筋锥杆柔性大,易弯曲;钢管锥杆韧性小,易折断。从结构上比较,可套接锥杆使用较为方便,不可套接锥杆在使用长杆时存在控制、稳定、移动难度大的缺点。

探测水上或根石台外沿以上部分采用水准仪配合皮尺进行,在拐点处设点;水下及平坦滩面用锥杆,一般每 2m 一个测点,在探不到根石时平距退回 1m 锥探。如仍探不到,则截止于上一测点。

二、根石探测要求

根石探测可划分为汛前、汛期及汛后探测。汛前探测在每年 4 月底前完成,对上年汛后探测以来河势发生变化后靠大溜的坝垛进行探测,探测坝垛数量不少于靠大溜坝垛的 50%。汛期探测是指汛期对靠溜时间较长或有出险迹象的坝垛应及时进行探测,并适时采取抢险加固措施。汛后探测一般在每年10～11月份进行，探测的坝垛数量应不少于当年靠河坝垛总数的50%。

探测断面布设的原则是上、下跨角各设一个，坝垛的圆弧段设1～2个，迎水面根据实际情况设1～3个断面。断面编号自上坝根（迎水面后尾）经坝头至下坝根（背水面后尾）依次排序，坝垛断面编号附后，表示形式为YS+×××，QT+×××等，其中YS为迎水面，QT为坝前头，×××为断面编号，“+”前的字母表示断面所在部位，“+”后的数字表示断面至上坝根的距离。探测断面方向应与裹护面垂直，并设置固定的石桩或混凝土桩，断面桩不少于二根。探测一般采用人工锥杆或导杆探测。

根石探测必须明确技术负责人，并有不少于两名熟悉业务的技术人员参加。锥探用的锥杆在探测深度10m以内时可用钢筋锥；探测深度超过10m时，为防止锥杆弯曲，可采用钢管锥。根石探测断面以坦石顶部内沿为起点。根石探测断面间水上部分沿断面水平方向对各变化区进行测量，水下部分沿断面水平方向每隔2m探测一个点。遇根石深度突变时，应增加测点。在滩面或水面以下的探测深度应不少于8m。当探测不到根石时，应再向外2m、向内1m各测一点，以确定根石的深度。

探测时，测点要保持在施测断面上，量距要水平，下锥要垂直。测量数据精确到厘米。探测时，要测出坝顶高程、根石台高程、水面高程、测点根石深度。根石探测断面数据要认真填入附表。高程系统应与所在工程的高程系统一致。水上作业时要注意安全，作业人员均应配带救生器材。

每次探测工作结束后，都要对探测资料进行整理分析，绘制有关图表，编制探测报告。根石探测报告应包括：探测组织、探测方法、工程缺石量及存在问题，并分析不同结构坝垛的水下坡度情况，根石易塌失的部位、数量、原因及预防措施。

根石断面应根据现场记录，经校对无误后绘制。断面图纵、横比例必须一致，一般取 1∶100 或 1∶200。图上须标明坝号、断面编号、坝顶高程、根石台高程、根石底部高程、测量时的水位或滩面高程。

缺石量计算为缺石平均断面面积乘以两断面的裹护周长。缺石断面面积绘制出的实测根石断面分别与坡度1∶1.0、1∶1.3、1∶1.5的标准断面（按设计要求考虑标准断面的根石台顶宽，但最宽不得超过 2m）进行比较，计算缺石断面面积。断面面积采用两个相邻实测断面缺石面积的算术平均值。

断面之间裹护周长、险工坝垛及有根石台的控导护滩工程的直线段采用根石台外缘长度，控导护滩工程直线段采用坝顶外缘长度；险工、控导工程圆弧段的周长采用根石台或坝顶外缘长度乘以系数 2 确定。

计算成果应汇总成表，分别按 1∶1.0、1∶1.3、1∶1.5 的标准断面测算每处工程的坝垛数和缺石量，以县（市、区）河务局为单位测算缺石量。上述计算成果，须经有关业务主管领导审查签字。根石探测资料要及时存档，并尽可能实行微机储存、分析和成果汇总。

三、目前根石探测方法存在的问题

目前，根石探测存在最大问题和产生较大误差的主要原因就是探测方法。现有探测方法存在的问题主要有以下几个方面。

（一）劳动强度大，工作效率低

锥探是一项重体力劳动，加上一般根石上面有较厚的淤沙甚至胶泥层，下锥非常困难。从在河南北岸进行的根石探测过程看，上部（大约在封丘以上）河段，淤泥层和胶泥层较厚，造成新出滩地上无法站人，极易陷入泥中，同时锥探难度非常大。在这一河段，新出滩面和浅水中的断面往往无法进行锥探。而封丘以下则淤泥层和胶泥层较薄，新出滩面甚至浅水中站人打锥也不下陷，同时下锥较容易。在孟州、温县等县(市)局工程探测时,15个锥探民工一天只能探测8个断面,效率非常低。在濮阳市局所属县局探测时情况稍好,但10人一天也只能探测15个断面左右。

在水深溜急的河段进行水上探测较旱地和缓溜情况下断面探测难度更大。一是船位难以稳定。在水流较急河段,很难使测船到位,即使到位也难以长时间稳定以保证探测的顺利进行。二是在水深溜急处,锥杆难以竖直,经常出现锥头尚未到水底,锥杆已经被水冲歪、难以控制的现象,致使根本无法进行锥探。即使勉强下锥探测,因锥杆倾斜严重,误差也非常大。三是船只换位困难。在曹岗工程探测时,由于水流很急,虽然使用的是水文站的大测船,从一个断面换到另一个断面也是一件非常困难的事,需要花费半个多小时。估计一般船只根本就无法在这种水中稳住。

(二)探测准确性较差

现有探测方法探测时,影响探测准确性的因素很多。第一,根石是非连续的。这种现象容易造成在锥杆碰到散石后,便被误认为探测到了根石;或锥杆探测到石缝中继续下锥,使探测到的根石深度变大。这样极易产生几十厘米甚至数米的探测误差。另外,对于分层根石,以现有探测方法根本无法测出,导致根石探测结果与实际情况有较大误差。第二,探测中存在难以避免的误差。这种情况主要出现在急流下的水中探测:由于定位困难、稳定困难、下锥难以竖直等因素,都会产生很大误差。第三,缺根石计算中误差。目前缺根石只计算到已探测到的根石范围内的缺石。这样,探测水平距越远,计算出的缺石量就越大。我们认为这样的方法不很合理。例如新修建的工程,根石必然浅薄,且除满足设计要求外无延伸,其根石是无法满足抵御洪水要求的,也就是说是明显根石不足,但如按照现有的计算方法,只要施工按照设计进行,则不会计算出工程根石不足。另如:一个断面,在只探测到水平距离16m时可能不缺石,但如果探测到20m,则可能出现较大量的缺石。另外，根石断面交叉也会造成计算出现较大误差。在坝垛连接的工程中，一定水平距离处可能出现两个坝断面的交叉。这种情况如不予考虑，将造成较大的缺根石计算误差。因此，无论从防汛角度，还是从根石加固的角度，目前缺根石计算方法都是值得商榷的。

四、对根石管理和根石探测须采取的措施

(一)大力推广根石加固新技术

根石探测的主要目的就是了解根石现状，为根石加固提供可靠的依据。如果能够从根本上解决根石走失问题，根石探测工作量也就可以大大减少，甚至取消。解决缺根石问题的关键是改变根石的结构，即通过积极研究和推广根石加固新技术，通过对现有根石进行锚固、网护、连接、防护(如武陟一局铅丝笼沉排和搅拌桩沉排)等措施，防止或减少根石走失，变松散根石为整体根石或相对整体根石，是解决黄河工程安全的最有效的措施。

(二)积极改进根石探测方法

要能够较为真实地反映根石实际情况，就必须改革和完善现有根石探测方法。通过引进和利用振动波或远红外波等最新技术的探测，将其应用到黄河工程根石探测中来，以提高黄河根石探测精度，降低根石探测劳动强度。

(三)研究改进缺根石的计算方法

由于目前缺根石计算中存在许多不合理之处，所以必须改进计算方法。在使用目前根石探测布线方式的情况下，建议缺根石计算可根据根石加固到位能力或根石的不同情况(主要指不同断面位置根石的平均深度或根石的形成时间)，确定一个相对固定的水平距，这样一方面可避免过于追求探测根石深度和范围造成不必要的浪费，另一方面可以解决断面交叉造成的误差。

第十七章　河道目标管理

第一节　考评办法

一、等级和标准

水利工程管理考核的对象是水利工程管理单位(指直接管理水利工程,在财务上实行独立核算的单位),重点考核水利工程的管理工作,主要是组织管理、安全管理、运行管理和经济管理。

水利工程管理考核实行1 000分制。考核结果为920～1 000分的(含920分,其中各类考核得分均不低于该类总分的85%),确定为国家一级水利工程管理单位;考核结果为850～920分的(其中各类考核得分均不低于该类总分的80%),确定为国家二级水利工程管理单位。

水利工程管理考核,按工程类别分别执行《河道工程管理考核标准》、《水库工程管理考核标准》和《水闸工程管理考核标准》。

二、权限和程序

水利工程管理考核工作按照分级负责的原则进行。水利部负责全国水利工程管理考核工作。县级以上地方各级水行政主管部门负责所管辖区域的水利工程管理考核工作。流域管理机构所属水利工程管理考核工作由流域管理机构及所属单位分级负责,部直管水利工程管理考核工作由水利部负责。

水利工程管理单位根据考核标准每年进行自检,并将自检结果报上一级主管部门。上一级主管部门及时组织考核,将结果逐级报至省级水行政主管部门。流域管理机构所属工程管理单位自检后，经上一级主管部门考核后，将结果逐级报至流域管理机构；部直管水利工程管理单位自检后，将结果报水利部。

大型水库、大型水闸、七大江河干流、省级管理的河道堤防工程(包括湖堤、海堤工程)的考核结果由省级水行政主管部门汇总后报流域管理机构备案。

国家一级水利工程管理单位由水利部组织验收，也可委托有关单位组织验收；国家二级水利工程管理单位由部委托流域管理机构组织验收。

省级水行政主管部门负责本行政区域内国家一、二级水利工程管理单位的初验、申报工作。省级水行政主管部门对自检、考核结果符合国家一、二级水利工程管理单位标准的组织初验，初验符合国家一级标准的，向水利部申报验收，并抄报流域管理机构；初验符合国家二级标准的，向流域管理机构申报验收，验收合格的报水利部批准。水利部和流域管理机构接到申报后要及时组织验收。

流域管理机构负责所属工程国家一级水利工程管理单位的初验、申报工作和国家二级水利工程管理单位的验收、申报工作。流域管理机构对自检、考核结果符合国家一级水利工程管理单位标准的组织初验，初验符合国家一级标准的，向水利部申报验收批准；对自检、考核结果符合国家二级水利工程管理单位标准的组织验收，验收合格的报水利部批准。

水利部负责部直管工程国家一、二级水利工程管理单位的验收工作。部对自检结果符合国家一、二级水利工程管理单位标准的组织验收，验收合格的予以批准。

水利部建立水利工程管理单位考核验收专家库，国家一、二级水利工程管理单位验收专家组从专家库抽取验收专家的数额不得少于验收专家组成员的三分之二；被验收单位所在的省(自治区、直辖市)或流域管理机构的验收专家不得超过验收专家组成员的三分之一。

经考核验收确定为国家一、二级水利工程管理单位的,由水利部颁发标牌和证书。各级水行政主管部门及流域管理机构可对获国家一、二级的水利工程管理单位给予奖励,具体奖励办法自行制定。

已确定为国家一、二级的水利工程管理单位,由流域管理机构每三年组织一次复核,水利部进行不定期抽查;部直管工程由水利部组织复核。对复核或抽查结果达不到原确定等级标准的,取消其原定等级,收回标牌和证书。

黄委负责黄河河道目标管理考评工作。按照分级管理原则,河南、山东黄河河务局负责本辖区范围内的河道目标管理考评工作。

河道管理考评以县(区)级河道管理单位为单元,分自检、初验、验收发证等三个阶段进行。

县(市、区)河道主管机关进行自检;市(地)河道主管机关负责三级管理单位的初验和推荐,指导县级河道主管机关做好一、二级管理单位的自检工作;河南、山东黄河河务局负责三级河道管理单位的考评验收和二级河道管理单位的初验、推荐工作;黄委负责二级河道管理单位的验收认定和一级河道管理单位的初验和推荐工作。

河南、山东黄河河务局每年年底须向黄委报送阶段考评成果和工作总结以及次年的工作计划。需申请验收的单位,应按规定权限上报申请报告、考评成果和工作总结等材料。被验收的单位应准备好如下材料:工作总结、自检报告(包括自检评分原始记录)、初验后整改结果和评分情况、各类管理运行的技术资料和规定的文件或证书。

河道堤防工程的考评验收采取抽验方式。堤防工程抽验长度不少于河道管理单位管辖总长度的20%,坝(垛、护岸)抽验数量(以坝、垛道数为单位)不少于管理总数的30%。

河道管理单位等级评定的初验和验收,采取“看、听、问、查”的方式。

看:外看现场,内看资料。看现场采取全面看和重点看相结合,重点察看平均每5~10km一个点,其中一半由管理单位安排,一半由考评组随机确定。看资料分三种情况:一是复印发给考评组成员的资料;二是不便印发的资料,可集中摆放,供考评人员翻阅;三是考评人员认为需要提供的资料,管理单位应尽量提供。

听:听取管理单位情况介绍,包括集中介绍和现场介绍。

问:边看边问,边听边问。由负责汇报的单位负责人和有关业务部门负责人回答,问谁由谁回答。

查:指考察管理单位有关领导对管理范围基本情况、技术指标、有关法规政策等的熟悉和掌握程度。

等级认定后,被考评单位应认真落实考评组提出的整改措施,并将整改后的情况按权限逐级上报。

对已认定等级的河道管理单位应按验收的权限进行复查,每三年复查一次,复查单位数量不少于已评定数的20%~30%,复查采用和验收评定同样的方式。复查后发现不符合原等级标准的单位,限期达到原等级标准,否则将给予降级处理。

三、奖励与激励政策

奖励:根据部有关规定,一、二级河道目标管理单位证书和奖牌均由水利部统一制作发放,省河务局可以给予适当物质奖励。

激励政策:对获得一级河道目标管理单位的县(区)局,各级主管部门要在岁修经费安排上予以倾斜,使这些单位在管理上保持较高水平。

第二节　考评内容

一、组织管理

(一)管理体制和运行机制

理顺管理体制,明确管理权限;实行管养分离,内部事企分开;分流人员合理安置;建立竞争机制,实行竞聘上岗、优化组合;建立合理、有效的分配激励机制。

(二)机构设置和人员配备

管理机构设置和人员编制有批文;岗位设置合理,按部颁标准配备人员;技术工人经培训上岗,关键岗位要持证上岗;单位有职工培训计划并按计划实施,职工年培训率达到30%以上。

(三)精神文明

管理单位领导班子团结,职工敬业爱岗;庭院整洁,环境优美,管理范围内绿化程度高;管理用房按要求设置,管理有序;配套设施完善;单位内部秩序良好,遵纪守法,无违反《治安管理条例》和《计划生育条例》的行为发生;近三年获县级(包括行业主管部门)以上精神文明单位称号。

(四)规章制度

建立、健全并不断完善各项管理规章制度,包括人事劳动制度、学习培训制度、岗位责任制度、请示报告制度、检查报告制度、事故处理报告制度、工作总结制度、工作大事记制度等,关键岗位制度明示,各项制度落实,执行效果好。

(五)档案管理

档案管理制度健全,有专人管理,档案设施齐全、完好;各类工程建档立卡,图表资料等规范齐全,分类清楚,存放有序,按时归档;档案管理获档案主管部门认可或取得档案管理单位等级证书。

(六)工程标准

河道堤防工程达到设计防洪标准。

(七)河道安全

在设计洪水(水位或流量)内,未发生堤防溃口或其他重大安全责任事故。

(八)工程隐患及除险加固

对堤防进行有计划的隐患探查;工程险点隐患情况清楚,并根据隐患探查结果编写分析报告;有相应的除险加固规划或计划;对不能及时处理的险点隐患要有度汛措施和预案。

(九)防汛组织

各种防汛责任制落实,防汛岗位责任制明确;防汛办事机构健全;正确执行经批准的汛期调度运用计划;抢险队伍落实到位。

(十)防汛准备

按规定做好汛前防汛检查;编制防洪预案,落实各项度汛措施;重要险工、险段有抢险预案;各种基础资料齐全,各种图表(包括防汛指挥图、调度运用计划图表及险工险段、物资调度等图表)准确规范。

(十一)防汛料物

各种防汛器材、料物齐全,抢险工具、设备配备合理;仓库分布合理,有专人管理,管理规范;完好率符合有关规定且账物相符,无霉变、无丢失;有防汛料物储量分布图,调运方便。

(十二)工程抢险

能及时发现、报告险情;抢险方案落实;险情抢护及时,措施得当。

二、河道防洪安全与保护

(一)确权划界

划定河道管理范围及工程管理和保护范围;划界图纸资料齐

全;工程管理范围边界桩齐全、明显;工程管理范围内土地使用证领取率达95%以上。

(二)建设项目管理

河道滩地、岸线开发利用符合流域综合规划和有关规定;河道管理范围内新建、改建、扩建项目等情况清楚;对建设项目审查严格;无越权审批项目,审查程序符合有关规定,手续完备;审查、审批及竣工验收资料齐全,按有关规定对新、改、扩建项目的施工、运行进行有效监督。

(三)河道清障

了解河道管护范围内阻水生物以及建筑物的数量、位置和设障单位等情况,及时提出清障方案并督促完成清障任务,无新设障现象。

(四)水行政管理

定期组织水法规学习培训,领导和执法人员熟悉水法规及相关法规,做到依法管理;水法规等标语、标牌醒目;河道采砂等规划合理,无违章采砂现象;配合有关部门对水环境进行有效保护和监督;案件取证查处手续、资料齐全、完备,执法规范,案件查处结案率高。

三、运行管理

(一)日常管理

堤防、河道整治工程和穿堤建筑物有专人管理,按章操作;管理技术操作规程健全;定期进行检查、维修养护,记录完整、准确、规范;按规定及时上报有关报告、报表。

(二)堤身

堤顶高程、宽度、边坡、护堤地(面积)保持设计或竣工验收的尺度;堤坡平顺;堤身无裂缝、冲沟、无洞穴、无杂物垃圾堆放;草皮整齐，无高秆杂草。

（三）堤顶道路

堤顶（后戗、防汛路）路面满足防汛抢险通车要求；路面完整、平坦，无坑、无明显凹陷和波状起伏；堤肩线直弧圆；雨后无积水，便于防汛检查和抢险。

（四）河道防护工程

河道防护工程（护坡、护岸、丁坝、护脚等）质量达到设计要求；无缺损、无坍塌、无松动；备料堆放整齐，位置合理；工程整洁美观。

（五）穿堤建筑物

穿堤建筑物（桥梁、涵闸、各类管线等）位置、尺寸、质量符合安全运行要求；金属结构及启闭设备养护良好、运转灵活；混凝土无老化、破损现象；堤身与建筑物联结可靠，结合部无隐患、无渗漏现象。

（六）害堤动物防治

在害堤动物活动区有防治措施；防治效果好，无獾狐、白蚁等及其洞穴。

（七）生物防护工程

工程管理范围内（包括护堤、护坝、护闸地）宜绿化面积中绿化覆盖率达95%以上；树、草种植合理，宜植防护林的地段要形成生物防护体系；堤肩草皮（有堤肩边埂的除外）每侧宽0.5m以上；林木缺损率小于5%，无病虫害；有计划对林木进行间伐更新。

（八）工程排水系统

按规定各类工程排水沟、减压井、排渗沟齐全、畅通，沟内杂草、杂物清理及时，无堵塞、破损现象。

（九）工程观测

按要求对堤防、涵闸等进行工程观测，以及对河势变化进行观测；观测资料整编成册；根据观测提出利于工程安全、运行、管理的建议;观测设施完好率达 90%以上。

(十)河道供排水

河道(网、闸、站)供水计划落实,调度合理;供、排水能力达到设计要求;防洪、排涝实现联网调度,效益显著。

(十一)标志、标牌

各类工程管理标志、标牌（里程桩、禁行杆、分界牌、疫区标志牌、警示牌、险工险段及工程标牌、工程简介牌等）齐全、醒目美观。

(十二)管理现代化

积极引进、推广使用管理新技术;引进、研究开发先进管理设施,改善管理手段,增加管理科技含量;工程观测、监测自动化程度高;积极应用管理自动化、信息化技术。

四、经济管理

(一)费用收取

根据有关法规及授权积极收取河道工程修建维护管理费、采砂管理费(砂石资源费)等各种规费及供、排水费,收取率达 95%以上。

(二)财务管理

维修养护、运行管理等费用来源渠道畅通,财政拨款及时足额到位;开支合理,严格执行财务会计制度,无违章、违纪现象。

(三)工资、福利及社会保障

人员工资及福利待遇达到当地平均水平以上,并能及时兑现;按规定落实职工养老、医疗等各种社会保险。

(四)河道资源利用

有水土资源开发利用规划,可开发水土资源利用率达到 70%以上,经营开发效果好。

第三节 目标考评

自 1996 年水利部在全国开展河道目标管理工作以来，黄委始终把这项工作作为推动工程管理工作上台阶的一项重要内容，作为全面衡量一个单位工作质量的标准，并结合黄河实际情况对部颁标准进行了细化和完善，编制了《黄河下游目标管理考评细则》，对河道目标管理考评权限、申报程序、验收办法等都作了明确规定，从而促进了全河河道目标管理上等级工作的开展。

一、统一思想，提高认识

《河道目标管理考评办法》是衡量一个单位综合管理水平的一把尺子，考评验收只是手段，提高水平才是目的。一是要求各单位认真领会考评办法的精神实质，提高认识，把目标管理考评工作列入重要议事日程，层层分解，签订目标责任书。二是加强对该项工作的宣传。河道目标管理考评工作，不仅对防洪工程建设与管理提出了量化指标，而且对政策性收费、综合经营、职工收入明确了标准，还对档案、财务、计量、统计、精神文明建设、管理规章制度、职工素质等基础工作提出了具体要求，使每个职工都认识到这项工作的重要性，增强紧迫感，全力以赴投入到达标上等级工作中。

二、制定规划，梯次推进

河道目标管理上等级工作，量大面广，标准要求高，不可能所有单位一下子都晋升为一级单位。因此，黄委要求各级管理单位都要制订切实可行的发展规划和年度实施计划，并结合部颁《河道目标管理考评办法》，修改制定适合本单位的考评验收细则。河南、山东两局分别制定了中、长期发展规划和逐年实施计划，把河道目标管理工作作为管理工作的重点内容进行部署，在具体工作中量力而行，梯次推进，促进全面健康发展。对基础条件较好的单位可以先推荐为一级单位；对一些工程基础较差、历史遗留问题较多的单位，要有奋斗目标，每年都要解决一些实际问题，争取在较短时间内跃上新台阶。

三、加强正规化、规范化建设

管理工作的正规化、规范化建设是河道目标管理的重要内容。各单位根据管理办法的要求做了大量工作。一是每年年初制定工作意见，对全年的河道目标管理工作提出指导性意见和奋斗目标，然后层层签订目标责任书，保证各项管理工作的顺利完成。二是制定完善各项管理办法和检查考评制度，如管理工作岗位责任制、管理人员工日制、专群管人员考核奖惩制度、工程达标验收办法等。各地(市)、县河务局还根据自己的实际情况，制定了工程管理办法、防汛工作行政首长负责制和防汛工作正规化规范化办法、河道采砂管理办法、浮桥与码头收费办法等。如原阳县局较完备的班坝责任制卓有成效，济阳县局土地开发经营管理办法完善、效益显著。三是加强了对工程技术资料的整理。对工程管理统计报表、工程观测报表、工程问题报告及工程管理大事记等都按要求填写，做到资料真实、完整统一，并及时整理归档。四是抓好河道目标管理的"两检一验"制度。各县局实行月检查、季评比、年终总评的自检制度，地(市)局实行半年初验，年终由省局对申报的三级单位进行验收，对申报的一、二级单位进行初验。这一整套检查考评办法已形成制度。

四、根据整改意见，攻克薄弱环节

考评验收后，黄委要求各单位根据考评组提出的整改意见，加大力度，逐项落实。如郑州市邙金区河务局针对专家组提出的意见，投资 36 万元领取了土地使用证。1996 年 3 月，在上级拨款未到位的情况下,河南局拿出 50 万元用于全局的土地确权划界工作;1998 年植树节前后,又拿出 160 万元用于工程的绿化工作,重点解决申报二级单位的堤顶行道林补植、更新以及防浪林断带问题。各单位针对岁修经费少、管理任务大的实际,一是精打细算,合理利用有限的岁修经费;二是从自筹资金中挤一部分,在堤防、渡口等规费收入和经营收入中安排一部分,对重点工程进行整修。三是发动管理职工投工投劳,规定每个职工每月必须按定额完成规定的实物工作量,完不成任务的扣发应得报酬。各县局还实行"领导包片,科室包段"责任制,使河道目标管理工作经常化。四是省、地(市)局领导亲自蹲点,协助县局攻克薄弱环节,实现重点突破。这些做法,有力地推动了黄委河道目标管理工作的开展。

五、取长补短,相互促进

1996 年 11 月份,济阳、原阳、惠民、邙金四县(区)河务局被验收为国家一级管理单位后,黄委及时将他们的先进经验在全河予以推广,并号召各单位向他们学习,以推动河道目标管理工作的全面开展。近几年来,各级管理单位之间加强了考察交流,相互取长补短。通过考察交流,找到差距,更新观念,鼓足干劲。河南局在年终工程管理检查时对一级单位实行免检,并在岁修经费使用上予以倾斜,对有功人员进行奖励,从而消除了个别领导干部中存在的"管理等级上去了,投资减少了"的顾虑;山东局在年终工程管理检查时开展评选红旗单位、十佳单位、十佳工程活动,从而促使整个河道目标管理工作上了一个新台阶。

六、认真考评,严格验收

河道目标管理考评工作不仅是对被考评单位工作的客观评价,也从侧面反映了一个单位的整体管理水平。各单位积极性都很高,都想争创一级管理水平。因此,黄委要求各级管理单位都要认真把关，首先县局要按部颁标准从严掌握，实事求是地给自己打分。二是地(市)局要为县局当好参谋，做好评分和申报工作。三是省局严把初验关，对申报的一级单位不管以前是什么先进单位，都要站在同一起点上，重新打分。黄委考评组认真负责，不搞照顾，不送人情，严格标准，达不到标准的，一律不予推荐。黄委曾先后取消了三个单位的一级推荐资格，使得推荐的一级单位名副其实，经得起考验。对二级单位，规定凡土地确权划界没有完成的，一律不能通过验收。仅 1997 年就有三个单位因土地确权划界没有完成而没有通过二级验收。

第四节　以目标管理促日常管理

工程的日常管理是河道目标管理的基础，河道目标管理反过来又促进日常管理的不断深化，两者相辅相成，相互促进。通过开展河道目标管理考评，黄河工程日常管理得到强化。主要表现在以下几个方面。

一、管理基础工作得到加强

(1)全面完成了土地确权划界工作。确权划界工作难度很大，黄委把这项工作作为目标管理的重点，实行一票否决制，凡没有完成的，河道目标管理考评不予验收，从而促进了土地划界工作的顺利完成。

(2)近堤违章建筑的摸底调查。借鉴 1998 年“三江”大水的经验教训，感到近堤违章建筑是防洪安全的重要隐患，也是工程管理需要解决的重要基础工作。1999 年，作为全年的工作重点之一，黄委对近堤的坑塘、渠道、房屋、窑厂、坟墓、水井等违章建筑进行了详细调查，摸清了情况，准备采取措施，加大力度进行处理。

(3)加强内业资料的整理分析。根据目标考评标准的要求,各单位注意各种资料的收集、整理和归档工作,并把各种资料刊印成册,确保了第一手资料的完整、齐全、真实、准确。同时,还要求对基础技术资料进行整理分析,以便及时掌握工程运行状态和变化情况,提高管理的技术水平。

(4)加强堤防隐患探测和河道工程根石探测工作。1999 年黄委列专项进行了堤防隐患探测和河道工程根石探测。通过探测,掌握了工程动态,争取了维护管理工作的主动。

(5)涵闸闸门、启闭机等级评定。按照水利部的工作部署,黄委于 1996 年 2 月全面完成了这项工作,对评定中出现的问题也采取了相应的措施。

二、管理工作成绩斐然

工程管理水平明显提高,一些常年残缺的堤防和险工、河道整治工程得到整修或改造,堤顶进行了硬化(柏油路面)或砾化,对临近村庄或使用几率较小的备防石料进行混凝土包角。堤防管理基本上实现了堤(坝)顶平坦化、边坡草皮化、土牛(备石)整齐化、标志醒目齐全化、管理地园林化、堤(坝)身坚固化、排水设施标准化。涵闸管理实现了机房整洁卫生,规章制度悬挂整齐,启闭机定期保养、启闭灵活、安全运用,管理单位驻地三季有花、四季长青。

三、管理责任制日臻完善

管理责任制是日常管理的一项重要内容,这几年黄委主要加强和完善了目标管理责任制、堤防管理责任段制度,险工、控导工程管理班坝责任制、涵闸管理岗位责任制、引黄供水责任制、工程管理工日制以及领导、技术员签字负责制等。通过这些责任制的建立和完善,促进了工程日常管理的正规化、规范化。

四、规章制度建设更加完善

完善充实各种规章制度，是搞好管理的有效措施，也是搞好河道目标管理的重要工作。这几年黄委相继颁发了《根石探摸管理办法》、《黄河堤防隐患探测管理办法》、《防汛物资管理办法》，河南黄河河务局相继颁发了《河南黄(沁)河工程管理评分办法》、《示范工程管理办法》，山东黄河河务局颁发了《工程管理达标考核细则》、《山东黄河淤区管理办法》等，对原有的一些管理规定和检查、考评办法，根据形势发展和工作需要进行了修改完善等。

五、日常管理工作得到加强

(1)各单位制定了工程日常管理考核标准和考核办法，平时主管部门下基层，随时记录工程管理开展的情况及存在问题，并将日常管理的考核分数按 30%计入年终工程管理检查评比。

(2)实行工程管理定期通报和季报制度，及时将工程管理的主要成绩和存在问题进行通报。

(3)在年度工程管理要点中制定具体的日常管理目标、工程达标计划和相应的措施，层层纳入各级目标责任书，作为年终考核的依据。

(4)对每年发生的雨毁工程，各单位及时上报，及时恢复，保持了工程的完整性，为工程安全度汛奠定了坚实基础。

(5)坚持实行“月检查、季评比、半年初评、年终总评”制度，表彰先进，树立典型。通过这些措施，使日常管理得到了进一步加强。

第十八章　河道管理范围内建设项目管理

为加强河道管理范围内建设项目的管理，确保防洪工程安全运用，促进国民经济发展，水利部、国家计委于1992年颁发了《河道管理范围内建设项目管理的有关规定》(以下简称《规定》)，黄委于1993年发布了《黄河流域河道管理范围内建设项目管理实施办法》。从此，黄河河道管理范围内建设项目的申请立项、设计审批、施工监督、清障验收和维护运用等工作内容有了法律依据，从而规范了工作程序，明确了建设方与河道管理部门的权利和义务。这标志着黄河河道管理范围内建设项目管理登上了一个新台阶。

第一节　审查权限

建设项目是指在黄河流域河道管理范围内新建、扩建、改建的建设项目，包括开发水利水电、防治水害、整治河道的各类工程，跨河、穿河、跨堤、穿堤、临河的桥梁、码头、道路、渡口、管道、缆线、取水口、排污口等建筑物，厂房、仓库、工业和民用建筑以及其他公共设施。

在水利部划定的河段河道管理范围内实施建设项目审查，必须按照下列权限，经审查同意后，方可按照基本建设程序，履行审批手续。黄河干支流审查权限划分如下：

(1)黄河干流托克托(头道拐水文站基本断面)以上河道，支流湟水(含大通河)、皇甫川、窟野河和渭河耿镇桥以下(含泾河)河道管理范围内兴建大型建设项目，分别由地方省级河道主管机关提出意见，经黄河上中游管理局初审后，报黄委审查；兴建中型建设项目，分别由地方省级河道主管机关提出意见，报黄河上中游管理局审查。

(2)黄河干流托克托至禹门口区间河道管理范围内兴建大中型建设项目分别由地方省级河道主管机关提出意见,经黄河上中游管理局初审后,报黄委审查;兴建其他建设项目,由地方河道主管机关审查,抄黄委和黄河上中游管理局核备。

(3)黄河干流禹门口以下,左岸至风陵渡黄河铁路桥,右岸至陕豫两省交界处河道(包括该段三门峡库区)管理范围内兴建各类建设项目,分别由黄河小北干流山西、陕西河务局提出意见,报黄委审查。

(4)黄河干流左岸至风陵渡黄河铁路桥,右岸陕豫两省交界处至三门峡大坝保护区,渭河干流耿镇桥以下至吊桥工程处河道(包括该段三门峡库区)管理范围内兴建各类建设项目,分别由陕西、山西省三门峡库区管理局和河南省三门峡市三门峡库区管理局提出意见,报黄委审查。

(5)黄河干流三门峡大坝保护区至西霞院河道管理范围内兴建各类建设项目,报黄委审查。

(6)黄河干流西霞院至黄河入海口河道管理范围内兴建大型建设项目及各类穿堤建设项目,分别由河南、山东黄河河务局提出意见,报黄委审查;兴建其他建设项目,分别由河南、山东黄河河务局审查。

(7)支流沁河紫柏滩以下至入黄口河道管理范围内兴建大型建设项目,由河南黄河河务局提出意见,报黄委审查;兴建其他建设项目,由河南黄河河务局审查;紫柏滩以上河道管理范围内兴建大中型建设项目,报黄委审查。

(8)黄河北金堤滞洪区管理范围内兴建大型建设项目,分别由河南、山东黄河河务局提出意见,报黄委审查;兴建其他建设项目,分别由河南、山东黄河河务局审查。其中金堤河干流北耿庄以下至张庄闸区间河道管理范围内兴建大型建设项目,由河南河务局提出意见,报黄委审查;兴建其他建设项目,由河南河务局审查。

(9)支流大汶河戴村坝以下河道、东平湖滞洪区、齐河北展宽滞洪区、垦利南展宽滞洪区管理范围内兴建大型建设项目,由山东黄河河务局提出意见,报黄委审查;兴建其他建设项目,由山东黄河河务局审查。

(10)黄河河口三角洲(以宁海为顶点,北起套尔河口,南至支脉沟口)地区规划流路和现行流路范围内,兴建大型建设项目,由山东黄河河务局提出意见,报黄委审查;1976 年黄河改道清水沟流路前老河道管理范围内兴建中小型建设项目,由山东黄河河务局审查。

(11)三门峡大坝保护区范围内兴建各类建设项目,由三门峡水利枢纽管理局审查。

(12)故县水库库区及大坝保护区管理范围内兴建大型建设项目,由故县枢纽管理局提出意见,报黄委审查;兴建其他建设项目,由故县枢纽管理局审查。

(13)在黄河流域其他支流兴建大型水利工程项目,由当地省级河道主管机关提出初审意见,报黄委审查。

(14)除上述已明确的河道管理范围内建设项目审查权限外,在黄河干、支流河道管理范围内兴建其他建设项目,由地方各级河道主管机关根据流域统一规划分级实施管理,地方河道主管机关在发放建设项目审查同意书时,须抄黄委核备。

第二节　项目审查

建设单位申请建设项目时,必须按照管理权限领取并填报河道管理范围内建设项目申请书,提交下列文件:

(1)申请书。

(2)建设项目所依据的文件。

(3)建设项目涉及河道与防洪部分的方案。

(4)占用河道管理范围内土地情况及建设项目防御洪涝的设防标准与措施。

(5)说明建设项目对河势变化、堤防安全、河道行洪、河水水质的影响以及拟采取的补救措施。

对重要的建设项目,建设单位还应编制更详尽的防洪评价报告。

河道主管机关接到申请后,应及时进行审查。审查的主要内容为:

(1)是否符合黄河流域综合规划和有关的国土及区域发展规划,对规划实施有何影响。

(2)是否符合防洪标准和有关技术要求。

(3)对河势稳定、水流形态、水质、冲淤变化有无不利影响。

(4)是否妨碍行洪,降低河道泄洪能力。

(5)对堤防、护岸和其他水工程安全的影响。

(6)是否妨碍防汛抢险。

(7)建设项目防御洪涝的设防标准与措施是否适当。

(8)是否影响第三人合法的水事权益。

(9)是否符合其他有关规定和协议。

在建设项目审查过程中,需补做的勘察、试验、技术评价等工作,其费用由建设单位承担。

建设项目批准后,建设单位必须将批准文件和施工安排、施工期间度汛方案、占用河道管理范围内土地情况,报送负责建设项目立项审查的河道主管机关或其委托的河道管理部门审核,经审核同意后发给河道管理范围内施工许可证,建设单位方可组织施工。

因建设项目的兴建,占用、损坏河道管理范围内滩地、工程设施,降低工程效益及防御洪水标准的,应采取补救措施或按规定给予补偿;施工期间施工区的防汛任务由建设单位承担,确保防洪安全。

为保证建设项目竣工后现场清理干净,保证河道安全畅通,施工单位在开工时按清理现场的工作量向填发河道管理范围内施工许可证的河道管理部门预交现场清理复原抵押金,全部清理完毕后抵押金退还施工单位。

建设项目竣工后,需经填发审查同意书的河道主管机关或其委托的河道管理部门检验合格后方可启用。

第三节　管理情况

一、管理成效

水利部、国家计委和黄委发布的河道管理范围内建设项目管理规定(办法),对加强河道管理,起到了积极的推动作用,具体表现在以下几个方面:

(1)明确了黄河干流、支流不同河段、不同规模的建设项目审查审批权限,规范了申报审批手续,同时也界定了各级河道管理部门的责任与建设项目所应遵守的报批手续,满足了防洪标准及水文设施、水质保护等技术要求。河务部门及时提供服务,积极配合建设单位的工作。

(2)搞好工程清障验收,保证河道行洪畅通、工程完建、清障复原;保证了河道管理范围内建设项目严格符合防洪要求,有利于河道工程维护管理和防洪安全。1995 年济源市黄河河务局针对在修筑侯马—月山铁路五龙口大桥时抛渣严重情况,向铁道部第三工程局计征工程补偿维护费 9 万元的同时,另收取 2 万元清障抵押金,工程清障完成后返还给建设单位。1996 年三门峡市黄河库区管理局在批复冯佐煤炭试验码头时,依法计收建设单位清障抵押金和工程监理费 4 万元,为清障验收争取了主动。京九铁路跨黄河特大桥建成后，建设单位主动要黄委去清障验收，对验收中提出的问题，采取得力措施解决，整个大桥的清障工作圆满完成。

(3)严格建设项目管理，有利于黄河河道主管部门协调左右岸、上下游的关系，减少水事纠纷，加快前期准备工作，促进团结治河。

(4)依法维护了河道管理部门的权益，减轻了因工程建设给河道管理单位带来的不应有的维修养护负担。表现在：一是对采用架空或爬越跨堤方式的桥梁、管线类工程，严格按照建设程序报批、立项、可研、设计及施工方案设计的审查批复，征求各级河务部门和有关方面意见，加强沟通，严格遵守防洪、水质、工程管理等技术标准，达到了减少当地河务部门管护负担的目的。二是电厂、涵闸(泵站)和浮桥码头类工程，运用过程中避免不了对河道堤防造成淤积、挖压、侵蚀、水文设施迁移和水质污染等，审查是在最低限度降低或避免危害的前提下，按照“谁受益谁负担”的原则，由建设单位支付占压工程、土地补偿维护费。如滨州市黄河河务局对跨河、穿堤的管线、浮桥的防汛和运用管理提出了具体要求，由建设单位委托河务部门管理并缴纳维护管理费 40 万元/年；泺口、北店子、清河镇等浮桥，依法收取工程维护补偿费，维护了河道管理部门的权益；涵闸(泵站)工程建设，由建设单位或受益地区投资，设计、施工和运用管理权属河务部门，水费按部委制定标准计收，执行法规得力，维护了河道管理部门的权益。

二、存在问题

总结黄河河道管理范围内建设项目管理工作，虽说成效显著，但同时也存在不少问题。主要表现在：一是思想观念转变不够，没能按市场机制规范管理工作，“国家办水利、水利为社会”的旧观念还存在，其结果是我们无条件地支持了社会各方的经济建设项目，河道管理单位却背上一个个包袱。如一些引黄涵闸由国家投资建设，建成后还需河道管理单位管理维护，水费却收不上来，个别涵闸甚至连水量也无法控制掌握；有些工程建成后，管理维护、防汛责任制不落实，给工程防洪安全留下隐患。二是执法不严，缺乏力度，没有深入地领会和把握有关水法规的实质，从而丧失了向政策要效益的机会，造成自身管护工作被动。如个别路桥已建成通车，而跨堤的防洪工程设施还留下不少问题，追加工程难度很大；个别单位如交通部门利用河道工程修筑浮桥，却没有依法办理手续，工程占压补偿费分文未缴。三是职责不清，权限不明，造成管理单位内部工作扯皮，上下脱节，不利于河道的管理。如有些引黄泵站建设，涉及引水引沙和护岸防护，工程已施工，河道管理单位尚未见到有关报批文件；越权审批工程的情况也时有发生。四是对外宣传不够，建设单位在前期工作中不了解黄河河道管理有关规定和项目报批的内容与程序，给项目的审查、审批带来诸多困难。

三、转变观念，加强管理

(1)转变观念，增强服务意识。河道管理范围内建设项目的管理，是国家赋予黄河各级水行政管理部门的职责，又是配合与服务从事建设的社会各行业应尽的义务，工作好坏，关系到防洪工程的安全运用，关系到河道管理部门的权益保护、行业权威。这就要求各级河道管理部门的领导转变思想观念，增强服务意识，把建好、管好、用好黄河河道管护范围内建设项目列入重要议事日程，在组织上、措施上切实予以加强，搞好行业管理与服务。

(2)强化管理职能，严格建设程序。部、委关于河道管理范围内建设项目管理的规定非常明确，对新建、改建、扩建的防治水害、整治河道、跨河穿堤建筑物、工业及民用建筑设施，要按项目大小、管理权限的规定严格履行建设报批手续，做到责任明确、程序规范。在项目申请、立项、施工许可、设计更变、施工监督、清障验收及运用管理的各环节上实施行业的监督与管理；建设单位进场前，要取得河道管理部门发放的施工许可证，并交纳现场清理复原抵押金；设计变更要重新履行审查手续；竣工及清障资料要按时报送并接受验收。

(3)坚持原则性与灵活性相结合，依法维护河道管理部门的权益。河道管理范围内的建设项目多数是地方政府或其他行业投资建设，这些项目有其特殊的技术经济要求，建设单位和河道管理部门都希望建好、用好、管好建设项目，很多具体问题需要我们研究处理。保证防洪标准和有关技术要求，这是基本原则，需要河道管理部门同志熟练掌握，并了解建设项目的一般技术知识。从事具体工作的同志不仅要具有良好的业务素质、政策水平，同时要有良好的工作作风，处理问题时不违背原则；因建设项目涉及面广，矛盾协调处理复杂，又要求具有灵活性，一般问题要经过双方讨论，在不损害河道管理部门权益的前提下达成共识。

(4)加强内部沟通，力戒工作脱节。一个建设项目的审查、审批，涉及有关各部门的利益，主办单位要征求当地河务部门及内部局办或处室意见，各有关单位也要注意情况交流和意见反馈，部门与部门、上下级、左右岸之间加强沟通联系，黄委的批复意见才全面，才有利于建设项目的管理实施，不致造成工作脱节、权限不明、经济损失和管理混乱。

(5)依法加强建设项目的管理。黄河流域线长面广，各地区情况千差万别，管理起来难度相当大。各级河务部门要紧密结合本地区、本单位的实际情况，善于正确运用权责，在管理过程中，对占用河道工程、管理范围内用地的建设项目，按规定收取一定的补偿费。对严重违反规定、影响防洪安全、造成严重后果的，要按有关法规严肃查处，以维护法制的权威，树立黄河河道主管部门的行业管理权威，真正把河道内建设项目管理纳入法制管理轨道。

第十九章　工程设计、施工与工程管理

第一节　规定要求

在治理黄河的事业中,工程管理仍然是个薄弱环节。除管理部门自身的原因外,还有:在水利建设各个环节中不重视管理工作,如有不少设计文件缺乏工程管理方面的必要内容,甚至连管理手段和生活设施都不具备;基建过程中,尾工大,没有严格执行验收制度就交付使用,不少基层单位要负担建设与管理的双重任务,以致工程效益不能充分发挥,管理单位负担过重,不能形成自我维持、良性运行的管理机制。

为了加强工程管理,改善工程管理设施不配套与管理手段落后的状况,积极为工程管理创造必要条件,使工程竣工后能充分发挥综合效益,增强自我维持和发展的能力,水利部于 1981 年颁发了《关于水利工程设计、施工为管理创造必要条件的若干规定》,黄委根据此规定于 1990 年颁发了《关于工程设计、施工为管理创造条件的实施规定》,随后又于 1992 年颁发了《工程管理部门参与工程建设工作程序的实施办法》。

《关于工程设计、施工为管理创造条件的实施规定》中规定:工程设计文件的上报、审批、备案、修改及工程验收等,必须经管理单位或同级管理部门会签,会签情况应在设计文件中明确显示;否则,上级主管部门不予受理。工程设计文件中应单列工程管理章节或条款,对管理范围、通信、交通、工程观测、水沙测验、机构编制和人员配备、管理房舍、调度运行程序、技术操作规章、工程标志、必要的工程维护养护工器具、经营管理设施、工程绿化、竣工验收等提出具体设计或要求。规定各项内容所需投资应列入工程概(预)算。

《工程管理部门参与工程建设工作程序的实施办法》中规定：各类规划、可行性研究报告的编制，其中工程管理章节，应由有关工程管理部门负责编制或审查。在审查规划、可行性研究报告时，必须有工程管理部门参加。所有上报及批复的规划、设计文件中应印有会签的管理部门名称，以表明该文件已经过管理部门同意；否则，上级主管单位不予受理并应将有关文件退回上报单位。在工程动工前，应向管理部门报送施工组织设计文件，凡影响到已有工程及工程附属设施时，施工单位必须报送专项报告，经管理部门审批后方可动工。工程中间验收和竣工验收应有工程管理部门参加，验收前建设单位应提前将验收文件提交管理部门审查。验收报告或验收鉴定书应有管理部门签字。

随着防洪工程建设投资的不断增加，设计、施工给管理遗留的问题越来越多。2000 年黄委又颁发了《工程管理设计若干规定》，对堤防、河道整治、涵闸工程在改建、加固、续建设计时涉及到的管护设施、生物防护措施、交通设施、观测设施等设计提出了明确的标准，使设计有据可依。

第二节　必要措施

一、规划设计是防洪工程的灵魂，要为工程管理创造必要的条件

关于工程规划设计要为建成后长期的工程管理创造必要的条件是一个老话题。由于设计指导思想上过分追求“省”，因而带来工程上的“漏”(项)。如有的主体工程完成多年，相应的附属工程久拖不决；淤背区不及时包边盖顶，造成大量水土流失；堤防加高

完成了，相应堤段险工险点改建滞后，防洪仍有风险；东平湖、南北展主体工程早已完成，仍有大量遗留问题，增加了防洪运用阻力；工程管护设施欠账太多，给工程管理单位正常工作带来很多麻烦，等等，这些都是计划经济的后遗症。在近几年国家大量投资治理黄河的时候，不能再重复那种“重建轻管”的老路，不能再作茧自缚，再给工程管理留下遗憾。防洪工程的规划设计，从一定意义上讲是防洪工程的灵魂，将长期在防洪工程的管理、运用中起重要作用，应予高度重视，设计部门要注意以下问题。

(1)防洪工程的规划设计要彻底摒弃“重建轻管”的思想，给工程管理以正确的定位。要全心全意地为长期的工程管理创造良好的工作条件。要充分了解、理解工程管理部门的难处，树立设计与工程管理为一体的思想。在进行一项工程的设计时，应从大局出发，尽可能地从设计方面为工程管理创造条件。

(2)由于整体机制上的原因，职权、事权的分割妨碍了设计部门与管理部门的有机联系，因而形成部门之间的思维差异。设计部门往往以确定的几项指标为依据开展工作，以交付图纸为任务的结束，最多参与部门施工，而对大量的、繁杂的管理工作比较生疏。因此，设计部门难以考虑为工程管理创造必需的条件也在情理之中。但在市场经济体制中，应该将工程管理部门考虑的所有因素纳入设计方案中。可以将设计单位与工程管理单位挂钩，建立帮助工程管理部门综合发展的连带关系、责任关系，从而促进设计工作的优化和增加工程管理部门的发展后劲。

(3)设计部门在进行设计时，要充分听取工程管理部门的意见和要求，尊重业主单位的合理建议，适当跨越为设计而设计的囿见，不断改进设计工作。基层工程管理单位的同志长期从事工程管理工作，经验最多，体会最深，企盼从设计上给予解决的问题，往往正是设计工作中需要不断补充的新内容和精心设计需要吸收的资料。设计部门充分听取工程管理部门的意见，从而促使理论与实际相结合,避免依题作文的片面性,做到创造性地开展设计工作。

(4)设计的审批工作要高屋建瓴,总揽防洪工程的长远运用与工程管理单位的发展方向。特别是现在要求工程管理单位自我维持、滚动发展的形势下,必须为其创造生存发展的条件,不可在设计单位和业主单位提出正当要求的情况下,而审批单位却给予一笔勾销。黄河的防洪工程在丧失大规模投入的机遇以后,寄希望于国家今后拨给的岁修经费来解决工程管理部门的持续发展问题,那是十分困难的,也是难以办到的。

二、工程管理是防洪工程的生命,工程管理部门要为设计部门反馈技术信息和资料

防洪工程建设的目的在于运用,工程管理的目的也在于运用,但黄河防洪工程运用的时间较短,每年的汛(凌)期不超过半年,五十多年来花园口站发生超过 10 000m^3/s 洪水仅有 10 次,因而相对来讲,大多数时间防洪工程处于管理之中,而不是“建”和“用”。工程管理的任务相当繁重,责任重大,需要防止大量自然的和人为的破坏与侵蚀,保证防洪工程的完整和强度不受削弱。因此,工程管理是防洪工程的生命。管理有力,工程的寿命可以延长;管理失当,工程即遭破坏,从而影响防洪大局。同时,工程管理单位也应该认真思考以下的问题。

(1)工程管理单位要全面理解与掌握设计意图,进行科学管理。任何一项工程的设计,对工程施工和后期的工程管理都有明确的要求。管理单位应要求设计部门认真做好技术交底,并吃透设计的条件、运用规则和维护管理注意事项。据了解,在这方面,工程管理部门有很多工作要做。事实上,不领会设计意图、不掌握设计原理及计算方法等,很难说是一个合格的工程管理者。

(2)工程管理单位应清除“重建轻管”的思想,自觉加强工程管

理。据了解,不少工程管理单位存在着技术要求不高、工程管理一般应付的想法,把这项重要的工作理解成“守摊子”。因此,工程管理工作往往冷热交替,擅搞突击式的维护,跳不出经验管理的窠臼,工管工作处于被动的状态。人员配备上少而不精,技术力量薄弱,这显然是一种轻视工程管理的表现。

(3)管理单位要及时向设计单位反馈运用和管理信息及资料,弥补以后设计中的不足。黄河防洪工程基层单位都有月检查、季评比、半年中评、年终总评的规定,工程管理检查中,都获得了大量有价值的数据信息,其中不乏与设计有关的信息。但因对数据缺乏深入的理论分析研究,不可能向设计单位提出明确的建议和要求。例如涵闸管理规范中有按时观测沉降的要求,有的工程疏于观测,有的虽有观测,但无分析研究,仅有数据的罗列,而不能从理论与实践结合上向设计部门反馈信息,提出合理建议,以致同类问题在同一单位屡屡发生,给工程管理工作造成困难。

(4)工程管理部门应积极参与工程的规划设计、审查、建设、施工、竣工验收的全过程。根据上级的规定,从长期进行工程管理的角度,提出部门的意见,在工程交付使用时不能敷衍了事、随意接收,要认真把好关。有问题要及时向上级部门反映,争取及时妥善解决。

三、防洪工程运用是对设计工作的检验,抗洪抢险也应关注设计的优缺

防洪工程在运用中,能否达到防洪保安全的目的,对工程的设计是一个全面的检验。实践证明,尽管很多工程未经设计指标的洪水考验,但黄河防洪工程的设计从强度来看是可靠的,不会有太多的问题。不过,从抗洪抢险的实践来看,设计为防洪运用提供条件,也有一些值得商榷的地方。

(1)设计单元的划分以一河段为宜。以一定长度的河段为设

计对象，统筹考虑，可以建一河段，全面提高一河段的抗洪能力。例如在堤防加高培厚的同时，与该段堤防相应的险工应接着改建加固，并继续进行淤背（如有必要）、防浪林建设、堤顶道路硬化、防汛屋建设等。这样可以提高该河段的整体抗洪能力，避免同一河段单项工程进行多次重复建设造成浪费，也可减少设计审查、审批的程序，有利于防洪工作的正常开展。

(2)设计要为抗洪抢险的特殊需要提供条件。抗洪抢险的实践表明，防洪工程从设计计算来看完全符合要求，但从抗洪抢险的实践来看就不满足要求。例如险工抢险，现有的险工顶宽过窄，无法实施机械化抢护，装备的机械抢险队不能发挥其优势，有可能导致险工失事。所以，从设计上应为运用当代抢险方法及机具方面创造条件。险工的顶面、堤防的顶面均应适当加宽。再从交通道路方面考虑，设计往往忽视上堤道路，然而大堤修得再好，仍离不开抢险人员的工作，但目前不少地方上防道路很少，紧急情况下，抢险队伍的上防以及增援运输都受影响。诸如此类的问题都应纳入防洪工程设计当中。

(3)从防洪的实践出发，防洪工程的设计构造上可不断改进，以适应需要。例如险工根石的抛放，目前采用半机械化抛石架，运输安装都不够便捷。如果在设计时在险工坝面上适当的部位，布置几条抛石滑道，或者在险工坝面上预埋部分抛石架安装螺栓，届时根据需要临时安装滑板，可免去抛石架的安装之不便。这些方面的很多问题或许作一些研讨，就会给防洪抢险实战带来极大的方便。

四、设计为工程管理经营发展赋予潜力，是工程管理单位转轨变型的重要因素

上级要求，工程管理单位要从事业型转变为事业经营型，进而转变为企业型，这个转变是很有难度的。黄河防洪工程是以社会

效益为主的，防洪保安全本身产生的经济效益被其他行业所共享，变成隐性收入，工程管理单位无法兑现为直接的经济收入。加之防洪工程依河傍水而建，地处经济欠发达的偏僻地区，还有工程浩大、线长面广、工程自然和人为破坏较多、维修费用拮据等，虽经多年来管理部门努力拼搏，发展多种经营，尽可能地挖掘工程优势，但收效有限。如果工程设计在不违反规定的前提下，预先赋予防洪工程后期发展的潜力，不失为一条可行的路子。可从以下几个方面考虑：

(1)结合工程加高，在城市近郊发展旅游休闲场所，扩展经营门路。这方面郑州邙金黄河河务区、济南天桥区黄河河务局已作了尝试，但规模小。如果从设计角度考虑，适当扩大淤背范围，在土地上给予扶持，仍然是有发展前景的。类似情况的滨州、垦利、菏泽等均可在这方面做一些工作。

(2)结合相对地下河的建设，建沿堤高速公路，或独资建设黄河公路桥。从规划设计的角度看，修建相对地下河是必要的。尽管对建相对地下河有不同看法，但可以抓紧论证。这在国外有成功的先例。这样也为工程管理部门提供了生存与发展的条件。至于黄河公路桥建设，公路部门已抢占了优势，但仍有可以修建的桥位，当然建桥不能利用治河的投资，但从规划设计的角度出发，控制局势，为投入技术股做准备，是有必要的。

综上所述，防洪工程的规划设计与工程管理、防汛、经营紧密相关，影响深远，认真执行部、委关于为工程管理等工作创造条件，是规划设计部门、计划管理部门义不容辞的责任，需要共同协作，具体全面落实，以图黄河的长治久安。

第二十章　供水与水价

水是人类生存的必需品，也是社会可持续发展的物质基础。水价作为供水价值的表现形式，其水平高低及合理与否不仅关系到水的产、供、销各环节所投入物化劳动和活劳动的实现程度，而且关系到供水工程的有效运用和水资源的合理配置。

第一节　引黄供水工程

黄河下游引黄供水工程按管理部门和投资主体的不同，分为引黄渠首供水工程、引黄灌区工程和专项供水工程(引黄济青等)。

一、引黄渠首供水工程

黄河下游现有引黄涵闸94座，设计引水能力4 300m^3/s。引黄渠首工程承担着向河南省的洛阳、郑州、焦作、新乡、开封、商丘、濮阳和山东省的菏泽、聊城、济宁、泰安、德州、济南、滨州、淄博、东营、青岛以及河北省的沧州等地(市)工农业用水的供水任务，向中原、胜利两大油田供水；此外，还向天津供水。

黄河引黄渠首供水工程包括直接供水工程设施和相关供水工程设施。直接供水工程设施系指引黄涵闸、虹吸等，价值70 790.87万元；相关供水工程设施系指堤防、险工、控导护滩等工程。按与供水的相关程度计入供水资产的堤防工程资产36 195万元，险工工程资产23 581万元，控导护滩工程资产12 975万元，管理用资产12 738万元。

引黄渠首供水工程由黄河部门管理(中央单位)。

引黄渠首供水工程及相关工程由黄委统一管理，下设河南、山东两省河务局，负责两省的黄河防汛工程管理工作，在两省河务局下设涵闸科，在沿黄地（市）均设地（市）级河务局，地（市）河务局下设县（市、区）河务局。负责工程的运行、维护、养护、闸前闸后100m范围内的清淤、闸体洞身的清淤检查、水质监测、调水配水、供水计量、水费计收、防汛、施工组织、规划设计等工作。

二、引黄灌区

（一）大型灌区

大型灌区（设计灌溉面积在2万 hm^2 以上）一般按照“统一领导，分级管理，专管与群管相结合”的原则，设有地（市）、县引黄灌溉管理局（处、所、站）。

地（市）灌溉处负责干渠即从水源（引黄渠首）到各支渠进水口之间的水量调配和计量，主要任务是根据水源、工程和土壤情况及各县（市、区）的用水要求，确定引水时间、引水量和引水流量；根据用水计划和实际用水情况，确定各县（市、区）的用水分配指标。县（市、区）灌溉处负责支渠级的水量调配，对各乡（镇）的用水进行计量。乡（镇）水利站负责斗渠的用水管理。地（市）、县（市、区）灌区管理单位还负责输沙渠、沉沙池、干支渠的清淤、维修养护、水费计收等。

基层群管队伍主要是以聘任护堤员的形式，组织沿渠群众参与管理。其任务是管护堤防及其附属设施，包括林木和建筑物等。

灌区分提水灌溉和自流灌溉。浇地一般为农户单独进行，农户可自由组合。目前，个别灌区正在进行用水户参与灌溉管理的探索，在部分干、支渠及其以下各级渠道进行了组建“农民用水者协会”的试点。协会的主要职责是负责本级工程的管理、水量调配、计量和水费计收以及工程配套建设等。

（二）中小型灌区

一般由县（市、区）水利局或乡镇设立专门灌溉管理机构。

三、专项供水工程

引黄济青工程管理局下设惠民、潍坊、青岛三个分局，每个分局下设若干个管理处、所，从而形成了一个多层次、诸方面、全方位、各种关系比较协调的管理体系，保证了管理工作的有效进行。

为了使工程管理有法可依、有章可循，提高工程管理的权威性和有效性，山东省政府及省财政厅、物价局和引黄济青工程管理局制定和颁布了《山东省引黄济青工程水费计收和管理办法》、《山东省引黄济青工程管理试行办法》及一些单项管理办法、条例等。

第二节　水价管理体制

一、水价历史演变

(一)引黄渠首

1965年国务院[1965]国水电字350号文批转《水利工程水费征收使用和管理试行办法》后，黄委于1966年初提出了《黄河下游引黄涵闸和虹吸工程水费征收使用和管理试行办法》征求意见稿，但由于种种原因，这个办法没有得到贯彻执行。1980年规定引黄灌区管理单位将所收水费的5%交渠首管理单位。当年黄委征收水费12万元，创造了渠首供水征收水费的开端。1982年原水电部颁发了《黄河下游引黄渠首工程水费收缴和管理办法》，开始计收水费。该办法规定农业水价4～6月份1厘/m^3，其他月份3厘/m^3；工业企业水价4～6月份4厘/m^3，其他月份2.5厘/m^3。

随着水利改革的深入，1985年国务院发布了《水利工程水费核定、计收和管理办法》，黄委根据国家要求，按成本核定水费标准的原则，对黄河下游供水成本进行了核算，制定了黄河下游引黄渠首工程的水价标准。1989年水利部以水财[1989]1号文颁发了

《黄河下游引黄渠首工程水费收缴和管理办法(试行)》,规定“引黄渠首工程水费以粮计价,按当年国家中等小麦合同订购价折算,用人民币交付”,其农业用水水价为:4～6月份每1万m^3水收中等小麦44.44kg(1986年合2厘/m^3);其他月份每1万m^3水收中等小麦33.34kg(1986年合1.5厘/m^3);工业及城市用水水价为4～6月份4.5厘/m^3,其他月份2.5厘/m^3。

现行引黄渠首工程水价执行的是国家发展计划委员会2000年10月《国家计委关于调整黄河下游引黄渠首工程水价的通知》(计价格[2000]2055号)颁发的标准。农业用水4～6月份1.2分/m^3,其他月份1.0分/m^3;工业及城市生活用水4～6月份4.6分/m^3,其他月份3.9分/m^3。

(二)引黄灌区

水费是改善水利工程经营管理的一个重要环节,也是水利建设得以维持和发展的生命线。水价的变化沿革,与水利工程建设管理体制息息相关,同时也与国家的经济政策密切相连。随着国家从计划经济到市场经济的转变,引黄灌区水价也经历了从福利定价到商品定价的过程。大致经历了以下四个发展阶段。

(1)公益供水阶段。1980年以前,水利工程供水一直执行福利性政策,实行无偿供水。水管单位的运行费完全依靠国家拨款维持。

(2)低价供水阶段。1980年,国务院提出“所有水利工程的管理单位,凡有条件的要逐步实行企业管理,按制度收取水费,做到独立核算,自负盈亏”。根据这一精神,各地根据当地情况制定的水价并不统一,制定的标准极低,只是作为行政事业性收费;但供水管理发生了质的变化,水利供水进入从无偿到有偿、按量计费的起步阶段。

(3)成本水价低级阶段。1985年,国务院颁发了《水利工程水费核定、计收和管理办法》,规定“水费标准应在核算供水成本的基础上,根据国家经济政策和当地水资源状况,对各类用水分别核定”。各地按照这一规定，分别对各自的水利工程进行供水成本测算，制定本地区水价标准。由于原有标准太低，按当时物价水平测算的供水成本太高，二者反差较大，用户一时难以承受。所以各地核定的水价相对较低，离实际供水成本距离很大。

(4)成本水价阶段。1994年初，水利部提出了水利进入市场经济的“五大体系”建设，各地加大了价格收费工作的力度，纷纷把水价作为突破口，对水价管理进行了卓有成效的改革。在全成本核算基础上，以供水成本为目标，对新建的水利工程，实行水管单位和用水单位双方认可的合同水价，从而推动水利工程管理走向良性循环。这一阶段的显著特点是分地区核定不同水价、按工程类别和种植不同分别核定，新水新价。水价管理体系正逐步形成，各地水价标准都有大幅度提高。

二、引黄供水工程价格体系的构成

黄河供水价格体系由引黄渠首工程供水价格(黄河原水价格)、引黄灌区工程供水价格和专项工程供水价格构成，其中引黄渠首工程供水价格分为农业供水价格和工业及城市供水价格。由于供水工程主管部门和投资主体的不同，供水价格体现着不同单位和部门的经济利益，引黄渠首工程供水收入归黄河主管部门(中央单位)，引黄灌区工程供水收入扣除原水成本后，归地方水利部门，专项工程供水收入扣除原水成本后归投资单位。

引黄供水渠首工程是黄河下游引黄供水工程体系首要环节，引黄渠首工程供水价格，是整个黄河供水价格体系形成的基础，合理确定引黄渠首工程供水价格，关系到整个黄河供水价格体系的合理形成。

三、水价管理体制

目前水价确定的权限为：①中央直属水利工程和跨省的水利

工程的供水价格,由国务院价格主管部门会同国务院水行政主管部门制定和调整;②各省直属的水利工程和跨地(市)、县的水利工程的供水价格,由各省人民政府的价格主管部门会同同级水行政主管部门制定和调整;③各地(市)、县所属水利工程及其水利工程供水价格的管理权限和职责,由各省人民政府的价格主管部门会同同级水行政主管部门制定。水价确定的程序是:水利工程供水价格由水管单位或其上级主管部门根据确定原则,提出方案,上报有管理权限的价格主管部门,由其同级水行政主管部门核准。

引黄渠首工程供水价格是黄河部门提供堤坝河水所必需的设闸、调水、维修、管理等物化劳动与活劳动的价值体现。当黄河源水被有效利用为社会造福时,它就具备了商品水的使用价值。因此,凡经引黄渠首引用黄河源水,都应制定价格计算价值补偿。按照社会用途不同,引黄渠首供水价格又分农田灌溉、城市生活、工矿生产三类;按照引用季节不同,引黄渠首供水价格又分丰水季节、枯水季节两类。

引黄灌区工程供水价格是地方水利部门购买黄河源水再行输配供给所必需的造渠、清淤、提泵、管理等物化劳动的价值体现。当工程渠道被专门利用为输水载体时,它就增加了商品用水的使用价值。因此,凡经引黄灌区配供黄河水,都应制定价格计算价值补偿。按照社会用途不同,引黄灌区工程供水价格又分农田灌溉、专用水库两类;按照渠道级别不同,引黄灌区工程供水价格又分干渠、支渠两类。

专项工程供水价格是引黄济青管理局购买黄河水再行提纯销售所必需的库蓄、消菌、输水线路、管理等物化劳动与活劳动的价值体现。当黄河水被延伸加工为管道净水时,它就达到了商品用水的更高价值。因此,凡经管道供黄河净水,都应制定价格计算价值补偿。按照社会用途不同,净水价格分城镇生活、工业生产两类;按照使用对象不同,净水价格又分居民生活、普通工业、特营企业三类。

四、灌区现行水价标准

(一)山东省现行引黄供水工程水价标准

山东引黄供水工程现行水价标准是在1998～1999两年确定的。全省总体平均引黄渠首水价4.5厘/m^3,引黄灌区最高5.6分/m^3,最低2.8分/m^3;灌区水费4.9分/m^3;城镇平均水价1.1元/m^3,其中最高3.0元/m^3,最低0.7元/m^3。需要说明的是:

(1)1998年引黄渠首水价以粮计价调整时,搁置了城市和工业引水水价的调整,形成了引黄供水工程城乡水价的倒挂现象。

(2)由于水渠长度及流经地势各不相同,渠底淤沙及泵水提级程度不同,造成渠水浑度及输配费用高低不同,所以各灌区各渠段水价标准存在差异。

(3)山东省胜利油田曾经投资引黄渠首供水工程一系列配套设施,全面承担了东营市的各类供水,因而引黄渠首水价执行标准依据政策给予半价优惠。

(二)河南现行引黄供水工程水价标准

河南引黄渠首水价农业灌溉4～6月份6.75厘/m^3,其他月份5.07厘/m^3;工业用水4～6月份4.5厘/m^3,其他月份2.5厘/m^3。灌区内部农业灌溉水价4分/m^3,工业水价2元/m^3,城镇水价8分/m^3。

五、引黄供水工程经营状况

从引黄供水工程各主营单位运行状况看,引黄渠首涵闸存在资金收支缺口较大、引黄灌区管理不善、农民所缴水费未完全专款专用以及山东省引黄济青经营状况每况愈下、价高量小等突出问题。主要原因是:

(1)近年黄河水减少,统筹调水加大,造成管理成本增高,而水价标准偏低,引黄渠首单位普遍面临经营困难。据 1998 年山东黄河河务局财务决算资料显示,62 座涵闸平均供水成本 2.40 分/m^3,为平均引黄渠首工程供水价格的 5.3 倍,致使引黄渠首工程年度亏损 1.25 亿元。

(2)沿黄地(市)、灌区经济不够发达,县乡财政不够富足,收费管理不同程度存在拖欠挪用的现象。有的地(市)明文规定提取水费总额 10%～15% 作为财政第二预算,有的地(市)行政干预水费使用数额高达 35% 以上。由此不难看出,目前引黄灌区运营捉襟见肘,主要矛盾并不在于农民水费负担过重,而是在于灌区水费收支干预。

(3)由于山东省引黄济青实际供水年均只有 0.62 亿 m^3,远低于设计年度供水能力 1. 21 亿 m^3,同时设施维护费用逐年上升,管理人员工资总额不断增加,所以造成一方面价格偏高引起需方减少使用导致水量下降,另一方面水量不足逼迫供方频频亏损,难以价格优惠,由此造成水量与价格双重危机并存的恶性循环局面。

第三节　用户承受能力分析

用户水费承受能力正是连接水价标准与水费征收率的桥梁和纽带。在供水成本核算的基础上,分析用户的水费承受能力不只是制定合理水价的基础,同时也是推动水价改革、促进水价逐步达到合理水平、确保水费足额按时征收的依据。

一、农业承受能力

以山东省位山灌区为例,灌区内以种植小麦、玉米等粮食作物为主,兼作棉花、林果、蔬菜等。1999 年,灌区小麦种植面积 24 万 hm^2,玉米 17.5 万 hm^2,棉花 2.87 万 hm^2,分别占灌区总面积的 67%、49%和 8%,其他经济作物占总面积的 25%,复种指数为 1.45。

小麦单产 5 445 kg/hm^2，每公顷耗水 2 700 m^3；玉米单产 5 595 kg/hm^2，每公顷耗水 750m^3；棉花单产 1 155kg/hm^2，每公顷耗水 2 250m^3。粮食总产达 26 亿 kg，占全市粮食总产量的 75%左右。

根据灌区情况，调查了灌区内东昌府区闫寺镇和高唐县赵寨子乡的两个农户。两个农户中，一个兼作粮食作物和经济作物，另一个以种植粮食作物为主。同时，对灌溉土地与周边非灌溉土地作物产量和增产效益进行了对比计算。

调查得出：一是种植经济作物的农户收入明显高于单纯种植粮食作物的，其对水费的承受能力较强；二是农户支付水费分别占农业产值、农业支出的 3%～6%和 10%～20%，比例相对不高；三是灌区投入小产出大，效益显著。1998 年，灌区支渠以上供水总成本为 1.27 亿元，约占 1995～1997 年三年平均灌溉增产值 12.55 亿元的 1/10，按年均引水量 11.9 亿 m^3 计，效益为 1.05 元/m^3。

调查分析充分说明，位山灌区以较小的投入获得了较大的经济效益，从单方水增产效益方面来看，农民支付水费不仅合理，而且负担得起。被走访的农户普遍认为，没有灌区就没有连年的粮棉丰收，也就没有聊城农业的发展；只要能浇上水，灌溉的增产效益是非常显著的，适当提高水价完全可以承受。

二、关于工业承受能力

单从工业用水分析，山东的工业用水大体有三种来源：第一类由自来水公司提供的水源，企业用水后向自来水公司缴纳水费，全省平均为 2 元/m^3 左右；第二类是自备井抽取地下水，由企业根据提水量向水资源管理部门缴纳水资源费，全省平均为 0.3 元/m^3 左右，最高者为 0.9 元/m^3，此类费用较低，但受地下水源的约束较大，地下水位较低的地区及沿海漏斗区已从严使用；第三类是工程供水，价格在 0.4 元/m^3 左右，这类水资源与前两项相比价格经济且水源较足，应是用水量大的工矿企业的首选水源。因此，供水价格略调后,工业企业仍有一定的承受能力。

三、关于城镇承受能力

根据河南、山东两省的统计年鉴,河南、山东引黄供水地区城镇居民年均收入为5 000元,按人均年用水量 54m^3计算,引黄渠首水价提高 1~2 分,对人均年水费支出不会产生太大影响。从城镇用水分析,自 1996~1999 年,山东全省大部分地(市)对自来水价格作了两次较大幅度的调整,平均提价幅度近 1 倍,对居民、工业和服务业三方面平均提价额为 1 元/m^3 左右,远大于同期原水价格提高幅度。这说明城镇生活用水对提高渠首水价有较高的承受能力。

如果能在地方政府的大力协助下,取消"搭车收费,层层加码"等乱收费现象,不管是农业用户还是工业及城镇用户对水价的承受能力都将得到进一步提高。

第四节　水价改革

当前供水价格的合理定位仍面临许多难题,供水价格的长期扭曲、供水单位长时间靠"老本"生存,不仅挫伤供水单位的积极性,而且会导致国有资产的大量流失,影响水资源的使用效率,破坏供水工程的长期供水能力,损害社会可持续发展的物质基础。因此,加大供水价格改革力度,逐步理顺引黄供水价格已迫在眉睫。

一、水价改革的基本原则

(一)经济效益与社会效益兼具原则

作为一种产业或一种商品,其社会效益的本质应该是满足人们整体的正当要求。从这个意义上说,任何一个行业都有其社会效益,否则就失去了生存和发展的基础。同时,任何商品在交换过程中,都要力争价值补偿,以使社会生产能继续下去。

(二)眼前利益与长远利益兼顾原则

地球上的淡水资源是有限的,而且是现代科学所知的不可替代的,相对于需求来说,呈不断减少的态势。因此,供水价格政策和政策的选择,既要考虑供水单位的当前利益,也要考虑供水单位的长远发展之需;既要促进资源的合理开发,又要体现资源的紧缺性,限制掠夺式的使用;既要协调眼前的供求关系,又要保障人类可持续发展的需要;既要有利于产水、用水,又要有利于蓄水、节水。

(三)效率与公平相结合原则

供水工程发挥最大的效益,又通过价格导向大体均衡供水单位的付出与所得,保障供水单位运作目标与社会目标的一致性。因此,水价的制定不仅要反映水的成本状况,而且要考虑水的供求关系,要发挥价格对需求的调节功能。

二、水价改革目标和对策

根据以上原则,工程供水价格改革的远期目标是:建立与水的资源特征、需求特征和经营特征相适应的,符合社会主义市场经济体制要求的,以社会与经济可持续发展为目标的供水价格形成机制和运行机制,促进合理、节约利用水资源。

近期目标是:完善以中央、省级、地(市)管价为主体的分级管理体制,建立以社会平均成本为定价依据的价格形成机制,健全综合考虑供水单位生存发展和消费者承受能力为水平界限、以水源丰枯为差价界限、以工程类别容量为分类依据的价格体系。具体地讲有以下几点。

(一)在坚持以中央、省管价为主体的前提下,适当下放部分管理权限

在供水价格地方行政干预得不到有效抑制、部分水资源需要统一调度的情况下，坚持以中央、省管价为主体是保障政府定价及时到位及提高水的利用效率的前提。而管好农用水价格是这一前提的前提。这不仅因为农业用水占供水总量的90%，而且因为农业用水价格关系到农业积累、农民生活和农村稳定。但是，坚持中央、省管价格并不是要面面俱到，而应以“龙头”(引黄渠首)为主，以支渠口以上价格为主，并收紧最终向农民收取费用的界限。支渠口以下价格及县、乡、村等收入分解办法由地(市)物价部门制定。同时，把中央价格管理权适当下放给中央水行政主管部门，报国务院备案；把由省委托地(市)物价部门管理的工业及城镇供水价格下放到地(市)物价部门自主管理，报省级价格主管部门备案。

在价格管理权限下放的同时，在渠道管理上也可以引入竞争机制，支渠口以下渠道可以采取投标、竞价、承包等方式转由非国有单位经营，以竞争和激励机制促进科学管理、节约成本、优质服务。

(二)建立以类别平均成本为主要定价依据的价格形成机制

现行的以个别成本为定价依据的方式虽然考虑了各供水工程因地域、地势、容量不同等客观因素导致的成本不同，却忽视了商品运营的另一重要因素，因而不能体现出单位组织的优劣、控制的好坏、管理的高低，不能反映单位自身的经营状况，背离了市场经济的基本原则。为全面体现工程供水形成的主客观因素，今后供水价格应以同类工程平均成本为依据实行分类定价：首先是依据工程特点进行分类。依水源、原投资、库容或干渠长度、地势、地形等客观因素把工程划分为几大类别，实行同类同价；其次是核定各类别的平均成本；然后是以平均成本为主要依据核算各工程不同用户的供水价格。

为体现如前所述的供水工程原劳动力投入因素及劳动力投入回报机制，农业供水价格应以微利为界限；工业及城镇供水要有适当利润。

（三）以水源的丰枯状况为界限，分季节计价

为有效地解决枯水期水源不足、用水需求量大、供水成本增加等矛盾，引黄渠首、引黄灌区、专项供水工程都应实施丰枯期季节差价的做法，对丰水期实行低价政策，对枯水期实行高价政策。根据水源的丰枯状况，应以丰水期价格为基础，枯水期价格上浮一定比例。

（四）逐步推行以基本水价为基础的阶梯式累进水价

根据黄河水资源稀缺性的特点，为促进黄河水资源的合理利用，水费计收可采用阶梯式累进水价方式。所谓阶梯式累进水价即在基本用水量的限度内实行基本水价，超出限量的部分，分级实行不同的价格，超出限量越多，实行的价格越高。这项政策在西方发达国家实施了多年，也被我国许多地方运用于城市供水价格的改革方案中，并取得了良好的节水效果。这一措施同样适用于工程供水价格中。

研究得出以下水价计算公式：

基本水价＝类别平均单位供水成本×利润率×（1＋季节差率）

累进水价＝基本水价×累进系数

鉴于目前黄河下游农业生产相对比较落后，农业生产效益比较低下的现实，对农业用水的累进系数可适当低于工业及城镇生活用水。

（五）工程供水价格要达到合理水平，必须区分用户、分别实施、分步到位

考虑到供水价格水平的历史因素及农业用户的承受能力，不可能在短时间内达到合理水平。必须针对不同的用户特点，采取分段实施、分步到位的办法。城镇及工业用水可以一次到位；农业供水价格可以小步快跑，逐次提高。

（六）加强水价立法，规范政府的价格行为

地方政府对水价之外的各种收费和价格干预，是导致价格不合理、用户负担过重的重要原因。在现行体制下,要解决以上问题,仅靠物价部门的努力是不够的,而最得力的措施是靠法律法规的约束。要以法律法规的形式确认合理价格及合理收费,清除不合理负担,以法律法规约束政府对价格的干预,保证上级物价政策的落实到位。

(七)建立征收便利、管理严谨、使用科学的水费征管体制

要针对当前引黄灌区水费征收途径不统一、缴费数额不到位、管理部门不明确、水费开支无规则的现状,制定科学、严谨的水费收支制度,规范收取途径、管理主体、收支规则,保证水费能“取之于水,用之于水”。

第五节　水价制定的原则与影响因素分析

一、水价管理权

在我国,供水价格实行政府定价,采取统一政策、分级管理方式。不同的工程有不同的审批权限。对于同一区域内工程状况、地理环境和水资源条件相近的水利工程,其供水价格按区域统一核定。

中央直属水利工程和跨省、自治区、直辖市水利工程的供水价格,由国务院价格主管部门会同国务院水行政主管部门制定和调整,如引滦入津工程水价、黄河下游引黄工程水价等。

各省、自治区、直辖市直属水利工程的供水价格,由各省、自治区、直辖市的价格主管部门会同同级水行政主管部门制定和调整。如由陕西省水利厅直管的宝鸡峡引渭灌区、四川省水利厅直管的都江堰引江灌区等,都分别由该省水利厅测算供水价格,报省物价管理部门批复。

各地(市)、县所属水利工程及其水利工程供水价格的管理权限和职责由各省、自治区、直辖市的价格主管部门会同同级水行政主管部门制定和调整。

二、制定水价的原则

我国现行水价体系是1985年国务院发布的《水利工程水费核定、计收和管理办法》。该办法规定,水价标准应在核算成本的基础上,根据国家经济政策和当地水资源状况,对各类用水分别核定。1997年国务院颁布的《水利产业政策》中明确指出:“新建水利工程的供水价格,要按照满足运行成本和费用、缴纳税金、归还贷款和获得合理利润的原则制定”。此外还有财政部(94)财农字第397号颁发的《水利工程管理单位财务制度》(暂行),水利部水财[1995]226号印发的《水利工程供水生产成本、费用核算管理规定》等有关规定。

分析不同类型的供水工程,制定水价的基本原则主要包括以下七项。

(一)价值规律原则

价格是价值的货币表现,商品水是使用价值和价值的统一体,水价必须受制于市场经济的价值决定机制。

(二)供求规律原则

价格与供求相互影响,相互决定。即价格决定供求,供求影响价格。水价必须起调节供需的作用和促进节约用水。

(三)补偿成本原则

供水成本是核定水价的基础,成本是水价的组成部分,是维持供水企业简单再生产的需要。

(四)合理利润原则

水价要考虑投资的回收,要逐步建立“以水养水”良性运行的价格机制和基础产业投融资政策。

（五）用户公平负担原则

供水关系到国计民生，具有很强的基础性和垄断性，应根据国家的经济政策和用水户的承受能力，对各类用水户分别核定水价。

（六）反映市场变化，及时调整价格原则

政府宏观调控或干预水价变动要根据市场变化及时进行调整，以便于调整市场的供求关系。

（七）提高资源配置效率原则

利用水价的杠杆作用，优化水资源配置，减缓水资源供需矛盾，改善水资源的开发利用低、浪费和污染严重的局面。

三、水价构成要素

水价的构成要素首先要考虑水利工程的投资回收，其次考虑工程的运行管理、维修和更新改造费用的支出。因此，水价的构成要素，应该包括工程运行管理费、大修理费和折旧费以及其他按规定应计入成本的费用。此外，还应计入利润和税金。在我国，国家规定供水价格由供水生产成本、费用、税金和利润组成。生产成本是指正常供水生产过程中发生的直接工资、直接材料费、其他直接支出、制造费用以及管理费用、财务费用。制造费用包括固定资产折旧费、修理费、水资源费等。

但目前国务院和一些省政府现行政策规定，农业水价暂不计利润和税金，民工投劳部分的固定资产也不计折旧费，工业水价按分摊投资额计算成本并计 4%～6%盈余，不计税金；城镇生活水价盈余比例低于工业水价。安徽淠史杭灌区管理总局 1996 年水价测算采用工业加盈余 5%，城镇生活水价加计盈余 2%（省政府批准执行价未达到成本价）。引滦入津工程按 7%的投资盈余测算工业水价。

根据国务院《水利产业政策》和三部委的文件，明确规定了水费是经营性收费，那么，水价就是水利工程管理单位为社会提供供水服务的价格。因此,作为商品水的价格,同其他商品一样,应由供水成本+税金+合理利润来确定。

(1)供水成本。按供水量,同时考虑供水保证率进行合理分摊。各类用水水价都必须以供水成本为基础进行计算,这是科学合理水价计算的总原则。

(2)税金按国家政策的规定确定。目前,国家对水利产业的不同部门(如发电、城市供水、农业灌溉)实行不同的税率。水价计算中,税金应按国家规定计入。

(3)利润应根据用水行业的特点合理计算。利润是体现水利工程供水效益的主要指标,供水的利润反映用水行业的平均利润情况。根据这个原则,工业用水利润应按当地平均资本金利润率确定,生活用水和自来水厂用水利润略低于工业用水,水力发电用水利润略低于生活用水,经济作物及水产养殖用水利润按保本微利,粮食作物用水暂不计利润的原则确定。

水价的计算必须以供水成本为基础,以国家税收政策为依据,按用水部门的行业资本金利润率,分别确定各类用水的供水成本、税金和利润,从而达到科学合理的计算水价,为决策水价提供依据。

四、水价与投资回收

制定合理的水价是供水工程投资回收的基础。基本的水价应是供水成本加利润,供水成本应包括偿还贷款、工程投资、支付利息、水资源费。偿还贷款和收回投资可以通过提取折旧实现,固定资产折旧是水价的重要组成部分,贷款利息应计入成本费用。水资源费体现了资源的有偿使用,是资源保护和开发所需的费用。

在我国,农业供水成本不包括农民投劳折资形成的固定资产折旧;采用直线折旧法;不考虑资金的时间价值,是一种静态不完全水价制度。对工业和城镇供水按4%～6%投资盈余核定。

由于计划经济体制下水利工程供水的公益性,用水主体农业的保护性以及水费的承受主体农民的承受能力较弱等问题，目前我国水价只占供水成本的30%～40%，造成供水体系老化失修、水资源浪费严重，工程达不到设计供水能力。

五、制定和调整水价的程序

（一）制定水价的法律依据

（1）1985年国务院颁布的《水利工程收费核定、计收和管理办法》。尽管该文件在很多方面已不适应当前我国社会主义市场经济体制下水价改革的需要，但在新水价办法和水资源办法尚未正式出台之前，该办法仍是核定水价的法律依据。

（2）《水利产业政策》。该政策第三章"价格、收费和管理"明确规定了新建水利工程和原有水利工程供水价格的确定办法，是水价改革的重要法律依据。

（3）《中华人民共和国价格法》。这一法律是水价改革法律效力最高的法律依据。该法律规定，水价属政府的定价行为，即政府在必要时可以实行政府指导价或者政府定价；该法中还明确了定价的依据、价格应适时调整和听证会制度，均是水价改革的重要依据。

（二）水价政策调整主要遵循的原则

根据供水工程管理运行中在价格政策方面实际存在的问题和水商品的特殊性，水的价格政策调整主要遵循以下基本原则：

（1）必须体现流域水的富有性和稀缺性，发挥水价在调整流域性水资源供求矛盾中的作用。

（2）必须适应水利产业化的新形势，有助于培育和形成新的水利企业。

（3）必须符合国家的产业政策和有关水的法律法规，为公益事业的发展和居民卫生环境的改善创造良好的条件。

（4）必须有助于全流域水资源的合理开发利用和保护，建立起

“以水养水”、水资源可持续利用的机制。

(5)必须有利于国有水利固定资产的有效保值增值，促进供水工程的更新改造和现代化建设。

(6)适应用水单位和个人的承受能力。

(三)水的价格政策调整框架

鉴于水的价格政策调整涉及到不同水利功能区的经济社会发展水平，必须根据水的不同用途、不同供水方式和不同质量，逐步建立实行类型、作业时间和流域有别的多轨价格调整体系，据此思路提出水的价格政策调整框架。

(1)调整和完善水资源使用收费制度，补充建立水资源增值收费制度，逐步形成流域水资源保护性价格政策体系。探索实行分区域、分产业、分时间实施水资源价格改革的方法和制度。在此基础上，再根据部门和行业的用水特点和水利经济利益的不同，分别制定并实行体现部门和行业差别的水资源占用收费标准和超额用水累进或累退收费标准。

(2)调整和完善工程供水价格政策，改变工程供水系统难以为继的供水收费政策和价格，逐步形成以工程运行成本为基础的成本价格政策体系：农业用水由保护价调整为成本价，城市居民生活用水由半成本价调整为成本价，第二、第三产业用水由半成本价调整为半市场价。在此基础上，再根据供水区域内的经济发展水平、用水单位和个人的实际承受能力以及工程运行成本的不同，分别制定体现供水小区差别和供水时段的差别、基于成本价格体系的收费标准和超额用水累进或累退收费标准。

(3)调整和完善城镇管网净化供水价格政策，改变工程供水区域内各个城市自来水收费不合理的价格政策，逐步建立有助于控制供水需求增长过快的低利润、可浮动价格体系。当前应实施城市居民用水实行保护性市场价，以自来水为介质材料的企业实行加权市场价的价格政策。在此基础上，再根据各个不同城市供水系统的供水条件、居民生活水平和企事业单位整体经营状况的不同,制定出各个城市和用水单位个人的收费标准和浮动方式。

(四)影响水的价格政策调整的主要因素

(1)水的商品化和水的价格政策调整缺乏必要的思想基础。资源水的无偿使用与工程供水的低价位运行所养成的用水方式和用水习惯,使广大干部、群众难以从思想上跳出“福利水”、“大锅水”的怪圈。

(2)作为用水大户的农业,产业化程度低,效益比较差,难以承受水价格的调整。

(3)工程供水体系不配套,现代化水平低,管理层次多,机构人员庞大,供水成本高,成为难以实行成本价格体系的重要障碍因素。

(4)“多龙管水”、“多轨运行”的用水收费管理体制,难以按照市场经济规律实行统一的水价格政策。

(5)用水计量工作基础差,技术水平低,体系不完善,制度不规范,难以适应水价格的调整。

(6)水的质量监测体系不完善,监测技术水平低,难以适应水的优质优价体系建立。

(7)工程供水水源丰枯变化大,工程调度技术水平低,难以保证工程供水的稳定性,也影响科学的水价政策的建立和完善。

(8)为适应严重缺水的局面,工程供水区内的城市、农村及工业企业都建立了两套或三套供水系统,使统一的价格政策难以实施。

(9)水的价值和水的价格理论研究滞后,制约着水的价格政策的调整和完善。

六、影响水价的其他因素

影响水价的主要因素是多方面的,可归结为以下几个方面。

(一)社会经济发展水平

社会经济水平高,用水户承受能力强,水价才能达到成本水价或微利水价;人均国内生产总值(GDP)高,水价才可以稳步提高。

(二)水资源拥有量及其开发程度

水资源丰富,不会产生稀缺,资源的价值就难以体现;水资源开发程度高,随着开发的边际成本增大,必然会提高供水价格水平。

(三)水的供求关系及供水质量

水的需求超过供水能力,水价必然上升;供水质量好,水的处理费用多,水的价格就高。

(四)农业用水比重

由于国际上普遍实行农业保护政策,灌溉工程供水甚至生活用水存在着公益性质,实行供水国家补贴政策,农业用水比重大,水价就较低。

七、用水户承受能力分析

用水户承受能力是水价定位的一个重要因素。科学合理的水价应该同时建立在价格理论和用水户承受能力的基础上。在我国制定水价标准时,十分重视对用水户承受能力的分析研究,分析水价调整对用水户产品成本的影响程度,分析水价对其他产品价格的连锁反映,分析社会的经济承受能力以决定水价的调整幅度。

特别是在对农业用水做具体分析研究时,通常分析农业收费占灌溉增产效益的比例、农业水费占亩产值的比例、农业水费占生产成本的比例和农业水费占亩均净收益的比例。

世界各国农业水费标准受承受能力影响而普遍较低。印度规定灌溉水费不应超过农民增加净收入的 50%,一般控制在总收入的 5%~15%。泰国、新加坡、印度尼西亚规定家庭水费应在平均家庭收入的 3% 内。日本规定家庭水费占家庭消费支出的

0.6%～1.0%。亚太经济和社会委员会建议,居民用水的收费支出应不超过家庭收入的3%。

我国对灌区的分析研究结果表明:农业水费占灌溉增产效益的比例以30%～40%较合理,农业水费占产值的比例以5%～15%较合理,农业水费占生产成本的比例以20%～30%为宜,农业水费占净收益的比例以10%～20%为宜。

工业水费占产值的比例以1%～3%较合适,工业水费占利润的比例以5%～15%为宜。

第二十一章 "数字工管"建设

第一节 数字黄河

"数字黄河",就是借助全数字摄影测量、遥测、遥感(RS)、地理信息系统(GIS)、全球定位系统(GPS)等现代化手段采集基础数据,通过微波、超短波、光缆、卫星等快捷传输方式,对黄河流域及其相关地区的自然、经济、社会等要素构建一体化的数字集成平台和虚拟环境,在这一平台和环境中,以功能强大的系统软件与数学模型对黄河治理、开发和管理的各种方案进行模拟、分析和研究,并在可视化的条件下提供决策支持,增强决策的科学性和预见性。

简单地说,"数字黄河"就是物理黄河的虚拟对照体,即通过全数字化数据库平台的构建,建立黄河流域及其相关地区的数字化(虚拟)研究环境,采用数学模型对黄河治理、开发和管理的各种方案进行模拟、分析和研究。通俗地讲,"数字黄河"是一个过程。一般来讲,"数字黄河"过程至少应包括以下五个环节,即数据采集、数据传输、数据存储及处理、数学模拟和决策支持。

一、"数字黄河"工程建设的应用内容

"数字黄河"工程建设的最终目的是为了应用,各应用单位是"数字黄河"工程的最终用户。根据黄河治理开发和管理的具体情况,确定"数字黄河"工程建设的应用内容至少应包括以下七个方面。

(一)防汛减灾

防汛减灾是"数字黄河"工程建设的首要目标,即"数字黄河"

工程首先从“数字防汛”开始。

1.降雨预报

多年防汛的经验、教训告诉我们，降雨预报精度的高低、预见期的长短，是防汛决策最关键的依据。因此，“数字防汛”的首要任务是降雨预报。黄河流域暴雨的重要特征是历时短、强度大，再加上黄河流域的主要暴雨区的下垫面大多沟壑纵横，支流特多，呈羽毛状汇入黄河，易于形成陡峻的洪峰。对黄河流域防汛来说，若在降雨预报上不能延长预见期的话，那么，就很难通过洪水入槽后的演进提供其下游洪水预见期来满足防汛要求。受科技手段的限制，过去，我们在气象预报上所达到的精度较低，对降雨的预见期也较短。现在，遥测、遥感与卫星技术已飞速发展起来，并在气象水文测报上发挥了重要作用，它提供了大量过去不可能获得的水文信息，使得我们完全有条件提高降雨预报的精度；同时，也完全有条件延长降雨的预见期。考虑到黄河小浪底—花园口河段的特殊位置，目前迫切需要开发建设这一区域的现代化暴雨洪水预警预报系统，即“数字防汛”从小浪底—花园口区间暴雨预警预报系统开始。

2.洪水预报

目前，黄河流域的洪水预报主要采取三种方法：第一种是降雨径流相关法，第二种是洪峰流量相关法，第三种是利用洪水预报模型预报。应该说，在预报的方法上不存在困难，难就难在对流域产汇流规律的认识和把握上。黄河主要暴雨洪水来源区是大面积的黄土高原干旱半干旱地区，下垫面条件极其复杂。近年来由于人类活动加剧，下垫面条件始终处于不断的变化之中，所以，在“数字防汛”工作中，一定要下大力气弄清流域内下垫面条件，及时掌握其不断变化的新情况，通过卫星获取高质量的影像，配合遥感(RS)、地理信息系统(GIS)、全球定位系统(GPS)，对下垫面数据进行立体管理。

3. 防洪工程联合调度

根据洪水预报结果，可对三门峡、陆浑、固县、小浪底4座水库（将来还有沁河河口村水库）在计算机上进行方案模拟调度运用，从中选择最优方案，科学地确定各水库对某种洪水的防洪运用次序及蓄洪量在各水库之间的分配，以充分发挥中游水库的防洪作用。

4. 洪水演进

由于"3S"和数字高程模型（DEM）技术的日渐成熟，传统的洪水演进技术正在向以下两个方向发展：一个是在二维数字化地形图上叠加各种水文要素、经济社会生态信息，借助数字高程模型（DEM）和遥感影像形成三维可视化模型，进行三维量测和分析模拟；另一个是直接建立三维数字模型，综合地表达流域水文要素和各种地理实体的空间分布。有了这样的洪水演进模型，下游滩区什么时间洪水演进到什么地方；哪个地方先淹，哪个地方后淹，哪座控导工程靠溜；哪段堤防临水，哪段堤防不临水等，与防汛有关的重要信息都可以非常直观地反映在计算机的显示器上。

5. 制订防汛预案

根据洪水演进结果，可对下游滩区做出详细的人员撤退方案或采取其他有效的避险措施；可对某一座或若干座可能出现险情的控导工程、险工、堤段提前做好料物、人员、机械设备等抢险准备，真正做到有的放矢，变被动防洪为主动防洪，从而可大大降低黄河下游滩区的洪水淹没损失及防洪工程出险的几率。

（二）水量调度

随着黄河流域及相关地区经济社会的飞速发展，黄河流域水资源的供需矛盾日益尖锐。为了使有限的黄河水资源得到科学合理的分配，必须实现黄河水量调度现代化。因此，要积极建设黄河水量调度中心，并使之早日投入使用。

1. 枯水期径流预报

枯水期径流预报是水量分配的重要依据。过去,我们较多地注意汛期洪水预报,面对枯水期的径流预报考虑得较少。在这一方面,我们与当今国际领先水平有相当差距。目前,美国国家气象局组织开发的“河流水情预报系统”,可以提供中长期(旬、月、季)的水情概率预报,能够较好地服务于水资源的管理。欧洲开发的NASIM降水径流模型已广泛应用于枯水期的管理。今后,应积极借鉴国际先进经验,下大力气研究黄河流域枯水期的径流预报,并将其作为“数字黄河”工程的重要内容进行建设。

2. 建立河口地区生态模拟系统

黄河河口地区的生态系统处在比较原始的状态,保存着一个天然的物种基因库,被科学界视为极其珍贵的自然界的原始“底本”。黄河的淡水补给是河口地区生态系统得以维持的基本前提,也是河口地区生物多样性的基本保障。应将河口地区的生态系统实现数字化,通过分析主体生物的繁殖率以及群体生物的新陈代谢等生态指标对黄河淡水补给量的要求,提出不同季节、不同时段黄河入海应保持的最小径流量。

3. 水资源实时调配

当已经知道了上游的来水流量,又通过河口地区生态模拟系统知道了某一时段黄河应维持的最小入海流量或水量,区间的水资源如何在不同行业或同一行业内不同用水户之间进行科学分配呢?这需要通过建立现代化的水资源实时调配系统来解决。不同行业之间按照用水保证率进行分配,即第一是城市居民生活用水,第二是工业用水,第三是农业用水。其中,农业是用水大户,对于农业用水分配,可对每个灌区的作物种植结构及生育期不同时段作物需水量输入计算机,通过遥感、遥测手段对灌区内土壤墒情进行分析,再根据每个灌区控制面积大小因素做出洪水量在各个灌区引水闸之间的合理分配。当然,系统建设还应包括研制开发径流在河道里的演进及传播模型等。

4.引水口门的自动监控系统

配水流量的监控和控制主要是通过对各引水口门的流量来实现的。

流量的测量可采用超声波技术,对重要的引水口门采用视频监控并逐步推广到所有的引水口。将摄像头摄录的图像信号通过数据通信网络传播到中央控制室,通过软件自动扫描现场不同位置摄像头所摄录的图像,实现自动触发报警。

5.地下水观测系统

地表水与地下水有着极其密切的关系,为实现黄河流域水资源的优化配置和科学调度,对地表水和地下水必须统一考虑,特别是在宁蒙河套灌区和黄河下游引黄灌区。要将采集到的分布在这些地区地下水长观井的数据信息及时存储于计算机数据库,以可视化的形式对地下水位及其变化做出反映。通过构造地下水水流测试模型,对区域水量平衡进行分析。

(三)水质监控

在黄河干流省(区)际断面和主要支流入黄口设置水质监测断面,对各断面水质状况进行实时监测,并建立实时监测数据库。通过构造河流中污染物的扩散输移模型,对区域水量平衡进行分析,进而对河流水质状况及其变化做出预测,为用水户特别是为城市居民用水的引水口做出水质预警预报。

(四)水土流失治理与监控

黄河流域的水土流失主要发生在黄土高原,水土流失面积达45.4万km^2。过去,我们对黄土高原水土流失区的水土流失情况及治理情况一般是通过层层上报及人工调查统计来了解和掌握的,暂且不说这种传统的手段精确率有多高,仅是上报和人工调查统计的周期就很长。“数字黄河”工程建设要把黄土高原水土流失治理与监测作为其重要内容,大力提倡并推广运用“3S”技术,通过 GPS 的准确定位，借助 RS 及时获取水土流失动态，了解和掌握水土流失的实际状况和治理情况。同时，借助 GIS 对水土流失治理的经济、社会及生态效益做出宏观评价。

（五）水利工程运行与管理

要建立黄河干流控制与堤防的运行和管理系统。通过远程视频技术的应用，实时了解和掌握黄河干流上重要的水利枢纽工程的运行状况，为防洪调度及全河水资源的统一调度提供准确的实时依据。确保黄河下游“地上悬河”堤防的防汛运行安全，是黄河水利委员会水利工程运行与管理极其重要的任务之一。堤防的监测仅靠大洪水发生后发动群众进行徒步拉网查险情已远远不能适应现代防汛的需要，要研究光缆变形的方法，即堤防发生渗水、沉陷变形后，通过光缆传感器将某一段已发生变形堤防的准确位置及时传至管理中心，从而及时发出指令使之迅速得到处理。

（六）电子政务

电子政务的建设目标主要是实现办公自动化、信息资源化，以大大提高办公效率和准确率，同时降低办公成本。要实现这一目标，结合黄委在这方面的现状，当前要重点加强各有关数据库的建设，如文档及档案资料数据库、科技资料数据库、政策法规数据库、人事管理数据库、行政管理资料数据库、水利多种经营数据库等，在局域网上实现信息交换、信息发布、信息服务、视频会议、决策支持等。

（七）黄河网

国际互联网已经成为当今世界的第四传媒。由于其覆盖范围广、传播速度快，已越来越成为最重要、最受世人关注的传播媒介。黄河是国际公认的世界上最复杂难治的大河，黄委要通过黄河网将黄河治理开发与管理的难题推向世界，以充分利用国内外的智力支持对黄河进行研究，提倡“解放思想，实事求是”，“百花齐放，百家争鸣”，从而使黄河的治理开发与管理立足于多维视角，真正做到集思广益,兼容并蓄。

关于“数字黄河”工程,在进入21世纪的今天,科学技术得到突飞猛进的发展,怎样面对黄河,怎样利用现代化技术管理黄河,已成为摆在我们面前的重要课题。大家都把目光注视到现代化方面,现代化的概念与数字联系在一起,并已成为人类社会发展不可缺少的部分。从1998年1月美国前副总统戈尔的《数字地球》演讲到美国“数字地球”战略计划出台,“数字”便以现代化的化身成为国际“现代化战略”发展的核心问题,成为世界各国所关心的热点问题。澳大利亚、美国、日本等都在实施“现代化战略”。“数字中国”的概念也提到了重要的议程上,并按照计划逐步实施。与此同时,“数字北京”、“数字上海”、“数字海南”、“数字水利”等概念已从一个提法逐步发展到实施阶段。2001年7月25日,黄委李国英主任正式对外宣布了“数字黄河”是“数字地球”的概念的延伸,是中国水利管理现代化的一个重要组成部分。“数字黄河”工程就是黄河现代化管理,“数字流域管理”是黄河事业可持续发展的战略保障,是治黄现代化的必由之路。随着“数字黄河”内涵的发展和完善,黄河流域的现代化管理水平也将不断提高,必将大大推进中国水利现代化的进程。国际上发达国家在现代化管理方面的研究和应用起步较早,并已在实际工程和管理中发挥了重要的作用,收到了巨大的效益。以信息化带动、推动现代化是我国的特色,黄委的信息化虽然起步较晚,但发展很快:在黄河防洪中新技术的应用大大提高了数据采集的速度和预报预警时效,初步建立起防洪指挥决策系统;黄河通信及信息专用网的建设,为信息传输提供了必要的条件;中游水土保持的“3S”技术的应用,大大提高了水土保持的监控水平;办公自动化的起步及黄河网的开通等,在近年的黄河治理和开发中都发挥了重要作用。这充分说明科学技术的重要性,利用现代化科学进行流域管理是时代的要求和历史发展的需要。

第二节 “数字工管”系统建设

“数字工管”是“数字黄河”工程五大业务应用系统之一，是“数字黄河”在工程管理现代化方面的具体体现。“数字工管”就是借助工程内部埋设的观测传感器和外部全数字摄影测量设备，利用“3S”、计算机网络和现代通信技术等科技手段，对工程进行实时安全监测，实时掌握和了解工程运行状态，评估工程安全状况，预测工程的运行承载能力和使用寿命，不断为防汛和工程管理维护决策提供全面、及时、准确的决策依据，确保黄河防洪安全。“数字工管”的建设将全面提高工作效率，使黄河工程管理工作发生根本性的转变。

“数字工管”系统主要包括工程建设管理系统、工程运行管理系统、工程安全监测系统、工程安全评估系统和工程维护管理系统五部分。其中工程建设管理系统主要是对在建工程各种信息的管理，包括工程建设招投标管理、工程建设质量与进度管理等；工程运行管理系统主要是工程运行过程中的基本信息管理，包括目标考评、环境管理、附属设施管理、队伍现代化建设等；工程安全监测系统是对防洪工程内外部传感器和人工巡视检查采集信息进行处理，并通过在线报警功能来达到自动监视所有工程安全状况的目的；工程安全评估系统是利用建立的安全评价模型对采集的各种基础数据进行智能化综合分析和评价，最后提出反映工程安全运行状态的一系列指标；工程维护管理系统是根据工程监测资料和安全评价成果，通过工程维护标准化的模型，提出最优化的工程维护策略，实现资源化配置。

一、“数字工管”建设的必要性

(一)工程管理业务的迫切要求

保持工程完整性、确保工程防洪能力不降低是工程管理的中心任务。但目前无论是工程本身还是工程管理手段都存在着问题。一方面,黄河下游堤防工程基础条件差、隐患多,河道整治工程基础浅、稳定性差,一遇较大洪水,出险频繁,如抢护不及,就可能造成决口而酿成重大灾害;另一方面,防洪工程的管理工作在方法、手段、工具等方面比较落后,安全监测几乎是空白,维护决策水平较低,随意性较大。由于没有建立工程管理信息化系统,信息流动很慢,资源不能共享,经常只能根据经验直观判断进行决策。因此,各级工程管理部门迫切要求利用当代技术,建立一套现代化工程管理系统,通过远程安全监测技术的应用,实时了解和掌握工程的运行状况,以便及时发现和消除工程隐患,确保下游“地上悬河”堤防的防洪运行安全。

(二)防洪安全的客观需要

堤防工程是防洪保安全的重要工程措施。鉴于堤防决口对公众造成的危害极大,国内外越来越重视堤防安全运行监测系统的建设。在欧洲长 500km 以上的堤防均设置完善的监测系统。我国长江堤防近年来新加固的堤防,水利部、长江委要求在设计中必须有监测设计,并按“土石坝监测技术规范”列专项费用,其费用不得低于工程总投资的 1%～3%,否则不予审批。千里长江堤防整体安全监测规划也在进行中。同时,长江委还在武汉长江大堤谌家矶堤段建立试验基地,进行全面的堤防安全监测技术的试验研究。黄河堤防由于受传统“重建轻管”思想影响,安全监测多年来一直没有被重视,造成目前黄河下游防洪工程安全监测设施一片空白。

工程安全监测是工程管理的基础。没有安全监测,管理现代化就无从谈起。黄河下游大堤,工程质量先天不足,险点隐患较多,历年洪水期多发生渗水、管涌和滑坡等险情,形势十分紧张。黄河堤防安全的监测仅靠大洪水发生后发动群众进行徒步拉网检查险情已远远不能满足现代防汛的需要。为了黄淮海平原上亿万人民生命财产的安全，确保大堤不决口，必须建立从工程安全监测入手的“数字工管”系统。

（三）时代发展的必然需要

进入21世纪，全球经济一体化的进程加快，科学技术迅速发展，人们对治黄的要求越来越高，提出了治黄要从传统水利向现代化水利、可持续发展水利转变，以水资源的可持续利用支持经济社会的可持续发展。水利部汪恕诚部长提出了“堤防不决口，河道不断流，河床不抬高，水质不超标”的21世纪治黄新目标。要实现这些目标，必须提高黄河工程管理水平，而提高管理水平的有效手段就是建设“数字工管”系统。

“数字工管”是顺应高科技迅猛发展需要的必然产物，黄河的复杂性和河势的多变性，要求治黄必须利用“3S”、计算机网络和多媒体技术、现代通信等高科技手段，通过工程安全监测，及时反映工程的运行状况和内在质量，预测工程的运行承载能力和使用寿命，不断为防汛和工程管理决策提供系统、全面和最新的决策依据，保证决策的科学性和正确性，全面提高工作效率，使黄河工程管理工作发生根本性转变。

二、“数字工管”建设的可行性

（一）安全监测技术的发展为“数字工管”建设提供了可能

我国现有的大江大河堤防近30万km，大坝8万多座，为监测其安全状况，工程中大都设置了观测仪器，并采集大量数据。但限于当时监测水平，这些工程的监测均为人工监测。实测资料整理分析也是靠人工，难以达到实时监测工程安全、及时反馈设计、指导施工和运行的目的。随着现代电子技术（传感器）、微机、通讯技术的发展，20世纪90年代，国内外堤坝安全监测、数据处理、工程安全评估已进入电子化、数字化和计算机网络化的新时代。堤防工程因土质构成复杂，监测技术手段一向落后。但由于其安全重要性，近来已取得突破性进展。具体表现在以下方面。

1. 监测技术(传感器)方面

(1)监测仪器在长期稳定性、可靠性方面有所发展。由于水利、水电等岩土工程往往处于恶劣环境中，加之大多属于一次性埋设，不可更换，要求监测仪器设备具有长期可靠的稳定性。实践证明，目前国外著名厂家生产的渗压计已有 60 多年埋设实测成果。三门峡大坝内 1958 年埋设安装的瑞士胡根堡仪器设备至今大多仍可运用。但国内由于材料和工艺方面存在较大差距，长期稳定性方面较国外同类产品远所不及。此外，就仪器本身而言，振弦式传感器输出量是频率，对电缆要求不像其他传感器元件(电流、电压等模拟量)那么苛刻，沿电缆(一次)传输抗干扰能力较强等，因而具有较高的长期稳定性。

(2)监测仪器由点式向连续分布式方向发展。传统的监测仪器多为点式，而且是一点(仪器)一线制，需要众多的电缆随仪器埋设延伸，国外(国内也在开发)采用分布式光纤式传感器，其集感应、传输于一体，能在数公里至数十公里的一根光纤获得连续分布数十、数百个应力、应变、变形、温度、渗流等参数。

(3)视频(动感图像)技术已应用于大堤(坝)安全监视。随着微机和宽带通讯技术的发展，20 世纪 90 年代中期，加拿大等国家将多媒体视频技术用于大堤(坝)的安全监视，以补充监测仪器的不足，并可部分代替人工巡视检查，实现远程直观大堤(坝)的安全运行状况。

(4)外部变形测量技术有突破。大堤(坝)外部变形是工程安全状态的综合反映。工程外部变形的产生、发展集中地体现了堤坝内部及其基础渗流、应力应变、温度等因素变化，是评估工程安全的主要指标。20 世纪 80 年代以前，堤坝外部变形靠传统的大地测量方法，其劳动强度大，观测周期长，精度低，不能及时获取变形信息，评估堤坝的安全。当今，日本莱卡公司推出三维坐标测量系统——TCA3000型电子经纬仪(俗称机器人),一个点三维变形能在1～2s内完成,精度在1～2mm以内,并能实现联机自动化监测。

2.自动化数据采集及传输网络化方面

20世纪80年代以前国内外许多水电工程都仿照当时工业自动化集中控制模式,但由于不适应水电工程条件而以失败告终。随着微机和通讯技术的发展,20世纪90年代中期,美国垦务局工程师接受失败的教训开发了以CPU为核心,采用信号调制、放大A/D传输、多路转换、测量、通讯控制于一体的分布式控制单元(MCU)。90年代末,我国南京自动化研究院也推出国产的测量控制单元DAU—2000型国产测量控制单元,该设备不仅价格便宜(是进口同类产品的1/2～1/5),而且功能齐全,各项性能指标也优于国外产品。目前,该产品已在国内外几十座工程中运用,效果良好。其突出特点是:①能适应水利水电工程现场的恶劣条件;②能与不同类型的传感器连接匹配;③采用开放型职能节点驱动结构,MCU作为网络的节点,不需中央主机指令控制,能独立自主运行,在自身日历时钟维持下,完成数据采集、预处理、暂信储存、统计计算、报警检验、通讯等功能,还具有掉电保护、自诊等功能;④组网灵活方便,运行稳定可靠,支持无线电、微波、卫星、普通双绞线、光纤、公用电话等多种媒介通讯,支持多中心、多中继、多媒介混合通讯网络,DAU—2000型测量控制单元本身具有中继功能。

3.监测数据管理和工程安全评估方面

我国目前已开发出大型的数据输入、储存、建库、修改、检索、分析处理管理软件,其功能齐全,运用灵活方便,该软件优于国外最先进的意大利开发的米达司(midas)系统。南京自动化研究院、北京水科院开发的堤坝安全数据信息管理系统包括数据信息管理、分析处理、评估,可实现实时监控。

(1)堤坝安全评估。预报数据模型已向分布式空间模型发展。随着计算机技术的发展,统计模型、确定性模型、混合型模型已被广泛用于工程实践,建立大坝分布式空间数据模型也在一些工程中应用。利用随机有限元、模糊数学、灰色理论建立数学模型评估大坝安全也取得初步成果。

(2)以建立综合分析推理理论系统为核心,以数据库、方法库、模型库、知识经验库为补充的堤坝安全综合评估专家系统,提出堤坝安全评判的多层次模糊综合评判方法。南京自动化研究院采用决策支持系统的最新技术——数据库(Data Warehous, DW)和联机分析处理(On - Line Analgtical Processing ,OLAP),并结合专家系统提出了基于数据库的堤坝安全评价决策支持系统,大大提高了评判质量和推理效率。

上述情况表明,以在线安全监测为标志的工程管理现代化建设已有成熟技术可资利用,“数字工管”建设具备可行性。

(二)现有工作基础扎实

黄委在20世纪90年代初期就开始将现代信息技术应用于黄河的治理与防治工作,1993年开始筹建的黄河防洪减灾计算机网络系统,目前已基本形成覆盖黄委机关、水文局、河南局及下属的五个地市局(新乡、开封、焦作、郑州和濮阳)、山东局及下属的八个地市局(菏泽、东平湖管理局、聊城、德州、济南、淄博、滨州和河口管理局)等主要防汛单位的广域计算机网络,实现了对黄河水情、工情、灾情等信息的接收、处理和预报作业。系统建设中积累了丰富的经验,为“数字工管”系统的信息采集及传输奠定了一定的基础。在此期间,委属各单位还在各自的业务应用范围内也开发了大量的计算机应用系统,做了大量的基础工作,如与“数字工管”相关的黄河防洪工程数据库、黄河河道整治工程根石管理系统等。在这些系统中,分别存储着堤防、险工、控导工程等信息,并根据不同的业务应用需求建立了各类工程信息的查询手段。但由于各系统在建设时目标、需求应用对象的不一致,使各系统多为独立运行的系统,互容性较小,各系统运行的环境和操作平台也不相同。

"八五"攻关项目黄河防汛工程数据库建成于1996年,数据库中的黄河防洪工程基础数据统计至1993年。而近年来,随着国家对水利工程建设的投入加大,黄河下游的各类工程全面进行了加固和扩建,各类工程基础数据都发生了变化。由于黄河工程数据库系统投入使用时,黄河防汛计算机网络尚未建成及其他原因,黄河防洪工程数据库系统中的工程数据信息并没有及时更新。另外,该数据库系统建立时,GIS技术在国内尚未成熟,该系统没有考虑对GIS平台的接口,数据结构也不适应于GIS系统。因此,对当前的工程维护管理来讲,该数据库系统无论是信息或数据库结构,其利用价值都有限。

综上所述,现已建成的各类工程信息管理系统在实际工作应用中还存在着一些问题,各系统的成果无法直接为本项目所用;而且每一系统都只是对防汛工程某一方面的属性信息进行一般描述,没有针对具体工程的综合性信息;表示方式也多为数据表格方式,没有形象直观地给出防洪工程的现行状况,尚不能为"数字工管"提供全面的信息支持。但从另一方面讲,这些系统为建立"数字工管"提供了基础建设经验及可借鉴的技术方法。"数字工管"在建设的工程中,根据系统的需求,对已建成的相关系统进行改造及扩充,并将其纳入到本系统中,使本系统的建设更加科学、规范、合理。

三、"数字工管"的建设目标、任务、原则和范围

(一)建设目标

"数字工管"建设总目标是以高新技术为支撑,借鉴国内外先进的管理技术和管理手段,建成具有一定实用性、先进性、可行性、开放性的现代化工程管理体系。该体系能对黄河干支流控制性水

利枢纽、堤防、河道整治工程以及涵闸工程的安全运行状况进行实时安全监测;通过数据采集、实时传输、信息储存管理和在线分析处理等功能,实现对防洪工程的运行状态的安全评估和预报,实现有关工程基础信息的快速查询;实时掌握防洪工程的运行状态,为快速、准确、科学地制定防洪工程维护方案提供决策支持。同时,也为黄河防汛抢险、水资源统一调度管理、防洪规划工程设计、工程施工及科学研究等提供全面、及时、准确的信息服务和技术支持。

"数字工管"还能够对在建防洪工程进行全过程管理,实现工程建设管理信息化和现代化。

具体目标是:

(1)实现黄河中下游黄委直管工程历史档案信息,包括工程地质、施工运行、历史沿革等信息的在线查询、统计分析。

(2)实现重点确保段(左岸沁河口至原阳篦张,桩号 75+000~143+000, 右岸郑州至兰考三义寨,桩号 -1-172~130+000,右岸济南附近,桩号 -1+000~45+000,共 200 多公里)堤防和其他中水流量靠河险工段堤防的实时安全监测。

(3)实现中水流量靠河的重点险工坝垛的实时安全监测和可视化监视。

(4)实现控制治导线内、中水流量靠河的部分控导工程的实时监测。

(5)实现重点水闸工程的实时安全监测,部分靠近主流的水闸实现可视化监测。

(6)实现中下游重点工程的综合安全评估,为工程维护、防汛调度、水量调度提供决策支持依据。

(7)实现实时监测工程的在线安全报警。

(8)实现工程维护决策支持系统。快速制定出病险工程的最优化维护方案,实现工程投资效益最大化。

(9)实现在建工程建设管理日常业务信息化,如招投标管理等。

(10)实现工程运行管理日常业务信息化,如目标考评等。

(二)建设任务

“数字工管”建设任务是:

(1)完成黄河中下游重点防洪工程安全监测设施建设。

(2)基本完成“数字工管”系统中各功能模块建设,包括工程建设管理系统、工程运行管理系统、工程安全监测系统、工程安全评估系统、工程维护管理系统。

(3)完成“数字工管”系统专业数据库和模型库建设。

(4)完成黄委黄河工程管理中心建设。

(5)完成省级黄河工程管理中心建设。

(6)配合防汛部门完成所有地(市)级黄河工程管理分中心和县级黄河工程管理站建设。

(三)建设原则

“数字工管”是“数字黄河”工程的重要组成部分,是一项技术难度大、结构复杂、涉及面广的全新系统工程。系统投入运用后,将给工程管理理念、工程管理手段带来革命性的变化,真正实现黄河工程管理现代化。系统建设和运用,需要多学科支持和多部门的协作。为确保预期目标的实现,“数字工管”建设要遵循以下原则:

(1)在“数字黄河”工程整体框架和建设原则下,进行“数字工管”系统建设。

(2)系统建设实行“统一领导,统一部署”。项目建设在黄委数字黄河办公室的统一领导下,黄委建设与管理局负责行业管理,对项目建设进行督促和指导。

(3)充分体现“数字工管”系统的“实用性、可靠性、先进性、开放性”。

(4)抓住信息化、标准化基础研究和关键技术攻关等关键环节,“试点先行、稳步推进”。

(5)立足现实,着眼未来,远近结合,经济合理。

(6)“数字工管”系统建设在确保黄委直属工程、确保重点工程的前提下,统筹安排、分布实施。

(四)建设范围

“数字工管”建设范围包括:

(1)黄河下游堤防、河道整治工程、引黄闸、分泄洪闸等防洪工程。

(2)黄河中游小北干流河段黄委直管的河道整治工程。

(3)黄河中游潼关至三门峡大坝河段黄委投资建设的河道整治工程。

(4)渭河下游的堤防及河道整治工程。

(5)小浪底、三门峡及故县3座水库水利枢纽工程。

(6)黄河工程建设管理范围内所有在建工程。

四、“数字工管”关键技术研究

要实现工程管理现代化,关键在于高新科技的应用,即如何将高科技成果转化成工程运行与管理中的生产力的问题。如何应用高科技建立起工程管理的智能化、网络化、信息化及自动化的管理系统,是“数字工管”建设研究的重要课题。在工程管理中需要解决的问题很多,但就技术含量与实施难度分析,当前工程管理还没有完全突破传统的管理模式和操作方法。解决工程管理中的关键技术是工程管理信息数字化建设的重要任务。

(一)分布式光纤传感器在堤防安全监测中应用研究

目前水利水电工程所用的传感器均是点式传感器,只能测取某点的变形、渗流、压力等工程参数,不适合于千里堤防连续监测的要求。光纤传感器是近年来异军突起的一种新型传感技术。光纤轻细、质轻、柔软、防锈、防雷，易于埋入水工建筑物中用于监测应力、应变、震动、压力、温度、裂缝等参数，而不会改变被测物体的结构状况。特别是分布式光纤传感系统，集信息传感器与传输于一身，能在数百米至数十公里的一根光纤上获得连续分布的几十个至数百个被测参数，可以在一根光纤上实现多功能的动、静态多参数的监测。因此，研究开发分布式光纤传感器技术用于黄河堤防安全监测是非常有价值、有意义的。

目前，该技术在国外已成功应用于水工建筑物的渗流观测，在国内尚处于刚刚起步和实验阶段。

（二）坝垛根石走失监测和预警技术研究

险工和控导工程的丁坝、垛、护岸等堤防的前哨阵地。当水流淘刷时，常常发生坍塌、滑坡等险情。根石走失是出险的主要原因。由于根石走失造成的险情具有突然性，应急抢险反应时间短。因此，如何监测坝垛根石走失情况并超前报警是“数字工管”中关心的问题，应作为关键技术进行研究。具体研究内容是：

（1）开发研究具有实时在线跟踪根石变形监测的新仪器设备。

（2）如何运用现有 X—STAR 根石探测仪，达到实时在线监测目标。

（3）开发坝垛变形、动态模型，实现超前预警。

（三）高分辨率堤防隐患探测技术研究

黄河下游堤防中存在着洞穴、裂缝、软弱夹层等隐患，堤基存在 300 多处基础老口门，这些隐患是每年防汛的心腹之患。如何对黄河下游千里堤防的隐患进行有效探测，并自动采集相关信息，是需要研究的关键技术。

（四）防洪工程安全监控指标研究

安全监控指标是实现工程安全在线监测系统启警报警的依据。制定准确的安全限制是工程安全监测系统的关键，需要考虑工程参数之间的相互依存关系及其他影响因素综合确定。

（五）工程安全评估模型研究

如何根据工程监测数据，实时、正确、有效地评估工程内在、外在质量和安全状况，关键在于工程安全评估模型的建立。安全评估模型是否正确关系到“数字工管”的成败。

（六）集成模块与其他模块耦合技术研究

“数字工管”是一个庞大的系统工程，它需要各系统和子模块的支持和联结。如何实现各模块的有机耦合与联结，关系到整个系统工程是否性能稳定、操作可靠的问题，需要深入研究。

（七）“3S”技术在“数字工管”中的应用

黄河工程管理面广、量大、线长，这样就需要先进的管理手段来考虑宏观的管理技术，“3S”技术为黄河管理提供了广阔的发展前景。“3S”技术是当今遥感、遥测和地球定位领域的高新技术。如何将这些技术更好地应用到“数字工管”系统中，是需要研究的课题。

第二十二章　黄河河道治理重点工程简介

第一节　重点险工

一、沁河杨庄改道工程

沁河下游河道一般宽 800～1 200m，而木栾店卡口处仅宽 330m，防洪标准不足，安全泄量只有 3 000m^3/s，临河滩地高于背河 7m，防洪水位高于背河地面 12m；河流直射左岸大堤，呈 90°急弯，且卡口处建一双曲拱桥，桥桩长仅十六七米，遇洪水冲刷有倒桥阻水决堤危险；南决淹没沁南 9.7 万人口，北决淹没直至天津，成为历年防洪的险点。1980 年，经河南黄河河务局报请黄委，经水电部于 1980 年 3 月批准同意兴建杨庄改道工程，随即于 1981 年 3 月至 1982 年 7 月按上报杨庄改道方案进行施工并完成。改道工程从沁河右岸杨庄开始至左岸莲花池止，河段长 3.5km，向右展宽为 800m，新修右堤长2 417m，左堤长3 195m，右堤险工长 1 640m，坝垛 16 个，同时兴建有武陟沁河公路桥、布庄提排站等四项工程。共做土方 353.6 万 m^3，石方 6.35 万 m^3，混凝土11 630 m^3，用工 58.8 万个，投资2 836万元。工程完工后，恰遇 1982 年 8 月 2 日沁河发生4 130m^3/s 特大洪水，解除了木栾店卡口壅水高出右堤 1.8m 的危局，避免了沁南一次漫溢决口分洪，使沁南 9.7 万人免除了一次洪水淹没灾害，减少损失 1.5 亿元，相当于工程投资的 5 倍。该工程由于指导思想正确，规划设计合理，施工质量优良，社会效益显著，获 1984 年国家优质工程银质奖。见图 22-1。

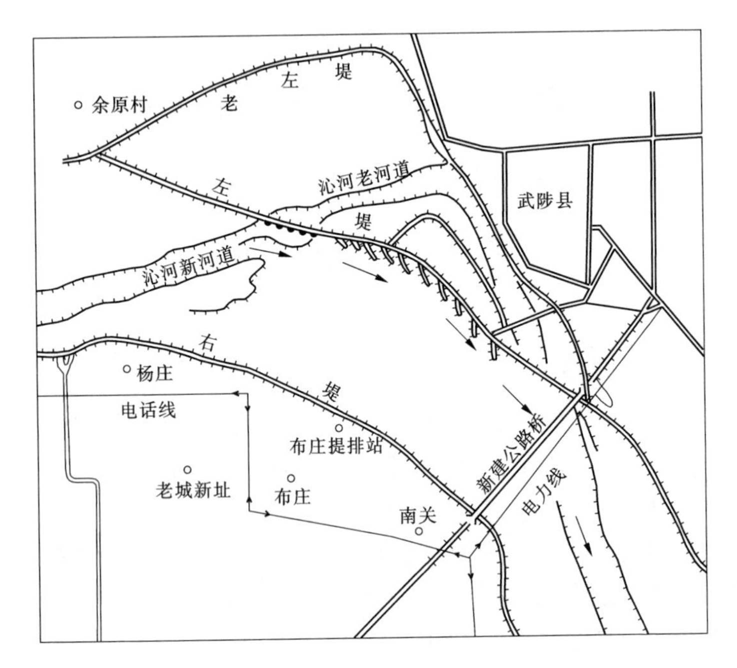

图 22-1　沁河杨庄改道工程平面图

二、花园口险工

花园口位于郑州北郊 18km 处，相传明嘉靖年间，许家堂村许赞官居吏部尚书，他家的花园紧临黄河，又是黄河的渡口，故名花园口。

花园口险工始建于清康熙六十一年(1722 年)，工程西起原花园口枢纽泄洪闸，东至赵兰庄，长 11.69km，有坝垛护岸 152 座(段)，是黄河右岸郑州地区防御洪水的重要屏障。

该险工中的将军坝(编号 90 坝)，是一座丁坝，建于清乾隆九年(1744 年)，清嘉庆十三年(1808 年)在此处修建将军庙一座(现闸址处)，由此而得名。将军坝是花园口险工的主坝，根石深达

23.5m，为坝垛根石最深的一道。1977 年 8 月，黄河下游发生高含沙洪水，花园口河段出现“揭河底”冲刷，曾使将军坝根石严重走失、蛰陷，经及时抢护才未酿成大险。

该险工平面形式平缓，1960 年为提高导溜能力，将东大坝接长 500m。1984～1990 年根据河道整治规划治导线，在险工下首按控导标准修建工程长1 080m，使将军坝至东大坝的工程形成3 200m 的导流弯道，发挥了掩护赵兰庄到石桥 9km 平工段堤防的作用，同时能较好地迎马庄工程来溜，送溜至对岸双井控导工程，有效地保护了两岸滩地免遭坍塌，也为引黄灌溉供水提供了条件。

将军坝下首的花园口引黄灌溉闸建于 1956 年，设计引水流量 $20m^3/s$，灌溉面积 2 万 hm^2，并为郑州市工农业生产提供了水源。

1938 年国民党为阻止日军西侵，于该年 6 月 9 日扒开花园口大堤 30m，洪水将口门冲宽至1 460m，水淹豫、皖、苏 3 省 44 县，面积 5.4 万 km^2，受灾人口达1 250万，死亡 89 万，造成震惊中外的大灾难，黄河改道达 9 年之久。1946 年开始堵口，1947 年 3 月 15 日堵复，黄河归故道，共用工 300 多万个，耗资 390 亿元（旧币）。原堵口遗留下来的深 13m、面积达 $160hm^2$ 大塘坑，已被放淤填平，改造为良田。

为宣传人民治黄的伟大成就、弘扬黄河精神、展示黄河防洪兴利工程建设和管理基本模式，1990 年，确定了花园口、柳园口、泺口（简称“三口”）险工堤段美化、绿化建设规划。目前花园口已种植了绿化常青树和多品种的花卉，修筑有石像雕塑、仿古亭、伞亭、花池（花坛）等美化设施，修缮了八卦亭，复制了国民党堵口碑等，现正在加紧建设。见图 22-2。

三、双井控导工程

双井控导工程位于黄河左岸原阳高滩上，承接对岸花园口险

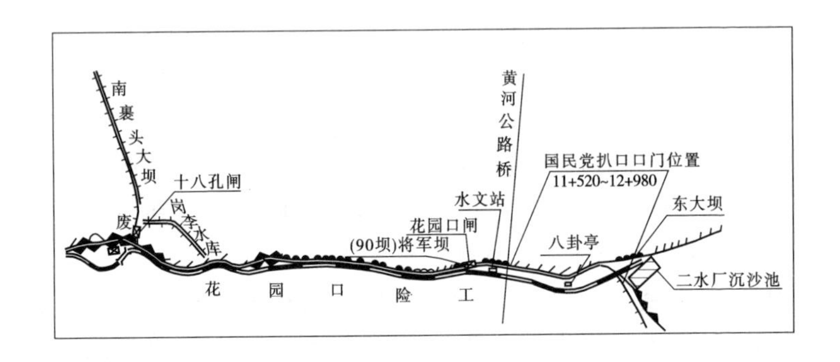

图 22-2　花园口段工程示意图

工来溜，送溜至马渡险工，为河道整治节点工程之一。1968 年汛后，马庄工程导溜至花园口险工将军坝以上，主溜转向后折冲北岸双井滩地，河槽迅速向北展宽1 500m。为制止大量塌滩，保存有利滩地，掌握防洪和兴利的主动权，于 1969 年开始修建双井控导工程，现有长度8 722m，建有丁坝 33 道，潜坝 1 道，垛 29 座。河湾曲率半径3 600m，圆心角 62°，过渡段长3 000m。距对岸申庄险工3 000m。该工程制止了高滩后退，保护4 000hm^2 滩区耕地；稳定送溜至马渡险工，使双井至马渡间河道游荡幅度控制在 3～4km，并提高了当地引黄涵闸的引水保证率。

四、黑岗口险工

黑岗口险工位于开封市北郊黄河右堤桩号 74 + 100～79 + 795 处，工程长5 695m，始建于 1737 年，是在多次决口后堵复围堤的基础上加修而成。该险工平面形势突出，工程分上下两段：上段有坝垛 19 座，护岸 2 段，多为秸埽工程，基础浅，新中国成立后仅 20 世纪 60 年代靠过溜，未抢过大险；下段有坝垛 36 座，护岸 28 段，靠溜几率达 67%，主坝根石深 12～18m，其余根石深 3～8m。

该险工处在宽河道游荡性河段，河槽高出开封市地面 11m。

明崇祯九年(1636年)、十五年(1642年)和清乾隆二十六年(1761年)三次在此决口。1642年9月15日,决口朱家寨,直冲开封城,全城37万人淹死34万。1982年8月2日,15 300m^3/s的洪水过程中,流量2 660~3 450m^3/s时,河在原阳大张庄坐弯,主流折向东南,出现“斜河”,顶冲黑岗口险工,先后有35个坝岸出险,坦石平墩入水,露出土胎,险情危急,开封市紧急动员军民2 200多人,奋力抢护12昼夜,用石10 000m^3,才转危为安。

1957年,在大堤桩号77+200处修建引黄闸一座,设计流量50m^3/s,利用黑岗口潭坑作沉沙池,清水供给开封市,并引黄淤背加固大堤,普遍淤高2m以上。

五、柳园口险工

柳园口险工位于开封市北郊右岸大堤上,大堤桩号82+263~87+550,是1842年在祥符决口后堵复合龙处修建的,现有坝23道、垛12座、护岸12段,长4 560m,是开封市防洪安全的屏障。毛泽东主席、江泽民总书记、李鹏总理先后都到这里进行过视察。

该险工所处河段河道宽阔,主流摆动快,临背悬差大。1954年8月,洪峰前后柳园口险工附近主流由北岸移至南岸,又迅速从南岸向北滚,重回原路,一昼夜来回摆动宽度达6km之多。1977年、1982年、1992年河势变化较大,险工常受横、斜河顶冲出险。1992年8月洪水期间,29#~34#坝先后出险。1993年至今,39坝1支坝多次出险,险情最重的一次迎水面坍塌长度为60m、坍宽7m、深8m。根据柳园口险工形势和河势分析,预计今后汛期仍会出现类似险情。柳园口绿化美化,自1990年开始投资建设,已建成的美化设施有镇河铁犀、纪念碑、六角亭、花架、花坛等,树种有雪松、桧柏、垂柳等。

六、曹岗险工

曹岗险工位于黄河左岸封丘县以南曹岗乡境内，大堤桩号184+040～189+300，全长5 260m，现有106个坝垛护岸。该险工始建于清乾隆十八年(1753年)，背河地势低洼，河槽较堤后地面高11m，是黄河上临背悬差最大的地段，在防洪中占有重要地位。依据自然地形和历年着河情况，平面布局采用分组导溜式。该工程经过1935年、1948年、1953年、1954年、1981年数次较大险情。1981年8月，32个坝垛受“斜河”顶冲，在50天内轮番出险39次，其中24#、26#、30#、31#四道坝砌石坦坡严重坍塌。

该险工与对岸府君寺控导护滩工程一起构成控制节点。由于府君寺工程由上、下弯道组成，导溜方向不一，该险工入流河势也不稳定，需要在其上游完善古城、府君寺等工程以改变入流条件。

七、东坝头险工

东坝头险工位于兰考县西北黄河右岸，大堤桩号137+750～139+263，工程长1 513m，现有坝1道、垛16座、护岸12段。该处原是明弘治时期黄河的左岸大堤，清咸丰五年(1855年)黄河在此以西的铜瓦厢决口改道，经过长期冲刷遗留下来的东岸坝头，称东坝头。民国元年(1912年)开始修建成著名的东坝头险工。1952年毛主席视察黄河时，曾在此询问黄河决口及堤防管理情况。

黄河在东坝头转弯流向东北，该工程起着控制东坝头河势的作用，其地理位置非常重要。其地形属于扇形构造的顶点，居高临下，面对着下游堤距宽达20km的“豆腐腰”河段，流路的急剧变化，使下游左右岸都存在“滚河”危险。1961年险工上游桐树园坐弯过死，导溜至禅房方向，直逼贯孟堤，造成临堤抢险的险恶局面。1964年为防止河势继续塌滩，保证右岸堤防和铁路基安全，亦为避免黄河在封丘禅房入袖产生死弯，威胁贯孟堤安全，修建了东坝头控导工程。1986 年以来,桐树园一带小水入湾导流至禅房控导工程上首。为稳定下游河势,防止禅房上首导溜,1990 年、1991 年连续续建东坝头控导工程,东坝头控导工程已有 11 道丁坝,将有助于理顺河湾内南圈河流路的出溜方向,稳定送溜入禅房 5# 坝以下规划弯道。

八、艾山卡口

艾山卡口位于山东省聊城地区东阿县境内,井圈险工 13# 坝与对岸外山对峙所形成,坝与对岸山脚间河槽宽仅为 275m,是黄河下游最窄的断面和著名的卡水口,也是防洪的重点。井圈险工 13# 坝为砌石主坝,大堤桩号为 33+145,坝顶高程 46.75m,根石顶高程 42.15m。

卡口上游的艾山海拔 75m,顺河长 930m,是防洪的天然屏障。近十几年来,由于当地群众纷纷开山,现山体已间断开透,已起不到应有的作用。

艾山下游为井圈大险工,长6 500m,始建于 1883 年,桩号为 32+400~38+900,现有坝岸 119 段。右岸为泰山北麓,山基突出河岸,天然治导河势,与左岸工程共同约束洪水,共保黄河安澜。

九、泺口险工

济南市北郊的泺口系原泺水向济水(后称大清河)泄水的汇合口,故此而得名。泺口险工平面示意见图 22-3。

1855 年黄河在铜瓦厢决口,后夺大清河流经泺口入海。泺口向南不足 2km 即是小清河(为航运和排泄济南城北洼地及鹊山湖之积水,于 1130 年至 1137 年人工开凿)。当时两河航运昌隆,至 1905 年,泺口设营业所沟通了黄河、小清河的航运业务。泺口也是古“皇道”渡口。1912 年泺口铁路桥建成,并设立了泺口火车站,古渡泺口形成了陆、河栈房码头,是当时济南市商业繁荣的重

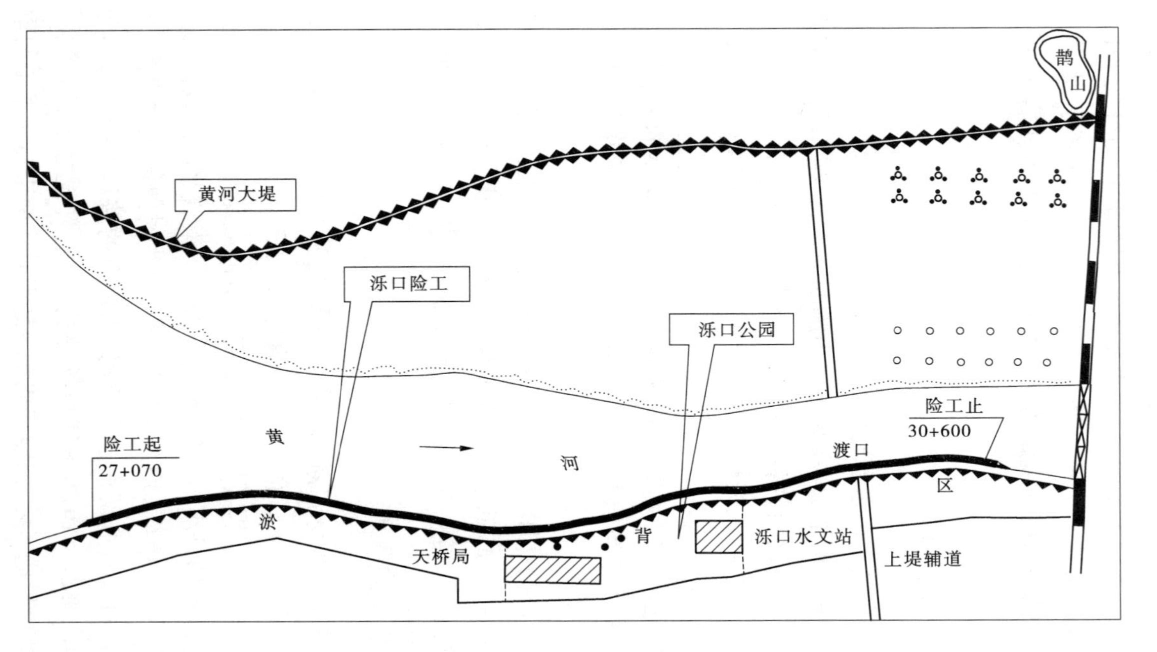

图 22-3　泺口险工平面示意图

镇。1938年国民党在花园口扒掘黄河夺淮入海，泺口断流9年，泺口镇商业随之衰弱。

黄河夺大清河后，河道不断淤积抬高。为防御洪水泛滥，到1877年黄河两岸百姓自发修筑的黄河堤埝（史称民埝）基本形成（即现在的大堤），洪水被约束两堤之间。清光绪八年（1882年）在加固黄河两岸民埝的同时，始筑官堤（济南堤段也称遥堤，俗称二道坝）。为保济南市的安全，防止堤防冲决，自1890年开始修筑泺口险工，当时均系秸埽坝，后逐步改为石坝。新中国成立后，对石坝进行了数次改建和加高，使抗洪能力逐渐增强。泺口险工在1951年前分为小鲁庄险工和泺口险工，1952年小鲁庄险工并入泺口险工。目前，泺口险工总长度3 613m，护砌长1 451m，共有石坝85段，其中砌石坝48段、扣石坝24段、乱石坝13段。

随着黄河防洪的需要，民国8年（1919年）的顺直水利委员会在泺口设立了水文站，为黄河下游最早的水文站之一，测量黄河流量、水位、含沙量和雨量。由于当时客观原因，观测时断时续，测验设备简陋，方法落后。新中国成立后，为加强领导，提高观测质量，1953年将泺口水文站改称泺口水文分站，直属黄委管理，下属5个水文站，10个水位站，后又改称泺口水文总站，现为泺口水文站，归山东水文水资源局领导。泺口险工地处济南市北郊，位置险要，附近古迹众多，是济南市游览观光的一大景区。1990年黄委将泺口险工列入“三口”规划。1991年，济南市人民政府提出了建设以泺口险工为中心的“黄河百里公园”的建设规划。目前，泺口险工的绿化美化和景点建设已初具规模，建设前景广阔。

第二节 特殊命名的坝岸工程

下面介绍几座特殊命名的坝岸工程。

一、将军坝

建于清乾隆九年(1744 年),后因坝上修有将军庙而得名。该坝是花园口险工中的主坝,编号 90 坝,相应右岸大堤桩号 10 + 865,为人字形坝,坝轴线长 120.8m,坝顶宽度 25m,坝顶高程 99.45m(大沽),裹护长度 172m,根石深 23.5m,是目前全河根石最深的一座坝,一般桥梁冲深设计都以它作为参考。

二、东大坝

东大坝是花园口险工末端的一座坝,编号 127 坝,相应右岸大堤桩号 12 + 865,为圆头坝,坝轴线长 666m,坝顶宽度 10m,坝顶高程 98.38m,裹护长度 752m,根石深 13m,系河道整治导流工程,1960 年建成。因该坝位于 1938 年花园口决口处以东,坝体较长,故称东大坝。自 1964 年至今,共用石料 4.52 万 m^3,柳料 55.6 万 kg,投资 376.56 万元。

三、盖坝

建于 1808 年,工程长 500m,坝垛 14 座,编号 1～14,位于开封黑岗口险工中上段,相应大堤桩号 75 + 900～76 + 400,呈半椭圆形与大堤相接。盖坝始称于清代,“清嘉庆十三年(1808 年)在临河筑盖坝一道,长 130 丈”。传说有盖住险要堤段,防止冲决之意。用石 2.04 万 m^3,柳料 14.32 万 kg,投资 86.25 万元。该坝建成后,在防洪中发挥了重要作用。

四、御坝

御坝位于河南省武陟县,堤防桩号 71 + 600～76 + 250,建于清雍正二年(1724 年),工程长4 650m,土坝基 2 道。清康熙六十年至雍正元年,黄河在詹店、马营一带连续决口,屡筑屡决,此塞彼开,深为当政者所苦,故雍正二年奉上谕在秦厂一带筑土堤和土坝名曰御坝。经历史的变迁,土堤已加修成大堤,两条土坝分别位于73+846及74+200处。

五、杨坝

杨坝现为河南省长垣县周营控导工程一号坝。1933年8月11日黄河水暴涨,冯楼决口,为堵口在进占时牺牲了杨、耿两位老工人,为纪念牺牲者而命名为杨耿坝,简称杨坝。该坝挑水作用较强,坝长525m,坝顶高程70.24m(大沽),裹护长395m,坝高14m,乱石护坡,根石深12~22m。累计用石料1.29万m^3,柳料63.12万kg,投资52.36万元。

六、贯台大坝

贯台大坝位于河南省封丘县贯台控导工程的下首,长1 500m,上有15个垛,1970年修建,目的是导流到对岸夹河滩和东坝头工程。由于为直线型,长度较大,故称为导流大坝,简称贯台大坝。该工程宽14~17m,垛型为抛物线型,高程76.8~77.3m(大沽),根石深度8~11.5m,用石0.98万m^3,柳料120万kg,投资38.12万元。

七、江苏坝

江苏坝位于山东鄄城苏泗庄险工上首。始建于1925年,江苏省为护李开屯一带大堤,防止再次决口淹没江苏,助款20万元筑石坝10道于董庄,故名江苏坝。该工程先后修建坝34道,于1952年脱流,24#坝以上放弃修守,改称苏泗庄险工。1970~1975年在24#坝以上滩地修建导流工程1#~10#,并将24#坝加长120m,称导流11#坝。

八、梯子坝

梯子坝建于1884年，位于山东省邹平县，大堤桩号99+725～100+125。坝基总长1 640m，顶宽8.0m，高程29.30m(大沽)，其中迎水面长度244m，由7段石垛组成。当时，该段河道坍塌剧烈，距此处以下9km的齐东县也开始坍塌，官府为挑流北移，保护齐东城地，禀奏上宪而修的。因为它是一个南接大堤、向北斜插河心的单坝，形似梯子，故名梯子坝。该坝修建后，1892年溜势右移，冲毁坝基长300m，裹头和齐东县均塌入河中。该坝用石1.08万m^3，柳料33.4万kg，土方21.8万m^3，总投资59.19万元。

九、山东坝

山东坝现为河南省濮阳县南小堤险工的重要靠流段。1960年山东刘庄险工脱河，为改变上游畸形河湾，保证刘庄闸引水，山东人民在对岸修建1 500m长的挑流大坝，故称山东大坝。1961年冲跨200m，目前长1 300m，顶宽12m，高程65.30m，有支坝10道，垛6个，共用石料7.71万m^3，柳料101.14万kg，投资379.47万元。该工程的修建对改善高村至刘庄的河势起了很大作用。

十、戴村坝

戴村坝工程位于山东省泰安市东平县境内、距东平县城30km的戴村附近，横拦汶水，见图22-4。始建于明永乐九年(1411年)，是明清两代引汶济运维持漕运的关键工程，所谓“七分朝天子，三分下江南”，即为该工程的作用，是全国比较有名的古代水工建筑物，也是大汶河中下游的分界线，东平县的新八景之一。其工程分三部分。

(1)拦河溢流堰式石坝。按高程又分为玲珑坝、乱石坝、滚水坝三段，全长437.5m，按大汶河不同来水调整分流，以保持小汶河

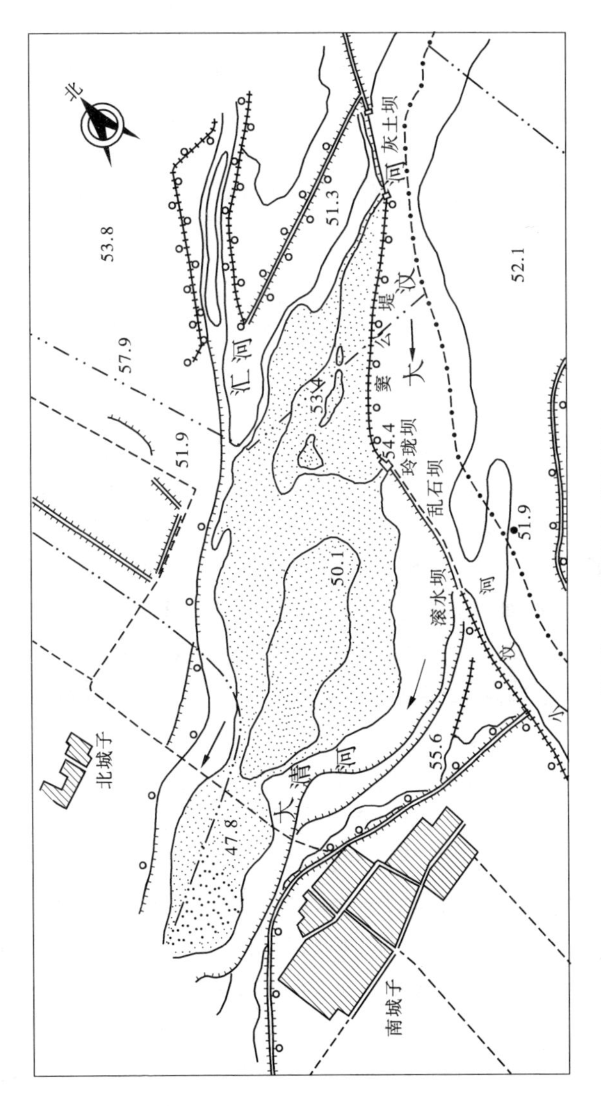

图 22-4 戴村坝位置示意图

安全济运水量(1959 年小汶河已堵复)。

(2)灰土坝。坝长 262m,是用灰土填筑的溢流堰。当大汶河发生大洪水时,可减轻小汶河、运河和戴村坝的防洪负担,部分洪水自然通过灰土坝溢流,直接进入大清河。

(3)窦公堤。全长 900m,是连接两坝之间的隔堤,临水面有坡度很陡的灰土填塘,浆砌石护坡。因该工程效益显著,历代均不断进行维修加固。

第三节　黄河小北干流

黄河小北干流(指黄河干流禹门口至潼关河段)位于东经 111.2°～111.6°,北纬 34.6°～35.6°之间,长 132.5km,左岸为山西省运城地区,右岸为陕西省渭南市,共流经两省 9 个县(市)。如图 22-5 所示。该河段河宽 3～18km,河道面积1 100km²,上下宽,中间窄,呈哑铃形,属典型的堆积性游荡型河道。汇入的主要支流有左岸汾河、涑水河和右岸 涺水、洛河、渭河。河道纵比降上陡下缓,为 3‰～6‰。滩槽高差 0.5～1.5m,在天然情况下河势主流摆动,上、下段最大摆动范围达 12～14km。该河段水沙主要来自龙门以上,龙门站多年平均水量 314.4 亿 m³,沙量 9.91 亿 t。洪水出禹门口后,水流急剧扩散,洪峰坦化,滞洪滞沙作用明显。

黄河小北干流天然情况下处于淤积状态,多年平均淤积量为 0.5 亿～0.8 亿 t。其河床调整演变的过程是:一般水沙年份处于淤积状态,当河床淤积到一定高度,经一次高含沙洪水发生“揭河底”冲刷后,河槽冲深束窄,滩地淤高变宽,洪水漫滩几率减小,尔后河床再淤积抬高,揭底冲刷,呈周期性变化。

揭底冲刷是黄河小北干流冲淤变化中比较突出的现象,揭底时最大冲刷深度可达 9.0m(龙门),自上而下递减,影响最远可达潼关。形成揭底冲刷的基本条件是:①含沙量大,持续时间长;

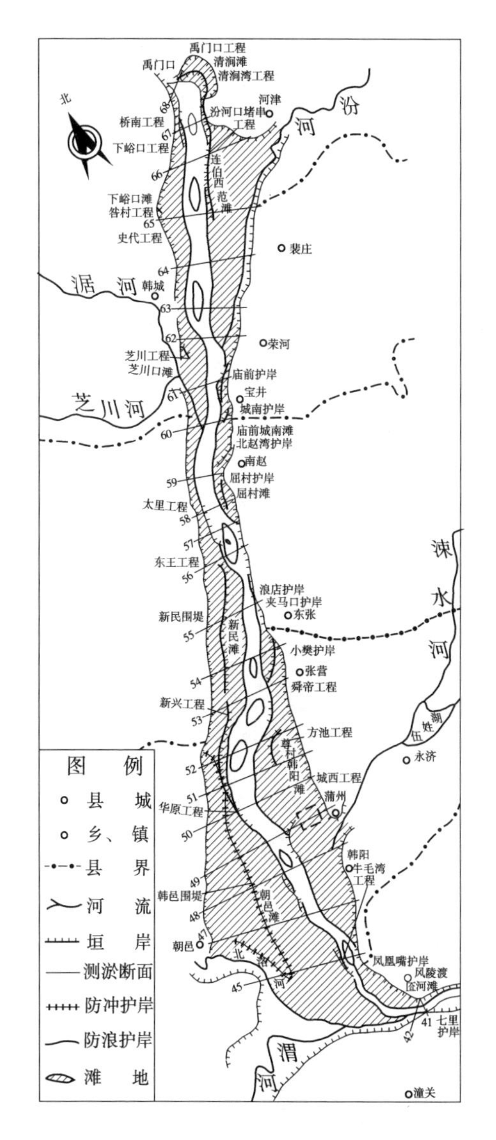

图 22-5　黄河禹门口至潼关防洪工程图

②洪峰流量大,大流量持续时间长;③河床边界条件适宜。

该河段自 1968 年水电部批准修建河道工程,目前两岸已建河道工程 32 处,长 109.8km。其中左岸 20 处,长 66km;右岸 12 处,长 43.8km。

附录一

中华人民共和国水法

第一章　总　则

第一条　为了合理开发、利用、节约和保护水资源，防治水害，实现水资源的可持续利用，适应国民经济和社会发展的需要，制定本法。

第二条　在中华人民共和国领域内开发、利用、节约、保护、管理水资源，防治水害，适用本法。

本法所称水资源，包括地表水和地下水。

第三条　水资源属于国家所有。水资源的所有权由国务院代表国家行使。农村集体经济组织的水塘和由农村集体经济组织修建管理的水库中的水，归该农村集体经济组织使用。

第四条　开发、利用、节约、保护水资源和防治水害，应当全面规划、统筹兼顾、标本兼治、综合利用、讲求效益，发挥水资源的多种功能，协调好生活、生产经营和生态环境用水。

第五条　县级以上人民政府应当加强水利基础设施建设，并将其纳入本级国民经济和社会发展计划。

第六条　国家鼓励单位和个人依法开发、利用水资源，并保护其合法权益。开发、利用水资源的单位和个人有依法保护水资源的义务。

第七条　国家对水资源依法实行取水许可制度和有偿使用制度。但是，农村集体经济组织及其成员使用本集体经济组织的水塘、水库中的水的除外。国务院水行政主管部门负责全国取水许可制度和水资源有偿使用制度的组织实施。

第八条 国家厉行节约用水，大力推行节约用水措施，推广节约用水新技术、新工艺，发展节水型工业、农业和服务业，建立节水型社会。

各级人民政府应当采取措施，加强对节约用水的管理，建立节约用水技术开发推广体系，培育和发展节约用水产业。

单位和个人有节约用水的义务。

第九条 国家保护水资源，采取有效措施，保护植被，植树种草，涵养水源，防治水土流失和水体污染，改善生态环境。

第十条 国家鼓励和支持开发、利用、节约、保护、管理水资源和防治水害的先进科学技术的研究、推广和应用。

第十一条 在开发、利用、节约、保护、管理水资源和防治水害等方面成绩显著的单位和个人，由人民政府给予奖励。

第十二条 国家对水资源实行流域管理与行政区域管理相结合的管理体制。国务院水行政主管部门负责全国水资源的统一管理和监督工作。

国务院水行政主管部门在国家确定的重要江河、湖泊设立的流域管理机构（以下简称流域管理机构），在所管辖的范围内行使法律、行政法规规定的和国务院水行政主管部门授予的水资源管理和监督职责。

县级以上地方人民政府水行政主管部门按照规定的权限，负责本行政区域内水资源的统一管理和监督工作。

第十三条 国务院有关部门按照职责分工，负责水资源开发、利用、节约和保护的有关工作。

县级以上地方人民政府有关部门按照职责分工，负责本行政区域内水资源开发、利用、节约和保护的有关工作。

第二章　水资源规划

第十四条　国家制定全国水资源战略规划。

开发、利用、节约、保护水资源和防治水害，应当按照流域、区域统一制定规划。规划分为流域规划和区域规划。流域规划包括流域综合规划和流域专业规划；区域规划包括区域综合规划和区域专业规划。

前款所称综合规划，是指根据经济社会发展需要和水资源开发利用现状编制的开发、利用、节约、保护水资源和防治水害的总体部署。前款所称专业规划，是指防洪、治涝、灌溉、航运、供水、水力发电、竹木流放、渔业、水资源保护、水土保持、防沙治沙、节约用水等规划。

第十五条　流域范围内的区域规划应当服从流域规划，专业规划应当服从综合规划。

流域综合规划和区域综合规划以及与土地利用关系密切的专业规划，应当与国民经济和社会发展规划以及土地利用总体规划、城市总体规划和环境保护规划相协调，兼顾各地区、各行业的需要。

第十六条　制定规划，必须进行水资源综合科学考察和调查评价。水资源综合科学考察和调查评价，由县级以上人民政府水行政主管部门会同同级有关部门组织进行。

县级以上人民政府应当加强水文、水资源信息系统建设。县级以上人民政府水行政主管部门和流域管理机构应当加强对水资源的动态监测。

基本水文资料应当按照国家有关规定予以公开。

第十七条　国家确定的重要江河、湖泊的流域综合规划，由国务院水行政主管部门会同国务院有关部门和有关省、自治区、直辖市人民政府编制，报国务院批准。跨省、自治区、直辖市的其他江河、湖泊的流域综合规划和区域综合规划，由有关流域管理机构会同江河、湖泊所在地的省、自治区、直辖市人民政府水行政主管部门和有关部门编制，分别经有关省、自治区、直辖市人民政府审查提出意见后，报国务院水行政主管部门审核；国务院水行政主管部门征求国务院有关部门意见后，报国务院或者其授权的部门批准。

前款规定以外的其他江河、湖泊的流域综合规划和区域综合规划，由县级以上地方人民政府水行政主管部门会同同级有关部门和有关地方人民政府编制，报本级人民政府或者其授权的部门批准，并报上一级水行政主管部门备案。

专业规划由县级以上人民政府有关部门编制，征求同级其他有关部门意见后，报本级人民政府批准。其中，防洪规划、水土保持规划的编制、批准，依照防洪法、水土保持法的有关规定执行。

第十八条 规划一经批准，必须严格执行。

经批准的规划需要修改时，必须按照规划编制程序经原批准机关批准。

第十九条 建设水工程，必须符合流域综合规划。在国家确定的重要江河、湖泊和跨省、自治区、直辖市的江河、湖泊上建设水工程，其工程可行性研究报告报请批准前，有关流域管理机构应当对水工程的建设是否符合流域综合规划进行审查并签署意见；在其他江河、湖泊上建设水工程，其工程可行性研究报告报请批准前，县级以上地方人民政府水行政主管部门应当按照管理权限对水工程的建设是否符合流域综合规划进行审查并签署意见。水工程建设涉及防洪的，依照防洪法的有关规定执行；涉及其他地区和行业的，建设单位应当事先征求有关地区和部门的意见。

第三章 水资源开发利用

第二十条 开发、利用水资源，应当坚持兴利与除害相结合，兼顾上下游、左右岸和有关地区之间的利益，充分发挥水资源的综合效益,并服从防洪的总体安排。

第二十一条 开发、利用水资源,应当首先满足城乡居民生活用水,并兼顾农业、工业、生态环境用水以及航运等需要。

在干旱和半干旱地区开发、利用水资源,应当充分考虑生态环境用水需要。

第二十二条 跨流域调水,应当进行全面规划和科学论证,统筹兼顾调出和调入流域的用水需要,防止对生态环境造成破坏。

第二十三条 地方各级人民政府应当结合本地区水资源的实际情况,按照地表水与地下水统一调度开发、开源与节流相结合、节流优先和污水处理再利用的原则,合理组织开发、综合利用水资源。

国民经济和社会发展规划以及城市总体规划的编制、重大建设项目的布局,应当与当地水资源条件和防洪要求相适应,并进行科学论证;在水资源不足的地区,应当对城市规模和建设耗水量大的工业、农业和服务业项目加以限制。

第二十四条 在水资源短缺的地区,国家鼓励对雨水和微咸水的收集、开发、利用和对海水的利用、淡化。

第二十五条 地方各级人民政府应当加强对灌溉、排涝、水土保持工作的领导,促进农业生产发展;在容易发生盐碱化和渍害的地区,应当采取措施,控制和降低地下水的水位。

农村集体经济组织或者其成员依法在本集体经济组织所有的集体土地或者承包土地上投资兴建水工程设施的,按照谁投资建设谁管理和谁受益的原则,对水工程设施及其蓄水进行管理和合理使用。

农村集体经济组织修建水库应当经县级以上地方人民政府水行政主管部门批准。

第二十六条 国家鼓励开发、利用水能资源。在水能丰富的河流,应当有计划地进行多目标梯级开发。

建设水力发电站，应当保护生态环境，兼顾防洪、供水、灌溉、航运、竹木流放和渔业等方面的需要。

第二十七条 国家鼓励开发、利用水运资源。在水生生物洄游通道、通航或者竹木流放的河流上修建永久性拦河闸坝，建设单位应当同时修建过鱼、过船、过木设施，或者经国务院授权的部门批准采取其他补救措施，并妥善安排施工和蓄水期间的水生生物保护、航运和竹木流放，所需费用由建设单位承担。

在不通航的河流或者人工水道上修建闸坝后可以通航的，闸坝建设单位应当同时修建过船设施或者预留过船设施位置。

第二十八条 任何单位和个人引水、截（蓄）水、排水，不得损害公共利益和他人的合法权益。

第二十九条 国家对水工程建设移民实行开发性移民的方针，按照前期补偿、补助与后期扶持相结合的原则，妥善安排移民的生产和生活，保护移民的合法权益。

移民安置应当与工程建设同步进行。建设单位应当根据安置地区的环境容量和可持续发展的原则，因地制宜，编制移民安置规划，经依法批准后，由有关地方人民政府组织实施。所需移民经费列入工程建设投资计划。

第四章 水资源、水域和水工程的保护

第三十条 县级以上人民政府水行政主管部门、流域管理机构以及其他有关部门在制定水资源开发、利用规划和调度水资源时，应当注意维持江河的合理流量和湖泊、水库以及地下水的合理水位，维护水体的自然净化能力。

第三十一条 从事水资源开发、利用、节约、保护和防治水害等水事活动，应当遵守经批准的规划；因违反规划造成江河和湖泊水域使用功能降低、地下水超采、地面沉降、水体污染的，应当承担治理责任。

开采矿藏或者建设地下工程，因疏干排水导致地下水水位下降、水源枯竭或者地面塌陷，采矿单位或者建设单位应当采取补救措施；对他人生活和生产造成损失的，依法给予补偿。

第三十二条 国务院水行政主管部门会同国务院环境保护行政主管部门、有关部门和有关省、自治区、直辖市人民政府，按照流域综合规划、水资源保护规划和经济社会发展要求，拟定国家确定的重要江河、湖泊的水功能区划，报国务院批准。跨省、自治区、直辖市的其他江河、湖泊的水功能区划，由有关流域管理机构会同江河、湖泊所在地的省、自治区、直辖市人民政府水行政主管部门、环境保护行政主管部门和其他有关部门拟定，分别经有关省、自治区、直辖市人民政府审查提出意见后，由国务院水行政主管部门会同国务院环境保护行政主管部门审核，报国务院或者其授权的部门批准。

前款规定以外的其他江河、湖泊的水功能区划，由县级以上地方人民政府水行政主管部门会同同级人民政府环境保护行政主管部门和有关部门拟定，报同级人民政府或者其授权的部门批准，并报上一级水行政主管部门和环境保护行政主管部门备案。

县级以上人民政府水行政主管部门或者流域管理机构应当按照水功能区对水质的要求和水体的自然净化能力，核定该水域的纳污能力，向环境保护行政主管部门提出该水域的限制排污总量意见。

县及以上地方人民政府水行政主管部门和流域管理机构应当对水功能区的水质状况进行监测，发现重点污染物排放总量超过控制指标的，或者水功能区的水质未达到水域使用功能对水质的要求的，应当及时报告有关人民政府采取治理措施，并向环境保护行政主管部门通报。

第三十三条 国家建立饮用水水源保护区制度。省、自治区、直辖市人民政府应当划定饮用水水源保护区，并采取措施，防止水源枯竭和水体污染,保证城乡居民饮用水安全。

第三十四条 禁止在饮用水水源保护区内设置排污口。

在江河、湖泊新建、改建或者扩大排污口,应当经过有管辖权的水行政主管部门或者流域管理机构同意,由环境保护行政主管部门负责对该建设项目的环境影响报告书进行审批。

第三十五条 从事工程建设,占用农业灌溉水源、灌排工程设施,或者对原有灌溉用水、供水水源有不利影响的,建设单位应当采取相应的补救措施;造成损失的,依法给予补偿。

第三十六条 在地下水超采地区,县级以上地方人民政府应当采取措施,严格控制开采地下水。在地下水严重超采地区,经省、自治区、直辖市人民政府批准,可以划定地下水禁止开采或者限制开采区。在沿海地区开采地下水,应当经过科学论证,并采取措施,防止地面沉降和海水入侵。

第三十七条 禁止在江河、湖泊、水库、运河、渠道内弃置、堆放阻碍行洪的物体和种植阻碍行洪的林木及高秆作物。

禁止在河道管理范围内建设妨碍行洪的建筑物、构筑物以及从事影响河势稳定、危害河岸堤防安全和其他妨碍河道行洪的活动。

第三十八条 在河道管理范围内建设桥梁、码头和其他拦河、跨河、临河建筑物、构筑物,铺设跨河管道、电缆,应当符合国家规定的防洪标准和其他有关的技术要求,工程建设方案应当依照防洪法的有关规定报经有关水行政主管部门审查同意。

因建设前款工程设施,需要扩建、改建、拆除或者损坏原有水工程设施的,建设单位应当负担扩建、改建的费用和损失补偿。但是,原有工程设施属于违法工程的除外。

第三十九条 国家实行河道采砂许可制度。河道采砂许可制度实施办法,由国务院规定。

在河道管理范围内采砂,影响河势稳定或者危及堤防安全的,有关县级以上人民政府水行政主管部门应当划定禁采区和规定禁采期，并予以公告。

第四十条 禁止围湖造地。已经围垦的，应当按照国家规定的防洪标准有计划地退地还湖。

禁止围垦河道。确需围垦的，应当经过科学论证，经省、自治区、直辖市人民政府水行政主管部门或者国务院水行政主管部门同意后，报本级人民政府批准。

第四十一条 单位和个人有保护水工程的义务，不得侵占、毁坏堤防、护岸、防汛、水文监测、水文地质监测等工程设施。

第四十二条 县级以上地方人民政府应当采取措施，保障本行政区域内水工程，特别是水坝和堤防的安全，限期消除险情。水行政主管部门应当加强对水工程安全的监督管理。

第四十三条 国家对水工程实施保护。国家所有的水工程应当按照国务院的规定划定工程管理和保护范围。

国务院水行政主管部门或者流域管理机构管理的水工程，由主管部门或者流域管理机构商有关省、自治区、直辖市人民政府划定工程管理和保护范围。

前款规定以外的其他水工程，应当按照省、自治区、直辖市人民政府的规定，划定工程保护范围和保护职责。

在水工程保护范围内，禁止从事影响水工程运行和危害水工程安全的爆破、打井、采石、取土等活动。

第五章　水资源配置和节约使用

第四十四条 国务院发展计划主管部门和国务院水行政主管部门负责全国水资源的宏观调配。全国的和跨省、自治区、直辖市的水中长期供求规划，由国务院水行政主管部门会同有关部门制定，经国务院发展计划主管部门审查批准后执行。地方的水中长期供求规划，由县级以上地方人民政府水行政主管部门会同同级有关部门依据上一级水中长期供求规划和本地区的实际情况制订，经本级人民政府发展计划主管部门审查批准后执行。

水中长期供求规划应当依据水的供求现状、国民经济和社会发展规划、流域规划、区域规划，按照水资源供需协调、综合平衡、保护生态、厉行节约、合理开源的原则制定。

第四十五条 调蓄径流和分配水量，应当依据流域规划和水中长期供求规划，以流域为单元制订水量分配方案。

跨省、自治区、直辖市的水量分配方案和旱情紧急情况下的水量调度预案，由流域管理机构商有关省、自治区、直辖市人民政府制订，报国务院或者其授权的部门批准后执行。其他跨行政区域的水量分配方案和旱情紧急情况下的水量调度预案，由共同的上一级人民政府水行政主管部门商有关地方人民政府制订，报本级人民政府批准后执行。

水量分配方案和旱情紧急情况下的水量调度预案经批准后，有关地方人民政府必须执行。

在不同行政区域之间的边界河流上建设水资源开发、利用项目，应当符合该流域经批准的水量分配方案，由有关县级以上地方人民政府报共同的上一级人民政府水行政主管部门或者有关流域管理机构批准。

第四十六条 县级以上地方人民政府水行政主管部门或者流域管理机构应当根据批准的水量分配方案和年度预测来水量，制定年度水量分配方案和调度计划，实施水量统一调度；有关地方人民政府必须服从。

国家确定的重要江河、湖泊的年度水量分配方案，应当纳入国家的国民经济和社会发展年度计划。

第四十七条 国家对用水实行总量控制和定额管理相结合的制度。

省、自治区、直辖市人民政府有关行业主管部门应当制订本行政区域内行业用水定额，报同级水行政主管部门和质量监督检验行政主管部门审核同意后，由省、自治区、直辖市人民政府公布，并报国务院水行政主管部门和国务院质量监督检验行政主管部门备案。

县级以上地方人民政府发展计划主管部门会同同级水行政主管部门，根据用水定额、经济技术条件以及水量分配方案确定的可供本行政区域使用的水量，制定年度用水计划，对本行政区域内的年度用水实行总量控制。

第四十八条 直接从江河、湖泊或者地下取用水资源的单位和个人，应当按照国家取水许可制度和水资源有偿使用制度的规定，向水行政主管部门或者流域管理机构申请领取取水许可证，并缴纳水资源费，取得取水权。但是，家庭生活和零星散养、圈养畜禽饮用等少量取水的除外。

实施取水许可制度和征收管理水资源费的具体办法，由国务院规定。

第四十九条 用水应当计量，并按照批准的用水计划用水。

用水实行计量收费和超定额累进加价制度。

第五十条 各级人民政府应当推行节水灌溉方式和节水技术，对农业蓄水、输水工程采取必要的防渗漏措施，提高农业用水效率。

第五十一条 工业用水应当采用先进技术、工艺和设备，增加循环用水次数，提高水的重复利用率。

国家逐步淘汰落后的、耗水量高的工艺、设备和产品，具体名录由国务院经济综合主管部门会同国务院水行政主管部门和有关部门制定并公布。生产者、销售者或者生产经营中的使用者应当在规定的时间内停止生产、销售或者使用列入名录的工艺、设备和产品。

第五十二条 城市人民政府应当因地制宜采取有效措施，推广节水型生活用水器具，降低城市供水管网漏失率，提高生活用水效率；加强城市污水集中处理，鼓励使用再生水，提高污水再生利用率。

第五十三条 新建、扩建、改建建设项目，应当制订节水措施方案，配套建设节水设施。节水设施应当与主体工程同时设计、同时施工、同时投产。

供水企业和自建供水设施的单位应当加强供水设施的维护管理，减少水的漏失。

第五十四条 各级人民政府应当积极采取措施，改善城乡居民的饮用水条件。

第五十五条 使用水工程供应的水，应当按照国家规定向供水单位缴纳水费。供水价格应当按照补偿成本、合理收益、优质优价、公平负担的原则确定。具体办法由省级以上人民政府价格主管部门会同同级水行政主管部门或者其他供水行政主管部门依据职权制定。

第六章 水事纠纷处理与执法监督检查

第五十六条 不同行政区域之间发生水事纠纷的，应当协商处理；协商不成的，由上一级人民政府裁决，有关各方必须遵照执行。在水事纠纷解决前，未经各方达成协议或者共同的上一级人民政府批准，在行政区域交界线两侧一定范围内，任何一方不得修建排水、阻水、取水和截（蓄）水工程，不得单方面改变水的现状。

第五十七条 单位之间、个人之间、单位与个人之间发生的水事纠纷，应当协商解决；当事人不愿协商或者协商不成的，可以申请县级以上地方人民政府或者其授权的部门调解，也可以直接向人民法院提起民事诉讼。县级以上地方人民政府或者其授权的部门调解不成的，当事人可以向人民法院提起民事诉讼。

在水事纠纷解决前，当事人不得单方面改变现状。

第五十八条 县级以上人民政府或者其授权的部门在处理水事纠纷时,有权采取临时处置措施,有关各方或者当事人必须服从。

第五十九条 县级以上人民政府水行政主管部门和流域管理机构应当对违反本法的行为加强监督检查并依法进行查处。

水政监督检查人员应当忠于职守,秉公执法。

第六十条 县级以上人民政府水行政主管部门、流域管理机构及其水政监督检查人员履行本法规定的监督检查职责时,有权采取下列措施:

(一)要求被检查单位提供有关文件、证照、资料;

(二)要求被检查单位就执行本法的有关问题作出说明;

(三)进入被检查单位的生产场所进行调查;

(四)责令被检查单位停止违反本法的行为,履行法定义务。

第六十一条 有关单位或者个人对水政监督检查人员的监督检查工作应当给予配合,不得拒绝或者阻碍水政监督检查人员依法执行职务。

第六十二条 水政监督检查人员在履行监督检查职责时,应当向被检查单位或者个人出示执法证件。

第六十三条 县级以上人民政府或者上级水行政主管部门发现本级或者下级水行政主管部门在监督检查工作中有违法或者失职行为的,应当责令其限期改正。

第七章 法律责任

第六十四条 水行政主管部门或者其他有关部门以及水工程管理单位及其工作人员,利用职务上的便利收取他人财物、其他好处或者玩忽职守,对不符合法定条件的单位或者个人核发许可证、签署审查同意意见,不按照水量分配方案分配水量,不按照国家有关规定收取水资源费,不履行监督职责,或者发现违法行为不予查处，造成严重后果，构成犯罪的，对负有责任的主管人员和其他直接责任人员依照刑法的有关规定追究刑事责任；尚不够刑事处罚的，依法给予行政处分。

第六十五条 在河道管理范围内建设妨碍行洪的建筑物、构筑物，或者从事影响河势稳定、危害河岸堤防安全和其他妨碍河道行洪的活动的，由县级以上人民政府水行政主管部门或者流域管理机构依据职权，责令停止违法行为，限期拆除违法建筑物、构筑物，恢复原状；逾期不拆除、不恢复原状的，强行拆除，所需费用由违法单位或者个人负担，并处一万元以上十万元以下的罚款。

未经水行政主管部门或者流域管理机构同意，擅自修建水工程，或者建设桥梁、码头和其他拦河、跨河、临河建筑物、构筑物，铺设跨河管道、电缆，且防洪法未作规定的，由县级以上人民政府水行政主管部门或者流域管理机构依据职权，责令停止违法行为，限期补办有关手续；逾期不补办或者补办未被批准的，责令限期拆除违法建筑物、构筑物；逾期不拆除的，强行拆除，所需费用由违法单位或者个人负担，并处一万元以上十万元以下的罚款。

虽经水行政主管部门或者流域管理机构同意，但未按照要求修建前款所列工程设施的，由县级以上人民政府水行政主管部门或者流域管理机构依据职权，责令限期改正，按照情节轻重，处一万元以上十万元以下的罚款。

第六十六条 有下列行为之一，且防洪法未作规定的，由县级以上人民政府水行政主管部门或者流域管理机构依据职权，责令停止违法行为，限期清除障碍或者采取其他补救措施，处一万元以上五万元以下的罚款：

（一）在江河、湖泊、水库、运河、渠道内弃置、堆放阻碍行洪的物体和种植阻碍行洪的林木及高秆作物的；

（二）围湖造地或者未经批准围垦河道的。

第六十七条 在饮用水水源保护区内设置排污口的，由县级以上地方人民政府责令限期拆除、恢复原状;逾期不拆除、不恢复原状的,强行拆除、恢复原状,并处五万元以上十万元以下的罚款。

未经水行政主管部门或者流域管理机构审查同意,擅自在江河、湖泊新建、改建或者扩大排污口的,由县级以上人民政府水行政主管部门或者流域管理机构依据职权,责令停止违法行为,限期恢复原状,处五万元以上十万元以下的罚款。

第六十八条 生产、销售或者在生产经营中使用国家明令淘汰的落后的、耗水量高的工艺、设备和产品的,由县级以上地方人民政府经济综合主管部门责令停止生产、销售或者使用,处二万元以上十万元以下的罚款。

第六十九条 有下列行为之一的,由县级以上人民政府水行政主管部门或者流域管理机构依据职权,责令停止违法行为,限期采取补救措施,处二万元以上十万元以下的罚款;情节严重的,吊销其取水许可证:

(一)未经批准擅自取水的;

(二)未依照批准的取水许可规定条件取水的。

第七十条 拒不缴纳、拖延缴纳或者拖欠水资源费的,由县级以上人民政府水行政主管部门或者流域管理机构依据职权,责令限期缴纳;逾期不缴纳的,从滞纳之日起按日加收滞纳部分千分之二的滞纳金,并处应缴或者补缴水资源费一倍以上五倍以下的罚款。

第七十一条 建设项目的节水设施没有建成或者没有达到国家规定的要求,擅自投入使用的,由县级以上人民政府有关部门或者流域管理机构依据职权,责令停止使用,限期改正,处五万元以上十万元以下的罚款。

第七十二条 有下列行为之一,构成犯罪的,依照刑法的有关规定追究刑事责任;尚不够刑事处罚,且防洪法未作规定的,由县级以上地方人民政府水行政主管部门或者流域管理机构依据职权，责令停止违法行为，采取补救措施，处一万元以上五万元以下的罚款；违反治安管理处罚条例的，由公安机关依法给予治安管理处罚；给他人造成损失的，依法承担赔偿责任：

（一）侵占、毁坏水工程及堤防、护岸等有关设施，毁坏防汛、水文监测、水文地质监测设施的；

（二）在水工程保护范围内，从事影响水工程运行和危害水工程安全的爆破、打井、采石、取土等活动的。

第七十三条 侵占、盗窃或者抢夺防汛物资，防洪排涝、农田水利、水文监测和测量以及其他水工程设备和器材，贪污或者挪用国家救灾、抢险、防汛、移民安置和补偿及其他水利建设款物，构成犯罪的，依照刑法的有关规定追究刑事责任。

第七十四条 在水事纠纷发生及其处理过程中煽动闹事、结伙斗殴、抢夺或者损坏公私财物、非法限制他人人身自由，构成犯罪的，依照刑法的有关规定追究刑事责任；尚不够刑事处罚的，由公安机关依法给予治安管理处罚。

第七十五条 不同行政区域之间发生水事纠纷，有下列行为之一的，对负有责任的主管人员和其他直接责任人员依法给予行政处分：

（一）拒不执行水量分配方案和水量调度预案的；

（二）拒不服从水量统一调度的；

（三）拒不执行上一级人民政府的裁决的；

（四）在水事纠纷解决前，未经各方达成协议或者上一级人民政府批准，单方面违反本法规定改变水的现状的。

第七十六条 引水、截（蓄）水、排水，损害公共利益或者他人合法权益的，依法承担民事责任。

第七十七条 对违反本法第三十九条有关河道采砂许可制度规定的行政处罚，由国务院规定。

第八章　附　则

第七十八条　中华人民共和国缔结或者参加的与国际或者国境边界河流、湖泊有关的国际条约、协定与中华人民共和国法律有不同规定的，适用国际条约、协定的规定。但是，中华人民共和国声明保留的条款除外。

第七十九条　本法所称水工程，是指在江河、湖泊和地下水源上开发、利用、控制、调配和保护水资源的各类工程。

第八十条　海水的开发、利用、保护和管理，依照有关法律的规定执行。

第八十一条　从事防洪活动，依照防洪法的规定执行。

水污染防治，依照水污染防治法的规定执行。

第八十二条　本法自 2002 年 10 月 1 日起施行。

附录二

中华人民共和国防洪法

第一章　总　则

第一条　为了防治洪水，防御、减轻洪涝灾害，维护人民的生命和财产安全，保障社会主义现代化建设顺利进行，制定本法。

第二条　防洪工作实行全面规划、统筹兼顾、预防为主、综合治理、局部利益服从全局利益的原则。

第三条　防洪工程设施建设，应当纳入国民经济和社会发展计划。

防洪费用按照政府投入同受益者合理承担相结合的原则筹集。

第四条　开发利用和保护水资源，应当服从防洪总体安排，实行兴利与除害相结合的原则。

江河、湖泊治理以及防洪工程设施建设，应当符合流域综合规划，与流域水资源的综合开发相结合。

本法所称综合规划是指开发利用水资源和防治水害的综合规划。

第五条　防洪工作按照流域或者区域实行统一规划、分级实施和流域管理与行政区域管理相结合的制度。

第六条　任何单位和个人都有保护防洪工程设施和依法参加防汛抗洪的义务。

第七条　各级人民政府应当加强对防洪工作的统一领导，组织有关部门、单位，动员社会力量，依靠科技进步，有计划地进行江河、湖泊治理，采取措施加强防洪工程设施建设，巩固、提高防洪能力。

各级人民政府应当组织有关部门、单位，动员社会力量，做好防汛抗洪和洪涝灾害后的恢复与救济工作。

各级人民政府应当对蓄滞洪区予以扶持；蓄滞洪后，应当依照国家规定予以补偿或者救助。

第八条 国务院水行政主管部门在国务院的领导下，负责全国防洪的组织、协调、监督、指导等日常工作。国务院水行政主管部门在国家确定的重要江河、湖泊设立的流域管理机构，在所管辖的范围内行使法律、行政法规规定和国务院水行政主管部门授权的防洪协调和监督管理职责。

国务院建设行政主管部门和其他有关部门在国务院的领导下，按照各自的职责，负责有关的防洪工作。

县级以上地方人民政府水行政主管部门在本级人民政府的领导下，负责本行政区域内防洪的组织、协调、监督、指导等日常工作。县级以上地方人民政府建设行政主管部门和其他有关部门在本级人民政府的领导下，按照各自的职责，负责有关的防洪工作。

第二章 防洪规划

第九条 防洪规划是指为防治某一流域、河段或者区域的洪涝灾害而制定的总体部署，包括国家确定的重要江河、湖泊的流域防洪规划，其他江河、河段、湖泊的防洪规划以及区域防洪规划。

防洪规划应当服从所在流域、区域的综合规划；区域防洪规划应当服从所在流域的流域防洪规划。

防洪规划是江河、湖泊治理和防洪工程设施建设的基本依据。

第十条 国家确定的重要江河、湖泊的防洪规划，由国务院水行政主管部门依据该江河、湖泊的流域综合规划，会同有关部门和有关省、自治区、直辖市人民政府编制，报国务院批准。

其他江河、河段、湖泊的防洪规划或者区域防洪规划，由县级以上地方人民政府水行政主管部门分别依据流域综合规划、区域综合规划，会同有关部门和有关地区编制，报本级人民政府批准，并报上一级人民政府水行政主管部门备案；跨省、自治区、直辖市的江河、河段、湖泊的防洪规划由有关流域管理机构会同江河、河段、湖泊所在地的省、自治区、直辖市人民政府水行政主管部门、有关主管部门拟定，分别经有关省、自治区、直辖市人民政府审查提出意见后，报国务院水行政主管部门批准。

城市防洪规划，由城市人民政府组织水行政主管部门、建设行政主管部门和其他有关部门依据流域防洪规划、上一级人民政府区域防洪规划编制，按照国务院规定的审批程序批准后纳入城市总体规划。

修改防洪规划，应当报经原批准机关批准。

第十一条　编制防洪规划，应当遵循确保重点、兼顾一般，以及防汛和抗旱相结合、工程措施和非工程措施相结合的原则，充分考虑洪涝规律和上下游、左右岸的关系以及国民经济对防洪的要求，并与国土规划和土地利用总体规划相协调。

防洪规划应当确定防护对象、治理目标和任务、防洪措施和实施方案，划定洪泛区、蓄滞洪区和防洪保护区的范围，规定蓄滞洪区的使用原则。

第十二条　受风暴潮威胁的沿海地区的县级以上地方人民政府，应当把防御暴潮纳入本地区的防洪规划，加强海堤（海塘）、挡潮闸和沿海防护林等防御风暴潮工程体系建设，监督建筑物、构筑物的设计和施工符合防御风暴潮的需要。

第十三条　山洪可能诱发山体滑坡、崩塌和泥石流的地区以及其他山洪多发地区的县级以上地方人民政府，应当组织负责地质矿产管理工作的部门、水行政主管部门和其他有关部门对山体滑坡、崩塌和泥石流隐患进行全面调查，划定重点防治区，采取防治措施。

城市、村镇和其他居民点以及工厂、矿山、铁路和公路干线的布局，应当避开山洪威胁；已经建在受山洪威胁的地方的，应当采取防御措施。

第十四条 平原、洼地、水网圩区、山谷、盆地等易涝地区的有关地方人民政府，应当制定除涝治涝规划，组织有关部门、单位采取相应的治理措施，完善排水系统，发展耐涝农作物种类和品种，开展洪涝、干旱、盐碱综合治理。

城市人民政府应当加强对城区排涝管网、泵站的建设和管理。

第十五条 国务院水行政主管部门应当会同有关部门和省、自治区、直辖市人民政府制定长江、黄河、珠江、辽河、淮河、海河入海河口的整治规划。

在前款入海河口围海造地，应当符合河口整治规划。

第十六条 防洪规划确定的河道整治计划用地和规划建设的堤防用地范围内的土地，经土地管理部门和水行政主管部门会同有关地区核定，报经县级以上人民政府按照国务院规定的权限批准后，可以划定为规划保留区；该规划保留区范围内的土地涉及其他项目用地的，有关土地管理部门和水行政主管部门核定时，应当征求有关部门的意见。

规划保留区依照前款规定划定后，应当公告。

前款规划保留区内不得建设与防洪无关的工矿工程设施；在特殊情况下，国家工矿建设项目确需占用前款规划保留区内的土地的，应当按照国家规定的基本建设程序报请批准，并征求有关水行政主管部门的意见。

防洪规划确定的扩大或者开辟的人工排洪道用地范围内的土地，经省级以上人民政府土地管理部门和水行政主管部门会同有关部门、有关地区核定，报省级以上人民政府按照国务院规定的权限批准后，可以划定为规划保留区，适用前款规定。

第十七条 在江河、湖泊上建设防洪工程和其他水工程、水电站等，应当符合防洪规划的要求；水库应当按照防洪规划的要求留足防洪库容。

前款规定的防洪工程和其他水工程、水电站的可行性研究报告按照国家规定的基本建设程序报请批准时，应当附具有关水行政主管部门签署的符合防洪规划要求的规划同意书。

第三章 治理与防护

第十八条 防治江河洪水，应当蓄泄兼施，充分发挥河道行洪能力和水库、洼淀、湖泊调蓄洪水的功能，加强河道防护，因地制宜地采取定期清淤疏浚等措施，保持行洪畅通。防治江河洪水，应当保护、扩大流域林草植被，涵养水源，加强流域水土保持综合治理。

第十九条 整治河道和修建控制引导河水流向、保护堤岸等工程，应当兼顾上下游、左右岸的关系，按照规划治导线实施，不得任意改变河水流向。

国家确定的重要江河的规划治导线由流域管理机构拟定，报国务院水行政主管部门批准。

其他江河、河段的规划治导线由县级以上地方人民政府水行政主管部门拟定，报本级人民政府批准；跨省、自治区、直辖市的江河、河段和省、自治区、直辖市之间的省界河道的规划治导线由有关流域管理机构组织江河、河段所在地的省、自治区、直辖市人民政府水行政主管部门拟定，经有关省、自治区、直辖市人民政府审查提出意见后，报国务院水行政主管部门批准。

第二十条 整治河道、湖泊，涉及航道的，应当兼顾航运需要，并事先征求交通主管部门的意见。整治航道，应当符合江河、湖泊防洪安全要求，并事先征求水行政主管部门的意见。

在竹木流放的河流和渔业水域整治河道的，应当兼顾竹木水运和渔业发展的需要，并事先征求林业、渔业行政主管部门的意见。在河道中流放竹木，不得影响行洪和防洪工程设施的安全。

第二十一条 河道、湖泊管理实行按水系统一管理和分级管理相结合的原则，加强防护，确保畅通。

国家确定的重要江河、湖泊的主要河段，跨省、自治区、直辖市的重要河段、湖泊，省、自治区、直辖市之间的省界河道、湖泊以及国（边）界河道、湖泊，由流域管理机构和江河、湖泊所在地的省、自治区、直辖市人民政府水行政主管部门按照国务院水行政主管部门的划定依法实施管理。其他河道、湖泊，由县级以上地方人民政府水行政主管部门按照国务院水行政主管部门或者国务院水行政主管门授权的机构的划定依法实施管理。

有堤防的河道、湖泊，其管理范围为两岸堤防之间的水域、沙洲、滩地、行洪区和堤防及护堤地；无堤防的河道、湖泊，其管理范围为历史最高洪水位或者设计洪水位之间的水域、沙洲、滩地和行洪区。

流域管理机构直接管理的河道、湖泊管理范围，由流域管理机构会同有关县级以上地方人民政府依照前款规定界定；其他河道、湖泊管理范围，由有关县级以上地方人民政府依照前款规定界定。

第二十二条 河道、湖泊管理范围内的土地和岸线的利用，应当符合行洪、输水的要求。

禁止在河道、湖泊管理范围内建设妨碍行洪的建筑物、构筑物，倾倒垃圾、渣土，从事影响河势稳定、危害河岸堤防安全和其他妨碍河道行洪的活动。禁止在行洪河道内种植阻碍行洪的林木和高秆作物。

在船舶航行可能危及堤岸安全的河段，应当限定航速。限定航速的标志，由交通主管部门与水行政主管部门商定后设置。

第二十三条 禁止围湖造地。已经围垦的，应当按照国家规定的防洪标准进行治理，有计划地退地还湖。

禁止围垦河道。确需围垦的，应当进行科学论证，经水行政主管部门确认不妨碍行洪、输水后，报省级以上人民政府批准。

第二十四条 对居住在行洪河道内的居民，当地人民政府应当有计划地组织外迁。

第二十五条 护堤护岸的林木，由河道、湖泊管理机构组织营造和管理。护堤护岸林木，不得任意砍伐。采伐护堤护岸林木的，须经河道、湖泊管理机构同意后，依法办理采伐许可手续，并完成规定的更新补种任务。

第二十六条 对壅水、阻水严重的桥梁、引道、码头和其他跨河工程设施，根据防洪标准，有关水行政主管部门可以报请县级以上人民政府按照国务院规定的权限责令建设单位限期改建或者拆除。

第二十七条 建设跨河、穿河、穿堤、临河的桥梁、码头、道路、渡口、管道、缆线、取水、排水等工程设施，应当符合防洪标准、岸线规划、航运要求和其他技术要求，不得危害堤防安全，影响河势稳定、妨碍行洪畅通；其可行性研究报告按照国家规定的基本建设程序报请批准前，其中的工程建设方案应当经有关水行政主管部门根据前述防洪要求审查同意。

前款工程设施需要占用河道、湖泊管理范围内土地，跨越河道、湖泊空间或者穿越河床的，建设单位应当经有关水行政主管部门对该工程设施建设的位置和界限审查批准后，方可依法办理开工手续；安排施工时，应当按照水行政主管部门审查批准的位置和界限进行。

第二十八条 对于河道、湖泊管理范围内依照本法规定建设的工程设施，水行政主管部门有权依法检查；水行政主管部门检查时，被检查者应当如实提供有关的情况和资料。

前款规定的工程设施竣工验收时，应当有水行政主管部门参加。

第四章　防洪区和防洪工程设施的管理

第二十九条　防洪区是指洪水泛滥可能淹及的地区，分为洪泛区、蓄滞洪区和防洪保护区。

洪泛区是指尚无工程设施保护的洪水泛滥所及的地区。

蓄滞洪区是指包括分洪口在内的河堤背水面以外临时贮存洪水的低洼地区及湖泊等。

防洪保护区是指在防洪标准内受防洪工程设施保护的地区。

洪泛区、蓄滞洪区和防洪保护区的范围，在防洪规划或者防御洪水方案中划定，并报请省级以上人民政府按照国务院规定的权限批准后予以公告。

第三十条　各级人民政府应当按照防洪规划对防洪区内的土地利用实行分区管理。

第三十一条　地方各级人民政府应当加强对防洪区安全建设工作的领导，组织有关部门、单位对防洪区内的单位和居民进行防洪教育，普及防洪知识，提高水患意识；按照防洪规划和防御洪水方案建立并完善防洪体系和水文、气象、通信、预警以及洪涝灾害监测系统，提高防御洪水能力；组织防洪区内的单位和居民积极参加防洪工作，因地制宜地采取防洪避洪措施。

第三十二条　洪泛区、蓄滞洪区所在地的省、自治区、直辖市人民政府应当组织有关地区和部门，按照防洪规划的要求，制定洪泛区、蓄滞洪区安全建设计划，控制蓄滞洪区人口增长，对居住在经常使用的蓄滞洪区的居民，有计划地组织外迁，并采取其他必要的安全保护措施。

因蓄滞洪区而直接受益的地区和单位，应当对蓄滞洪区承担国家规定的补偿、救助义务。国务院和有关的省、自治区、直辖市人民政府应当建立对蓄滞洪区的扶持和补偿、救助制度。

国务院和有关的省、自治区、直辖市人民政府可以制定洪泛区、蓄滞洪区安全建设管理办法以及对蓄滞洪区的扶持和补偿、救助办法。

第三十三条 在洪泛区、蓄滞洪区内建设非防洪建设项目，应当就洪水对建设项目可能产生的影响和建设项目对防洪可能产生的影响作出评价，编制洪水影响评价报告，提出防御措施。建设项目可行性研究报告按照国家规定的基本建设程序报请批准时，应当附具有关水行政主管部门审查批准的洪水影响评价报告。

在蓄滞洪区内建设的油田、铁路、公路、矿山、电厂、电信设施和管道，其洪水影响评价报告应当包括建设单位自行安排的防洪避洪方案。建设项目投入生产或者使用时，其防洪工程设施应当经水行政主管部门验收。

在蓄滞洪区内建造房屋应当采用平顶式结构。

第三十四条 大中城市，重要的铁路、公路干线，大型骨干企业，应当列为防洪重点，确保安全。

受洪水威胁的城市、经济开发区、工矿区和国家重要的农业生产基地等，应当重点保护，建设必要的防洪工程设施。

城市建设不得擅自填堵原有河道沟汊、贮水湖塘洼淀和废除原有防洪围堤；确需填堵或者废除的，应当经水行政主管部门审查同意，并报城市人民政府批准。

第三十五条 属于国家所有的防洪工程设施，应当按照经批准的设计，在竣工验收前由县级以上人民政府按照国家规定，划定管理和保护范围。

属于集体所有的防洪工程设施，应当按照省、自治区、直辖市人民政府的规定，划定保护范围。

在防洪工程设施保护范围内，禁止进行爆破、打井、采石、取土等危害防洪工程设施安全的活动。

第三十六条 各级人民政府应当组织有关部门加强对水库大坝的定期检查和监督管理。对未达到设计洪水标准、抗震设防要求或者有严重质量缺陷的险坝，大坝主管部门应当组织有关单位采取除险加固措施，限期消除危险或者重建，有关人民政府应当优先安排所需资金。对可能出现垮坝的水库，应当事先制订应急抢险和居民临时撤离方案。

各级人民政府和有关主管部门应当加强对尾矿坝的监督管理，采取措施，避免因洪水导致垮坝。

第三十七条 任何单位和个人不得破坏、侵占、毁损水库大坝、堤防、水闸、护岸、抽水站、排水渠系等防洪工程和水文、通信设施以及防汛备用的器材、物料等。

第五章 防汛抗洪

第三十八条 防汛抗洪工作实行各级人民政府行政首长负责制，统一指挥、分级分部门负责。

第三十九条 国务院设立国家防汛指挥机构，负责领导、组织全国的防汛抗洪工作，其办事机构设在国务院水行政主管部门。

在国家确定的重要江河、湖泊可以设立由有关省、自治区、直辖市人民政府和该江河、湖泊的流域管理机构负责人等组成的防汛指挥机构，指挥所管辖范围内的防汛抗洪工作，其办事机构设在流域管理机构。

有防汛抗洪任务的县级以上地方人民政府设立由有关部门、当地驻军、人民武装部负责人等组成的防汛指挥机构，在上级防汛指挥机构和本级人民政府的领导下，指挥本地区的防汛抗洪工作，其办事机构设在同级水行政主管部门；必要时，经城市人民政府决定，防汛指挥机构也可以在建设行政主管部门设城市市区办事机构，在防汛指挥机构的统一领导下，负责城市市区的防汛抗洪日常工作。

第四十条 有防汛抗洪任务的县级以上地方人民政府根据流域综合规划、防洪工程实际状况和国家规定的防洪标准，制订防御洪水方案(包括对特大洪水的处置措施)。

长江、黄河、淮河、海河的防御洪水方案,由国家防汛指挥机构制订,报国务院批准;跨省、自治区、直辖市的其他江河的防御洪水方案,由有关流域管理机构会同有关省、自治区、直辖市人民政府制订,报国务院或者国务院授权的有关部门批准。防御洪水方案经批准后,有关地方人民政府必须执行。

各级防汛指挥机构和承担防汛抗洪任务的部门和单位,必须根据防御洪水方案做好防汛抗洪准备工作。

第四十一条 省、自治区、直辖市人民政府防汛指挥机构根据当地的洪水规律,规定汛期起止日期。

当江河、湖泊的水情接近保证水位或者安全流量,水库水位接近设计洪水位,或者防洪工程设施发生重大险情时,有关县级以上人民政府防汛指挥机构可以宣布进入紧急防汛期。

第四十二条 对河道、湖泊范围内阻碍行洪的障碍物,按照谁设障、谁清除的原则,由防汛指挥机构责令限期清除;逾期不清除的,由防汛指挥机构组织强行清除,所需费用由设障者承担。

在紧急防汛期,国家防汛指挥机构或者其授权的流域、省、自治区、直辖市防汛指挥机构有权对壅水、阻水严重的桥梁、引道、码头和其他跨河工程设施作出紧急处置。

第四十三条 在汛期,气象、水文、海洋等有关部门应当按照各自的职责,及时向有关防汛指挥机构提供天气、水文等实时信息和风暴潮预报;电信部门应当优先提供防汛抗洪通信的服务;运输、电力、物资材料供应等有关部门应当优先为防汛抗洪服务。

中国人民解放军、中国人民武装警察部队和民兵应当执行国家赋予的抗洪抢险任务。

第四十四条 在汛期,水库、闸坝和其他水工程设施的运用,必须服从有关的防汛指挥机构的调度指挥和监督。

在汛期,水库不得擅自在汛期限制水位以上蓄水,其汛期限制水位以上的防洪库容的运用，必须服从防汛指挥机构的调度指挥和监督。

在凌汛期，有防凌汛任务的江河的上游水库的下泄水量必须征得有关的防汛指挥机构的同意，并接受其监督。

第四十五条 在紧急防汛期，防汛指挥机构根据防汛抗洪的需要，有权在其管辖范围内调用物资、设备、交通运输工具和人力，决定采取取土占地、砍伐林木、清除阻水障碍物和其他必要的紧急措施；必要时，公安、交通等有关部门按照防汛指挥机构的决定，依法实施陆地和水面交通管制。

依照前款规定调用的物资、设备、交通运输工具等，在汛期结束后应当及时归还；造成损坏或者无法归还的，按照国务院有关规定给予适当补偿或者作其他处理。取土占地、砍伐林木的，在汛期结束后依法向有关部门补办手续；有关地方人民政府对取土后的土地组织复垦，对砍伐的林木组织补种。

第四十六条 江河、湖泊水位或者流量达到国家规定的分洪标准，需要启用蓄滞洪区时，国务院，国家防汛指挥机构，流域防汛指挥机构，省、自治区、直辖市人民政府，省、自治区、直辖市防汛指挥机构，按照依法经批准的防御洪水方案中规定的启用条件和批准程序，决定启用蓄滞洪区。依法启用蓄滞洪区，任何单位和个人不得阻拦、拖延；遇到阻拦、拖延时，由有关县级以上地方人民政府强制实施。

第四十七条 发生洪涝灾害后，有关人民政府应当组织有关部门、单位做好灾区的生活供给、卫生防疫、救灾物资供应、治安管理、学校复课、恢复生产和重建家园等救灾工作以及所管辖地区的各项水毁工程设施修复工作。水毁防洪工程设施的修复，应当优先列入有关部门的年度建设计划。

国家鼓励、扶持开展洪水保险。

第六章　保障措施

第四十八条　各级人民政府应当采取措施，提高防洪投入的总体水平。

第四十九条　江河、湖泊的治理和防洪工程设施的建设和维护所需投资，按照事权和财权相统一的原则，分级负责，由中央和地方财政承担。城市防洪工程设施的建设和维护所需投资，由城市人民政府承担。

受洪水威胁地区的油田、管道、铁路、公路、矿山、电力、电信等企业、事业单位应当自筹资金，兴建必要的防洪自保工程。

第五十条　中央财政应当安排资金，用于国家确定的重要江河、湖泊的堤坝遭受特大洪涝灾害时的抗洪抢险和水毁防洪工程修复。省、自治区、直辖市人民政府应当在本级财政预算中安排资金，用于本行政区域内遭受特大洪涝灾害地区的抗洪抢险和水毁防洪工程修复。

第五十一条　国家设立水利建设基金，用于防洪工程和水利工程的维护和建设。具体办法由国务院规定。

受洪水威胁的省、自治区、直辖市为加强本行政区域内防洪工程设施建设，提高防御洪水能力，按照国务院的有关规定，可以规定在防洪保护区范围内征收河道工程修建维护管理费。

第五十二条　有防洪任务的地方各级人民政府应当根据国务院的有关规定，安排一定比例的农村义务工和劳动积累工，用于防洪工程设施的建设、维护。

第五十三条　任何单位和个人不得截留、挪用防洪、救灾资金和物资。

各级人民政府审计机关应当加强对防洪、救灾资金使用情况的审计监督。

第七章　法律责任

第五十四条　违反本法第十七条规定,未经水行政主管部门签署规划同意书,擅自在江河、湖泊上建设防洪工程和其他水工程、水电站的,责令停止违法行为,补办规划同意书手续;违反规划同意书的要求,严重影响防洪的,责令限期拆除;违反规划同意书的要求,影响防洪但尚可采取补救措施的,责令限期采取补救措施,可以处一万元以上十万元以下的罚款。

第五十五条　违反本法第十九条规定,未按照规划治导线整治河道和修建控制引导河水流向、保护堤岸等工程,影响防洪的,责令停止违法行为,恢复原状或者采取其他补救措施,可以处一万元以上十万元以下的罚款。

第五十六条　违反本法第二十二条第二款、第三款规定,有下列行为之一的,责令停止违法行为,排除阻碍或者采取其他补救措施,可以处五万元以下的罚款:

(一)在河道、湖泊管理范围内建设妨碍行洪的建筑物、构筑物的;

(二)在河道、湖泊管理范围内倾倒垃圾、渣土,从事影响河势稳定、危害河岸堤防安全和其他妨碍河道行洪的活动的;

(三)在行洪河道内种植阻碍行洪的林木和高秆作物的。

第五十七条　违反本法第十五条第二款、第二十三条规定,围海造地、围湖造地、围垦河道的,责令停止违法行为,恢复原状或者采取其他补救措施,可以处五万元以下的罚款;既不恢复原状也不采取其他补救措施的,代为恢复原状或者采取其他补救措施,所需费用由违法者承担。

第五十八条　违反本法第二十七条规定,未经水行政主管部门对其工程建设方案审查同意或者未按照有关水行政主管部门审查批准的位置、界限,在河道、湖泊管理范围内从事工程设施建设活动的，责令停止违法行为，补办审查同意或者审查批准手续；工程设施建设严重影响防洪的，责令限期拆除，逾期不拆除的，强行拆除，所需费用由建设单位承担；影响行洪但尚可采取补救措施的，责令限期采取补救措施，可以处一万元以上十万元以下的罚款。

第五十九条 违反本法第三十三条第一款规定，在洪泛区、蓄滞洪区内建设非防洪建设项目，未编制洪水影响评价报告的，责令限期改正；逾期不改正的，处五万元以下的罚款。

违反本法第三十三条第二款规定，防洪工程设施未经验收，即将建设项目投入生产或者使用的，责令停止生产或者使用，限期验收防洪工程设施，可以处五万元以下的罚款。

第六十条 违反本法第三十四条规定，因城市建设擅自填堵原有河道沟汊、贮水湖塘洼淀和废除原有防洪围堤的，城市人民政府应当责令停止违法行为，限期恢复原状或者采取其他补救措施。

第六十一条 违反本法规定，破坏、侵占、毁损堤防、水闸、护岸、抽水站、排水渠系等防洪工程和水文、通信设施以及防汛备用的器材、物料的，责令停止违法行为，采取补救措施，可以处五万元以下的罚款；造成损坏的，依法承担民事责任；应当给予治安管理处罚的，依照治安管理处罚条例的规定处罚；构成犯罪的，依法追究刑事责任。

第六十二条 阻碍、威胁防汛指挥机构、水行政主管部门或者流域管理机构的工作人员依法执行职务，构成犯罪的，依法追究刑事责任；尚不构成犯罪，应当给予治安管理处罚的，依照治安管理处罚条例的规定处罚。

第六十三条 截留、挪用防洪、救灾资金和物资，构成犯罪的，依法追究刑事责任；尚不构成犯罪的，给予行政处分。

第六十四条 除本法第六十条的规定外，本章规定的行政处罚和行政措施，由县级以上人民政府水行政主管部门决定，或者由流域管理机构按照国务院水行政主管部门规定的权限决定。但是,本法第六十一条、第六十二条规定的治安管理处罚的决定机关,按照治安管理处罚条例的规定执行。

第六十五条 国家工作人员,有下列行为之一,构成犯罪的,依法追究刑事责任;尚不构成犯罪的,给予行政处分:

(一)违反本法第十七条、第十九条、第二十二条第二款、第二十二条第三款、第二十七条或者第三十四条规定,严重影响防洪的;

(二)滥用职权,玩忽职守,徇私舞弊,致使防汛抗洪工作遭受重大损失的;

(三)拒不执行防御洪水方案、防汛抢险指令或者蓄滞洪方案、措施、汛期调度运用计划等防汛调度方案的;

(四)违反本法规定,导致或者加重毗邻地区或者其他单位洪灾损失的。

第八章 附 则

第六十六条 本法自 1998 年 1 月 1 日起施行。

附录三

河南省黄河河道管理办法

第一章　总　则

第一条　为加强黄河河道管理,保障防洪安全,发挥黄河河道及治黄工程的综合效益,根据《中华人民共和国河道管理条例》(以下简称《条例》),结合我省实际情况,制定本办法。

第二条　本办法适用于我省境内的黄河干流河道(包括沁河干流河道、蓄洪区、滞洪区、行洪区、库区)及其工程设施。

第三条　开发利用黄河水资源和防治水害,应当全面规划、统筹兼顾、综合利用、讲求效益,服从防洪的总体安排,促进各项事业的发展。

第四条　河南省黄河河务局是我省黄河河道主管机关。沿黄河各市、县黄河河务局(含管理局、滞洪办公室)是该行政区域黄河河道主管机关。

河南黄河河道,根据国务院水利行政主管部门划定的等级标准进行管理。

第五条　黄河河道防汛和清障工作实行地方人民政府行政首长负责制。

第六条　各级黄河河道主管机关及河道监理人员,必须按照国家法律、法规,加强河道管理,执行供水计划和防洪调度命令,维护水工程和人民生命财产安全。

第七条　一切单位和个人都有保护河道、堤防、滞洪工程安全和参加防汛抢险的义务。

第二章　河道整治与建设

第八条　河道整治与建设，应当服从流域综合规划，符合国家规定的防洪标准和其他有关技术要求，维护工程安全，保持河势稳定和行洪、航运通畅。

第九条　在黄河河道上修建开发水利、防治水害、整治河道的各类工程和跨河、穿河、拦河、穿堤、跨堤、临河的桥梁、闸坝、码头、渡口、道路、管道、缆线等建筑物及设施，建设单位必须按照河道管理权限，将工程建设方案报送黄河河道主管机关审查同意后，方可按照基本建设程序履行审批手续。

建设项目经批准后，建设单位应当将施工安排告知河道主管机关；需要破堤施工的工程，建设单位应当报送破堤开工报告，经当地黄河河道主管机关上报省黄河河道管理机关批准后，方可破堤施工。

第十条　在黄河河道上修建桥梁、码头和其他设施，必须按照国家规定的防洪标准所确定的河宽进行，不得缩窄行洪通道。桥梁的梁底必须高于设计洪水位，并按照防洪和航运的要求，留有一定的超高。设计洪水位由黄河河道主管机关根据防洪规划确定。

跨越黄河河道的管道、线路的净空高度必须符合防洪和航运的要求。

第十一条　黄河堤防上已修建的涵闸、泵站和埋设的穿堤管道、缆线等建筑物及设施，黄河河道主管机关应当定期检查，对不符合工程安全要求的，应通知其主管单位限期处理。工程处理的费用由工程主管单位承担。

在堤防上新建前款所指建筑物及设施，施工时，应接受当地黄河河道主管机关对施工质量的监督，跨汛期施工的工程项目，应制订施工度汛方案，报经黄河河道主管机关批准，由建设单位负责实施。工程竣工后，必须经黄河河道主管机关验收合格后方可启用，并服从黄河河道主管机关的安全管理。

第十二条 黄河堤防工程一般不作公路使用,险工、控导、护滩工程不作码头、渡口使用。必须使用时,须报经省黄河河道主管机关批准。堤身、堤顶路面的管理和维护办法,由省黄河河道主管机关商省交通厅制定。

第十三条 城镇建设和发展不得占用河道滩地。城镇建设的临堤界线为堤脚外五百米,乡村建设的临堤界线为堤脚外一百米。在编制和审查沿河城镇、乡村规划时,应当事先征求黄河河道主管机关的意见。

第十四条 黄河河道岸线的利用和建设,应当服从河道整治规划。在审批利用河道岸线的建设项目时,计划部门应当事先征求黄河河道主管机关的意见。

黄河滩区不得擅自设立新的村镇和厂矿,已从滩区迁移到大堤背河一侧的村镇和厂矿,不得迁回滩区。滩区现有村镇和厂矿的建设规划,应当征得黄河河道主管机关的同意。

第十五条 黄河修堤筑坝、防汛抢险、涵闸建设、护滩控导工程、防洪道路等工程占地以及取土,由当地人民政府调剂解决。黄河修堤筑坝用土,限定在堤防安全保护区以外就近取土。

因修建黄河河道整治工程所增加的可利用土地,属于国家所有。一半由黄河河道主管机关管理、使用,一半由县级以上人民政府统筹安排使用。

第十六条 在黄河河道内,未经有关各方达成协议和黄河河道主管机关批准,严禁单方面修建排水、阻水、挑水、引水、蓄水工程以及河道整治工程。

第三章 河道保护

第十七条 黄河河道管理范围为黄河两岸堤防之间的水域、沙洲、滩地(包括可耕地)、蓄洪区、滞洪区、行洪区、库区、两岸堤防及护堤地。

无堤防的河道，其管理范围应根据历史最高洪水位或者设计洪水位确定。由当地县级以上人民政府负责划定。

第十八条 黄河河道及其主要水工程的管理范围是：

（一）堤防护堤地：兰考县东坝头以上黄河堤左右岸临背河各三十米；东坝头以下的黄河堤，贯孟堤、太行堤、北金堤以及孟津、孟县和温县黄河堤临河三十米，背河十米；沁河堤临河十米，背河五米。以上堤防的险工、涵闸、重要堤段的护堤地宽度应适当加宽。

护堤地从堤脚算起，有淤临、淤背区和前后戗的堤段，从淤区和堤戗的坡脚算起；各段堤防如遇加高帮宽，护堤地的宽度相应外延。

（二）控导（护滩）工程护坝地：临河自坝头连线向外三十米，背河自联坝坡脚向外五十米。工程交通路坡脚外三米为护路地。

（三）涵闸工程从渠首闸上游防冲槽至下游防冲槽末端以下一百米，闸边墙和渠堤外二十五米为管理范围。

（四）三门峡库区岸顶高程在三百三十五米以下范围。

上述工程管理范围用地，原大于规定标准的，保持原边界，现达不到规定标准的，除控导（护滩）工程护坝地由当地市、县人民政府按规定标准无偿划拨外，其他工程管理范围用地由黄河河道主管机关按有关规定逐步征用。

第十九条 在黄河河道管理范围内，水域和土地的利用应当符合黄河行洪、输水和航运的要求；滩地的利用，应当由黄河河道主管机关会同当地土地管理等有关部门制定规划，报县级以上人民政府批准后实施。

第二十条 禁止损毁堤防、护岸、闸坝等水工程建筑物和防汛设施、水文监测和测量设施、河岸地质监测设施以及通信照明等设施。

在防汛抢险和雨雪堤顶泥泞期间，除防汛抢险车辆外，禁止其他车辆通行。

第二十一条 禁止非管理人员操作河道上的涵闸闸门，任何组织和个人均不得干扰黄河河道管理机关的正常工作。

第二十二条 在黄河河道管理范围内，禁止下列活动：

(一)修建隔堤、围堤、生产堤、阻水渠道、阻水道路；

(二)种植高秆农作物、芦苇和片林(堤防防护林除外)；

(三)弃置矿渣、石渣、煤灰、泥沙、垃圾等；

(四)在堤防和护堤地建房、开渠、打井、挖窑、建窑、葬坟、取土、放牧、违章垦殖、堆放物料、开采地下资源、进行考古发掘以及开展集市贸易活动；

(五)在堤顶行驶履带机动车和其他硬轮车辆；

(六)国家其他有关法令所禁止的活动。

第二十三条 在黄河河道管理范围内进行下列活动，必须报经黄河河道主管机关批准：

(一)采砂、采石、取土；

(二)爆破、钻探、挖筑鱼塘；

(三)在河道滩地存放物料、修建厂房或者其他建筑设施；

(四)在河道摊地开采地下资源及进行考古发掘；

(五)修建渡口、码头、桥梁(含浮桥)；

(六)修建引水、提水、排水工程和设置机械设施。

第二十四条 黄河河道堤防安全保护区的范围是：黄河堤脚外临河五十米，背河一百米；沁河堤脚外临河三十米，背河五十米。

三门峡库区范围均为安全保护区。

在黄河河道堤防安全保护区内，禁止擅自进行打井、钻探、开渠、挖窑、挖筑鱼塘、采石、取土等危害堤防安全的活动。

第二十五条 在黄河河道堤防两侧各二百米范围内一般不得进行爆破作业，必须进行爆破作业或在二百米以外进行大药量的爆破作业危及堤防安全的，施工单位应向黄河河道主管机关申请，经审查批准后，方可实施爆破作业。

第二十六条　在黄河河道管理范围内新建或改建的各类工程，施工时应保护原有的河道工程及附属设施，确需损毁的，须经省黄河河道主管机关批准，工程完工后，由建设单位恢复或予以赔偿。

第二十七条　黄河历史上留下的旧堤、旧坝、原有工程设施等，未经黄河河道主管机关批准，不得占用或者拆毁。

第二十八条　护堤、护岸、护坝林木，由黄河河道主管机关组织营造和管理，其他任何单位和个人不得侵占、砍伐或者破坏。

黄河河道主管机关对护堤护岸林木进行抚育和更新性质的采伐及用于防汛抢险的采伐，免交育林基金。

第二十九条　在汛期或黄河工程抢险期间，船舶的行驶和停靠必须遵守防汛指挥部的规定。

第三十条　向黄河河道排污的排污口的设置和扩大，排污单位在向环境保护部门申报之前，应当征得黄河河道主管机关的同意。

第三十一条　在黄河河道管理范围内，禁止堆放、倾倒、掩埋、排放污染水体的物体。禁止在河道内清洗装贮油类或者有毒污染物的车辆、容器。

黄河河道主管机关应当开展河道水质监测工作，协同环境保护部门对水污染防治实施监督管理。

第三十二条　滞洪区土地利用、开发和各项建设必须符合防洪的要求，保持蓄洪能力，实现土地的合理利用，减少洪灾损失。

第三十三条　在滞洪区内为群众避洪、撤离所建的避水台、围村坝、道路、桥梁、报警装置、船只、避水指挥楼、通讯设施等应加强维护，保证正常运用。当地人民政府应落实乡村管理组织，明确专人管护。对专管专用设施，任何单位和个人不得擅自挪用。

第三十四条　沿黄各级人民政府应加强对黄河河道工程管理工作的领导，县(市、区)、乡(镇)人民政府应分别建立有政府领导和黄河河道主管机关及有关部门负责人参加的黄河河道管理委员会，负责组织、协调、检查、监督管辖范围内黄河河道及工程的管理工作。村应建立工程管理领导小组，确定护堤、护坝人员，负责做好日常管理养护工作。

第四章　河道清障

第三十五条　对黄河河道管理范围内的阻水障碍物，按照“谁设障，谁清除”的原则，由黄河河道主管机关提出清障计划和实施方案，由防汛指挥部责令设障者在规定的期限内清除。逾期不清除的，由防汛指挥部组织强行清除，并由设障者负担全部清障费用。

第三十六条　对塞水、阻水严重的桥梁、引道、码头、生产堤、渠道、道路、片林和其他有碍行洪的设施，及在河道工程管理范围内已建成的房屋、水井、沟渠、坟墓、鱼塘、砖窑等，由黄河河道主管机关根据国家规定的防洪标准，提出处理意见，报经当地人民政府批准后，责成原建单位或个人在规定的期限内改建或者拆除。汛期影响防洪安全的，必须服从防汛指挥部的紧急处理决定。

第五章　费用负担

第三十七条　黄河河道主管机关征用、划定的各类防洪工程占地、工程管理用地按国家有关规定免交耕地占用税。

第三十八条　受益范围明确的堤防、控导(护滩)、引黄涵闸等工程设施，黄河河道主管机关可以向受益的工商企业等单位和农户收取河道工程修建维护管理费，其标准应根据工程修建和维护管理费用确定。收费的具体标准和计收办法由省黄河河道主管机关会同省物价局、财政厅另行制定，报省政府批准后执行。

第三十九条　在黄河河道内采沙、取土、淘金，必须按照批准的范围和作业方式进行，并按规定交纳管理费，收费标准和计收办法由省黄河河道主管机关会同省财政厅、物价局按照水利部、财政部、国家物价局颁布的《河道采沙收费管理办法》制订。

第四十条　凡违反《条例》和本办法规定，损毁堤防、护岸和其他水工程设施，或造成河道淤积的，由责任者负责修复，清淤或者承担维修、清淤费用。

因在黄河河道上修建的各类工程设施，影响黄河防洪并因此造成河道防洪和整治工程费用增加的，所增加的费用由修建工程设施的单位承担。

第四十一条　黄河河道主管机关收取的各项费用，用于河道堤防工程的建设、管理维修和设施的更新改造。结余资金可以连年结转使用，任何部门不得截取或者挪用。

第四十二条　黄河河道两岸的城镇和农村，当地市、县人民政府可以在汛期组织堤防保护区域内的单位和个人义务出工，对河道堤防工程进行维修和加固。

第六章　处　罚

第四十三条　违反《条例》和本办法规定的，由县级以上黄河河道主管机关或者有关部门按照《条例》第六章的规定责令纠正违法行为、采取补救措施、没收非法所得、赔偿损失、给予行政处分、依法追究刑事责任的处理外，对其中并处罚款的，按下列标准执行：

（一）在河道行洪范围内弃置、堆放阻碍行洪物体的，每立方米罚款三十元至五十元；种植阻碍行洪片林或者高秆植物的，每亩罚款十元至五十元；修建隔堤、围堤、生产堤、阻水渠道、阻水道路的，罚款一百元至五千元。

（二）在堤防、护堤地建房、开渠、打井、挖窑、建窑、葬坟、取土的，罚款一百元至五百元；放牧、违章垦殖、打场、晒粮、堆放物料、开展集市贸易活动的，罚款二十元至一百元。

(三)未经批准或者不按照国家规定的防洪标准，擅自在河道内修建挑水、阻水工程的，罚款二千元至五千元；架设浮桥和其他有碍行洪设施的，罚款二千元至一万元。

(四)未经批准或者不按照河道主管机关的规定在河道管理范围内采砂、采石、取土，罚款五十元至一千元；爆破、钻探、挖筑鱼塘的，罚款一千元至五千元。

(五)未经批准在河道滩地存放物料，修建厂房或者其他建筑设施，罚款一百元至二千元；开采地下资源或者进行考古发掘的，罚款一千元至一万元。

(六)在堤顶行驶履带机动车辆或因雨雪堤顶泥泞期间行驶车辆，造成堤面破坏的，每米罚款五元。

(七)擅自砍伐护堤护岸林木的，每株罚款十元至二百元。

(八)损毁堤防、护岸、闸坝、水工程建筑物的，罚款一百元至五千元；损毁防汛设施、水文监测和测量设施、河岸地质监测设施以及通信照明等设施的，罚款一百元至五千元。

(九)在堤防安全保护区内进行打井、钻探、爆破、挖筑鱼塘、采石、取土等危害堤防安全活动的，罚款一百元至五千元。

(十)非管理人员操作河道上的涵闸闸门或者干扰河道管理正常工作的，罚款一百元至二千元。罚款金额二千元以下的由县级黄河河道主管机关批准；二千元以上、五千元以下的由市黄河河道主管机关批准；五千元以上的由省黄河河道主管机关批准。

第四十四条 当事人对行政处罚决定不服的可以在接到处罚通知之日起十五日内，向作出处罚决定的上一级机关申请复议，对复议决定不服的，可以在接到复议决定之日起十五日内向人民法院起诉。当事人也可以在接到处罚通知之日起十五日内，直接向人民法院起诉。当事人逾期不申请复议或者不向人民法院起诉又不履行处罚决定的，由作出处罚决定的机关申请人民法院强制执行。对治安管理处罚不服的，按照《中华人民共和国治安管理处罚条例》规定办理。

第四十五条 对违反本办法规定，造成国家、集体、个人经济损失的，受害方可以请求县级以上黄河河道主管机关处理。也可以直接向人民法院起诉。

当事人对黄河河道主管机关的处理决定不服的，可以在接到通知之日起十五日内向人民法院起诉。

第四十六条 黄河河道主管机关的工作人员以及河道监理人员玩忽职守、滥用职权、徇私舞弊的，由所在单位或者上级主管机关给予行政处分；对公共财产、国家和人民的利益造成重大损失的，依法追究刑事责任。

第七章 附 则

第四十七条 本办法执行中的具体问题由河南黄河河务局负责解释。

第四十八条 本办法自发布之日起施行。

附录四

山东省黄河河道管理条例

第一章　总　则

第一条　为加强黄河河道管理，保障防洪安全，充分发挥黄河河道的综合效益，根据《中华人民共和国水法》、《中华人民共和国河道管理条例》等法律、法规，结合本省实际，制定本条例。

第二条　本条例适用于本省行政区域内的黄河河道，包括黄河蓄洪区、滞洪区、展宽区、河口及大清河河道。

第三条　省、地（市）、县（市、区）黄河河务（管理）部门，是本行政区域内的黄河河道主管机关。

各级黄河河务（管理）部门在同级人民政府和上级主管机关的领导下进行工作。

第四条　沿黄各级人民政府应当加强对黄河河道管理工作的领导，负责组织、协调、检查、监督管辖范围内的黄河河道管理工作。

第五条　各级黄河河道主管机关，必须按照法律、法规的规定，加强黄河河道管理，执行供水和防洪调度命令，维护水工程和人民生命财产安全。

第六条　各级黄河河道主管机关应当根据沿黄地区的实际，采取相应措施，帮助和支持滩区、蓄滞洪区群众发展经济，脱贫致富，提高生活水平。

第七条　各级黄河河道主管机关及水利科研单位应当加强对减缓黄河泥沙淤积、黄河断流；滩区淤改和灌溉。科学利用黄河水资源和泥沙等方面的研究，不断提高黄河除害兴利的科学水平。

第八条 沿黄单位和个人都有保护黄河河道安全和参加黄河防汛抗洪的义务；都有责任保护水质不受污染，并有权对破坏黄河河道及其附属设施和对水环境造成污染的行为进行制止、检举和控告。

第九条 对在黄河河道管理工作中做出显著成绩的单位和个人，由县级以上人民政府或者黄河河道主管机关给予表彰和奖励。

第二章 河道整治与建设

第十条 河道整治与建设必须服从黄河治理开发规划，符合国家规定的防洪标准和其他有关技术要求，维护工程安全，有利于河势稳定和河道行洪畅通。

第十一条 在黄河河道内修建跨河、拦河、临河、穿河、跨堤、穿堤的桥梁、浮桥、闸坝、码头、渡口、道路、管道、缆线及其他各类建筑物和设施；在堤岸设置引水、提水、排水工程，建设单位必须向黄河河道主管机关提出申请并报送工程建设方案，经审查同意后，方可按照规定程序履行审批手续。

建设项目经批准后，建设单位应当将设计文件及施工安排报送黄河河道主管机关，经黄河河道主管机关审查同意后方可开工。

工程竣工后，有关黄河防洪部分必须经黄河河道主管机关验收合格后方可启用，并服从黄河河道主管机关的安全管理。

第十二条 在黄河河道上已经修建的本条例第十一条第一款所列工程和设施，如因黄河防洪标准变更或者黄河防洪兴利工程加固改建，或者由于黄河河床淤积、防洪水位抬高，影响防洪安全，需进行加固、改建或者拆除的，原工程建设单位或者主管部门必须按照黄河河道主管机关的要求进行加固、改建或者拆除，并承担费用。

第十三条 培修加固堤防以及进行河道整治需要占用土地

的,应当按照节约用地的原则,由当地人民政府调剂解决。对占用的土地按照国家规定给予补偿,新修控导(护滩)工程占用工地,只补给青苗补偿费。

培修加固堤防、进行河道整治占用的土地,依照国家规定免交耕地占用税和土地使用税。

第十四条 沿黄城镇、村庄的建设和发展,不得占用黄河河道滩地和各类堤防工程。城镇、村庄建设规划的临河界限由黄河河道主管机关会同城镇规划等有关部门根据下列标准划定:

(一)城镇建设应当在护堤地或者防洪水位线以外五百米以上;

(二)乡村建设应当在护堤地或者防洪水位线以外二百米以上。

现有沿黄城镇、村庄临堤或者临河距离小于前款规定的,在编制城镇、村庄规划和改建时应当有计划地予以迁建。

第十五条 黄河滩区不得建设新的村镇和厂矿;因特殊情况必须建设的,须经省黄河河道主管机关同意。

已从滩区迁出的村镇和厂矿不得返迁。但因农业生产需要搭建临时性用房的除外。

第十六条 蓄、滞洪区的土地利用、开发和各项建设。必须符合防洪要求,保持蓄、滞洪能力。

在蓄、滞洪区内不得围湖造田,不得建设大型工业项目。

第三章 河道保护

第十七条 有堤防的河段,其管理范围为两岸堤防之间的水域、沙洲、滩(包括可耕地)、行洪区、两岸堤防及护堤地;无堤防的河段,其管理范围根据设计洪水位确定。

第十八条 在黄河河道管理范围内,水域和土地的利用应当符合黄河行洪、输水和航运的要求;滩地的利用应当由黄河河道主管机关会同土地管理等有关部门制定规划，报县级以上人民政府批准后实施。

黄河河道主管机关和有关部门制定滩区利用规划时，应当兼顾滩区群众利益。滩区利用规划中应当含有帮助滩区群众发展经济，提高生活水平的措施。

第十九条 在黄河河道管理范围内禁止进行下列活动：

（一）修建围堤、隔堤、阻水渠道等建筑物；

（二）种植阻水作物和片林；

（三）弃置矿渣、石渣、煤灰、泥土、垃圾等；

（四）在堤防和护堤地上建房、开渠、打井、挖窑、葬坟、存放物料以及开展集市贸易活动等；

（五）损坏堤防上的设施、标志桩、水文和测量标志以及通信、铁路等附属设施；

（六）清洗装贮过油类或者有毒污染物的车辆、容器等。

第二十条 在黄河河道管理范围内进行下列活动，必须经黄河河道主管机关批准；涉及其他部门的，由黄河河道主管机关会同有关部门批准：

（一）采砂、采石、爆破、钻探等；

（二）在河道滩地安排货场存放物料、开采地下资源及进行考古发掘；

（三）其他涉及河道安全和管理的活动。

第二十一条 与堤防相连的山丘、高地是防御洪水的天然屏障，属黄河防洪工程体系组成部分。禁止在与山丘、高地相连接的上下游两段堤防中心连线临背河各三百米范围内的山丘、高地上开山采石、挖掘取土。

第二十二条 护堤护坝林草，由黄河河道主管机关统一组织当地群众营造和管理。严禁侵占、破坏或者擅自砍伐。

护堤护坝林木进行抚育和更新性质的采伐及用于防汛抢险的

采伐,根据国家有关规定免交育林费。

第二十三条 经批准在黄河河道内架设浮桥,不得缩窄河道、危害河道工程、影响水文测验和河道观测;在凌汛期和超出规定流量的大汛期必须拆除。

第二十四条 经批准在黄河河道管理范围内进行各类工程建设活动,造成黄河防洪兴利工程及其附属设施损坏的,由责任者予以修复或者承担维修费用;影响黄河防洪兴利工程及其附属设施正常运行的,由责任者予以加固、改建或者承担重修费用。

第二十五条 在黄河河道管理范围内设置或者扩大排污口,排污单位在向环境保护部门申报之前,应当征得黄河河道主管机关同意。

第四章 河道工程管理

第二十六条 本条例所称黄河河道工程,是指堤防(含旧堤、旧坝)、险工、涵闸、虹吸、分洪、滞洪、河势控导等工程及其附属设施。

第二十七条 各级黄河河道主管机关及其黄河工程管理单位应当按照国家黄河河道主管机关规定的标准,做好防汛物料的储备、黄河工程的维修养护等日常管理工作,保证黄河工程设施安全运行。

第二十八条 黄河河道各类工程的管理范围,由当地县级以上人民政府依照下列规定划定:

(一)堤防护堤地、控导(护滩)工程护坝地的宽度,按照国家和省人民政府有关规定划定;其宽度超过有关规定的,按现有宽度划定;

(二)险工、滚河防护工程护坝地的宽度,上下游两侧均为十米;

(三)各类涵闸的管理范围为上游防冲槽至下游防冲槽后一百

米，渠道坡脚两侧各二十五米。

第二十九条 黄河河道主管机关经县级以上人民政府批准后，在黄河河道管理范围的相连地域划定堤防安全保护区，其范围为临河护堤地以外五十米，背河护堤地以外一百米。

在堤防安全保护区内禁止打井、钻探、爆破、挖筑鱼塘、采石、取土等危害堤防安全的活动。

第三十条 非黄河河道主管机关投资修建的引黄涵闸、大堤、险工及控导(护滩)等防洪工程，需要由黄河河道主管机关统一管理的，须经国家有关部门批准；其他各类工程设施，由建设单位自行管理，但黄河河道主管机关有权对其防汛和运行情况进行监督检查。

第三十一条 利用堤防兼作公路，必须经省黄河河道主管机关批准；经批准兼作公路的堤防，使用单位必须按规定向黄河河道主管机关拨付养护费。

禁止在堤顶行驶非防汛抢险的履带车辆。

第三十二条 涵闸、虹吸管理单位，必须严格按照上级主管部门下达的指令启闭闸门。任何单位和个人不得干扰涵闸管理单位的正常工作，严禁非管理人员操作涵闸闸门。

第三十三条 现由黄河河道主管机关管理的黄河原河道、旧堤、旧坝及其他工程设施，未经黄河河道主管机关批准，任何单位和个人不得占用、挖掘或者拆毁。

第三十四条 黄河河道主管机关按照国家规定收取的河道工程修建维护管理费和堤防维修养护费，必须实行财政预算管理，专款用于河道整治、堤防工程维修、工程设施的更新改造和河道管理，任何单位或者个人不得截留或者挪用。

第五章 洞口管理

第三十五条 本条例所称洞口，是指以垦利县宁海为顶点，北起徒骇河口、南至支脉河口的三角地域。

第三十六条 黄河入海口新淤出的土地属于国家所有,由当地人民政府根据黄河入海流路规划统一管理。

第三十七条 凡在河口进行城市、工业、交通、农业、渔业、牧业等建设,必须符合黄河入海流路规划,不得对流路和泥沙入海形成障碍。

有关部门在编制城市总体规划、乡村建设规划及其他建设规划时,应当事先征求黄河河道主管机关的意见。

重大建设项目立项时,应当征得省黄河河道主管机关同意。

第三十八条 在现行流路西洞口以下,有堤防工程控制河段,自临河堤脚外划出二百米宽的区域作为黄河修堤取土和防洪保护用地,由黄河河道主管机关管理使用。

第三十九条 在现行流路有工程控制以下河段的容沙区,由黄河河道主管机关管理,其他单位和个人不得擅自占用。

第四十条 未经黄河河道主管机关批准,任何单位和个人不得在洞口现行流路内从事河道整治、拦河、挖洞、开渠、疏浚、堵复河汊、筑堤围地、修建水库以及其他影响防洪、防凌安全的活动。

第四十一条 河口流路改变后,按规划要求保留的原河道内的防洪兴利工程及其附属设施、护堤地、防汛储备物料等仍归国家所有,由黄河河道主管机关管理使用,任何单位和个人不得侵占或者破坏。保留的原河道应当保持原状,以备复用,任何单位和个人不得擅自开发利用;如确需开发利用的,须报经黄河河道主管机关批准。

第六章 法律责任

第四十二条 违反本条例第十一条规定,未经黄河河道主管机关审查同意,擅自在黄河河道管理范围内进行修建各类建筑物及其工程设施等活动的,由黄河河道主管机关责令改正,限期补办手续,并可处以一千元以上二万元以下的罚款;对主管人员和直接责任人员由其所在单位或者上级主管机关给予行政处分。

第四十三条 违反本条例第十九条第一至五项规定的,由黄河河道主管机关责令其纠正违法行为,采取补救措施,并可处以二十元以上二千元以下的罚款;对主管人员和直接责任人员由其所在单位或者上级主管机关给予行政处分。

违反本条例第十九条第六项规定的,由环境保护行政主管部门依照环境保护法律法规的规定处理。

第四十四条 违反本条例规定,未经批准擅自从事下列活动的,由黄河河道主管机关责令其限期改正,给予警告,并可对个人处以二十元以上三千元以下的罚款,对单位处以二十元以上三万元以下的罚款:

(一)在黄河河道管理范围内进行采砂、采石、爆破、钻探等活动的;

(二)在河道滩地安排货场存放物料,开采地下资源及进行考古发掘的;

(三)砍伐护堤护坝林木的;

(四)占用、挖掘或者拆毁由黄河河道主管机关管理的原有河道、旧堤、旧坝及其他工程设施的;

(五)在河口现行流路内擅自从事河道整治、拦河、挖河、开渠、疏浚、堵复河汊、筑堤围地、修建水库以及其他影响防洪、防凌安全的活动。

第四十五条 违反本条例规定,有下列行为之一的,由黄河河道主管机关责令其限期改正,给予警告,没收违法所得,并可处以二十元以上三千元以下的罚款;对主管人员和直接责任人员由其所在单位或者上级主管机关给予行政处分。

(一)在与山丘、高地相连接的上下游两段堤防中心连线临背河各三百米范围内的山丘、高地上开山采石、挖掘取土的;

（二）在堤防安全保护区内打井、钻探、爆破、挖筑鱼塘、采石、取土的；

（三）侵占、毁坏护堤护坝林木的；

（四）非防汛抢险的履带车辆在堤顶行驶的；

（五）非管理人员操作涵闸闸门的；

（六）侵占或者破坏河口流路改变后按规划要求保留的原河道内的防洪兴利工程及其附属设施、护堤地、防汛储备物料的。

第四十六条 依照本条例实施罚款处罚时，必须使用省财政部门统一制发的罚款收据；罚没款项全部缴国库。

第四十七条 当事人对行政处罚决定不服的，可以依法申请复议或者向人民法院起诉；当事人逾期不申请复议也不向人民法院起诉，又不履行处罚决定的，由作出处罚决定的机关申请人民法院强制执行。

第四十八条 违反本条例规定，给他人造成经济损失的，应当依法承担赔偿责任；违反治安管理规定的，依照《中华人民共和国治安管理处罚条例》的规定处罚；构成犯罪的，依法追究刑事责任。

第四十九条 黄河河道主管机关的工作人员不执行供水和防洪调度命令或者不履行其他义务，玩忽职守、滥用职权、徇私舞弊的，由其所在单位或者上级主管机关给予行政处分；构成犯罪的，依法追究刑事责任。

第七章 附 则

第五十条 本条例自一九九八年一月一日起施行。一九九四年二月十六日山东省人民政府发布的《山东省黄河河道管理办法》同时废止。

参 考 文 献

1 黄河水利委员会河务局.黄河水利管理技术论文集.郑州:黄河水利出版社,2001

2 胡一三.中国江河防洪丛书——黄河卷.北京:中国水利水电出版社,1996

3 刘红宾,李跃伦.黄河防汛基础知识.郑州:黄河水利出版社,2001

4 黄河水利委员会.建设数字黄河工程.郑州:黄河水利出版社,2002